Hea tüdruku mõrvaraamat

Hea tüdruku mõrvaraamat

HOLLY JACKSON

Inglise keelest tõlkinud Johanna Taiger ja Jana Linnart

TÄNAPÄEV

Originaali tiitel:
Holly Jackson
„A Good Girl's Guide to Murder"
Farshore / HarperCollinsPublishers, 2020

Originaalselt avaldatud inglise keeles HarperCollinsPublishers Ltd (The News
Building, 1 London Bridge St, London, SE1 9GF, UK) kaubamärgi Farshore all.
Eestikeelne tõlge on ilmunud
HarperCollins Publishers Ltd loal.
Copyright © Holly Jackson, 2020
Kõik õigused kaitstud.

Eestikeelne tõlge © Johanna Taiger, Jana Linnart ja AS Tänapäev, 2024
Toimetanud Ivi Vinkler
Küljendanud Inga Joala

ISBN 978-9916-17-460-9
www.tnp.ee

Trükitud AS Pakett trükikojas

Emale ja isale –
see esimene on teile.

ESIMENE
OSA

QAG
Õpitulemused
viivad edule

UURIMISTÖÖ PROJEKT 2017/18

Kandidaadi number	Kandidaadi ees- ja perekonnanimi
4169	Pippa Fitz-Amobi

Osa A: kandidaadi teemaettepanek

Täidab kandidaat

- Aine või huvipakkuv valdkond, millega teema seostub:

emakeel, ajakirjandus, uuriv ajakirjandus, kriminaalõigus

Uurimistöö tööpealkiri.
Esita uuritav teema väite/küsimuse/hüpoteesi vormis.

2012. aastal Little Kiltonis kadunuks jäänud Andie Belli juhtumi uurimine. Detailne ülevaade sellest, kuidas nii trüki-, tele- kui ka sotsiaalmeediast on saanud ülitähtsad tegurid politseiuurimises, kasutades uurimistööks Andie Belli juhtumit, ning meedia mõjust Sal Singhi ja tema väidetava süü esitlemisel.

- Minu esmased allikad:

intervjuu kadunud inimeste otsimise eksperdiga, intervjuu kohaliku ajakirjanikuga, kes juhtumit kajastas, ajaleheartiklid, intervjuud kogukonnaliikmetega. Õpikud ja artiklid politsei töökorraldusest, psühholoogiast ja meedia rollist.

Juhendaja kommentaarid

Pippa, nagu me varem rääkisime, on sinu valitud teema äärmiselt tundlik – kohutav kuritegu, mis leidis aset meie linnas. Ma tean, et ma ei suuda sind ümber veenda, aga see projekt läheb läbi ainult sellel tingimusel, et sa ei ületa ühtegi eetilist piiri. Ma arvan, et sa peaksid uurimistööle kitsama fookuse leidma, ilma et keskenduksid liiga palju tundlikele teemadele.

Ja ma ütlen selge sõnaga: sa **EI TOHI** ühendust võtta kummagi perekonnaga, kes juhtumiga seotud on. Üleastumist tõlgendatakse kui eetikareeglite rikkumist ja sinu projekt ei lähe arvesse. Ja ära tööga üle pinguta. Ilusat suvevaheaega.

Kandidaadi deklaratsioon

Kinnitan, et olen kandidaatidele saadetud infokirja kohaselt läbi lugenud ebakorrektseid töövõtteid puudutavad eeskirjad ja neist aru saanud.

Allkiri: *Pippa Fitz-Amobi*

Kuupäev: 18/07/2017

Pip teadis, kus nad elavad.

Kõik inimesed Little Kiltonis teadsid, kus nad elavad.

Nende kodu oli nagu linna päris oma kummitusmaja; inimesed kiirendasid mööda kõndides sammu ja neelasid alla keelele kippunud sõnad. Kriiskavad lapsed kogunesid koolist koju minnes selle juurde, utsitades üksteist õueväravani jooksma ja seda puudutama.

Aga seal ei kummitanud vaimud, vaid kolm kurba inimest, kes üritasid eluga edasi minna nagu ennegi. Nende majas ei ilmutanud end vilkuvad tuled või ümber paiskuvad fantoom-toolid, vaid tumeda spreivärviga kirjutatud sõnad „värdjate perekond" ja kividega katki visatud aknad.

Pip oli alati mõtisklenud, miks nad ära ei koli. Mitte et nad oleksid pidanud; nad ei olnud midagi valesti teinud. Aga ta ei suutnud mõista, kuidas saab nii elada.

Pip teadis päris palju asju; ta teadis, et *hippopotomonst-rosesquippedaliophobia* on ladinakeelne termin, mis tähistab kartust pikkade sõnade ees, ta teadis, et lapsed sünnivad ilma põlveketradeta, ta oskas sõna-sõnalt tsiteerida Platoni ja Cato kõige kuulsamaid sententse, ja teadis, et maailmas on üle nelja tuhande kartulisordi. Aga ta ei teadnud, kuidas perekond Singh leidis endas jõudu siin edasi elada. Siin, Kiltonis, nii paljude pärani silmade, täpselt kuuldavuse piiril sosistatud kommen-taaride ja pinnapealseks jäänud naabritevaheliste vestluste raskuse all.

Oli eriti julm, et nende maja asus nii lähedal Little Kiltoni keskkoolile, kus olid käinud nii Andie Bell kui ka Sal Singh, ning kus Pip oli paari nädala pärast, kui augustiga vürtsitatud päike kastab ennast septembrisse, alustamas oma viimast aastat.

Pip peatus ja puudutas käega väravat, olles sedamaid vapram kui pooled linna noortest. Tema pilk liikus mööda teerada eesukseni. See võis küll tunduda vaid paari meetri kaugusel olevat, ent ust ja seda kohta, kus ta praegu seisis, eraldas haigutav kuristik. See võis vabalt osutuda väga halvaks ideeks; ta oli sellega arvestanud. Hommikupäike kõrvetas ja ta tundis juba, kuidas põlveõndlad teksaste sees kleepuvaks muutusid. Halb idee või julge idee. Ja ometi, ajaloo helgeimad pead soovitasid alati olla pigem julge kui ettevaatlik; need sõnad olid hea polster ka kõige hullematele ideedele.

Hõõrudes kuristiku oma kingataldade all pulbriks, kõndis ta ukseni, kõhkles hetke, mõeldes, kas ta on tõesti valmis seda tegema, ja koputas seejärel kolm korda. Ukseklaasilt peegeldus vastu tema enda pinges peegelpilt: pikad tumedad juuksed, mille päike oli otstest heledamaks pruuniks pleegitanud, Lõuna-Prantsusmaal veedetud nädalast hoolimata kahvatu nägu, kokkupõrkeks valmis terav pilk pruunikasrohelistes silmades säramas.

Uks avanes kukkuva keti kolinal ja kahe lukuklõpsatusega.

„Kes on?" küsiti käega ust pooleldi lahti hoides. Pip pilgutas, et jõllitamist vältida, aga ei suutnud sellele vastu panna. Poiss nägi nii väga Sali moodi välja: selle Sali, kes oli talle tuttav kõigist neist uudistesaadetest ja ajalehepiltidelt. Sali, kes hakkas tema teismelisemälus tuhmuma. Ravil olid vennaga samasugused ühele küljele lükatud sassis mustad juuksed, paksud kaarjad kulmud ja tammekoorekarva nahk.

„Kes on?" küsis ta uuesti.

„Ee…" Pipi stressisituatsioonis välja lööv meelitajarefleks vallandus liiga hilja. Tema aju tegeles ikka veel sellega, et erinevalt Salist oli vennal lõualohk, täpselt nagu Pipilgi. Ja ta oli nende viimasest kohtumisest saati veel pikemaks kasvanud. „Ee, vabandust, tere." Ta lehvitas kohmetult, kahetsedes seda kohe.

„Tere?"

„Tere, Ravi," ütles ta. „Ma … Sa ei tunne mind … Minu nimi on Pippa Fitz-Amobi. Ma olin sinust koolis paar klassi tagapool, enne kui sa ära läksid."

„Selge …"

„Ma tahtsin lihtsalt küsida, kas võiksin viivuks su tähelepanu paluda? Või noh, mitte päris viivuks … Kas sa teadsid, et viivu saab reaalse ajamõõtmisühikuna kasutada? See on kolm sajandikku sekundit, nii et … äkki saad mulle laenata mõned viivud?"

Issand, nii juhtus, kui ta oli närvis või väljapääsmatus olukorras; ta hakkas halbadeks naljadeks maskeeritud kasutuid fakte pilduma. Ja teine asi: närviline Pip hakkas neli korda snooblikult rääkima, jättes keskklassi kus see ja teine ning küünitades kõrgklassi kõnepruugi nutuse imitatsiooni poole. Oli ta kunagi päriselt ka vestluses sõna „viiv" kasutanud?

„Mis asja?" küsis Ravi segaduses näoga.

„Vabandust, unusta ära," ütles Pip taas käima minnes. „Niisiis, ma teen kooli jaoks UT-d ja …"

„Mis asi on UT?"

„Uurimistöö. See on iseseisev projekt, mis tuleb lõpueksamite kõrval ära teha. Võib valida ükskõik millise teema."

„Aa, ma ei jõudnud kooliga kunagi nii kaugele," sõnas poiss. „Lasin jalga nii kiiresti, kui sain."

„Ee, noh, ma mõtlesin küsida, kas sa oleksid nõus mu projekti jaoks intervjuu andma."

„Mis teemal?" Tema tumedad kulmud tõmbusid silmade kohal koomale.

„Hmm... Ma kirjutan sellest, mis viis aastat tagasi juhtus."

Ravi ohkas kõvasti ja tema huul kõverdus vihas, mis tundus olevat juba pikalt haudunud.

„Miks?" küsis ta.

„Sest ma ei usu, et su vend seda tegi – ja ma üritan seda tõestada."

Uurimistöö raport – 1. sissekanne

Intervjuu Ravi Singhiga on kokku lepitud reede pärastlõunaks (võta ettevalmistatud küsimused kaasa).

Trüki arvutisse intervjuu Angela Johnsoniga.

Raportisse tuleks kirjutada kõik uurimistöös üles kerkivad takistused, tehtud edusammud ja uurimistöö eesmärgid. Minu raport peab olude sunnil olema natuke teistsugune: jäädvustan siin kogu tehtud töö, nii asjakohase kui ka mitteasjakohase, sest hetkeseisuga ma ei tea veel, milliseks minu uurimistöö kujuneb või milline info asjakohaseks osutub. Ma ei tea, mis mu siht on. Pean lihtsalt ootama ja vaatama, kuhu ma uurimistöö lõpuks jõuan ja millise essee sellest lähtuvalt koostada saan. [Kõlab juba nagu päevik???]

Ma loodan, et see ei saa olema selline essee, nagu sai pakutud õpetaja Morganile. Ma loodan, et see saab olema tõde. Mis Andie Belliga 2012. aasta 20. aprillil tegelikult juhtus? Ja – nagu mu sisetunne mulle ütleb – kui Salil „Sal" Singh ei ole süüdlane, siis kes ta tappis?

Ma ei usu, et ma päriselt kuritöö lahendan ja Andie mõrvari leian. Ma ei ole politseiuurija, kelle kasutada on kriminalistikalabori võimalused (ilmselgelt), ja ma ei vaevle pettekujutelmade küüsis. Aga ma loodan, et minu uurimus paljastab fakte ja selgitusi, mis tekitavad põhjendatud kahtluse Sali süü osas ja viitavad sellele, et politsei sulges ekslikult juhtumi liiga vara, ilma et oleks sügavamale kaevunud.

Niisiis on minu tegelikeks uurimismeetoditeks juhtumiga lähedalt seotud isikute intervjueerimine, obsessiivne sotsiaalmeedias nuhkimine ja TÄIESTI umbropsu spekuleerimine.

[ÄRA LASE ÕPETAJA MORGANIL SEDA LUGEDA!!!]

Seega on projekti esmases staadiumis vaja uurida, mis juhtus Andrea Belliga – keda kõik tundsid Andie nime all –, ja tema kadumisega seotud asjaolusid. See info tuleb tol ajal ilmunud uudiseartiklitest ja politsei pressiteadetest.

[Kirjuta viited kohe üles, et sa ei peaks neid tagantjärele otsima!!!]

Kopeeritud esimesena tema kadumist kajastanud üleriigilisest ajalehest:

„Eelmisel reedel jäi oma kodulinnas Little Kiltonis Buckinghamshire'is kadunuks 17-aastane Andrea Bell.

Ta lahkus kodust oma autoga – musta Peugeot 206-ga. Tal oli kaasas mobiiltelefon, kuid ta ei pakkinud kaasa riideid. Politsei sõnul ei ole Andrea kadumine „üldse tema moodi".

Politsei kammis nädalavahetusel läbi perekonnale kuuluva maja lähedal asuva metsatuka.

Andrea, keda tunti hüüdnimega Andie, on valge, 168 cm pikk, pikkade blondide juustega. Arvatavasti olid tal kadumise hetkel seljas tumedad teksased ja lühike sinine kampsun."[1]

Pärast kõike, mis sellele järgnes, kajastasid hilisemad artiklid täpsemaid detaile selle kohta, millal Andiet viimati elusana nähti ja mis ajavahemikul ta arvatavasti rööviti.

Andie Belli nägi „viimati elusana 2012. aasta 20. aprilli õhtul umbes 22.30 ajal tema noorem õde Becca".[2]

Seda infot kinnitati politsei pressikonverentsil teisipäeval, 24 aprillil: „Andie auto jäi Little Kiltoni peatänaval asuva STN Banki ees olevasse turvakaamerasse, selle järgi lahkus ta kodust umbes kell 22.40."[3]

---

1 www.gbtn.co.uk/news/uk-england-bucks-54774390 23.04.12
2 www.thebuckinghamshiremail.co.uk/news/crime-4839 26.04.12
3 www.gbtn.co.uk/news/uk-england-bucks-69388473 24.04.12

Tema vanemate Jason ja Dawn Belli sõnul pidi Andie „neile kell 00.45 õhtusöögile järele tulema". Kui Andie kohale ei ilmunud ja kõnedele ei vastanud, hakkasid nad tütre sõpradele helistama, et uurida, kas keegi teab, kus ta on. Jason Bell „helistas politseisse ja teatas tütre kadumisest laupäeva varahommikul kell 3".[4]

Niisiis, mis iganes Andie Belliga tol õhtul ka juhtus, leidis see aset 22.40 ja 00.45 vahel.

Siia peaks üles kirjutama minu eilse telefoniintervjuu Angela Johnsoniga.

---

4 Forbes, Stanley, 2012, „Kogu tõde Andie Belli mõrvarist", Kilton Mail, 1.05.12, lk 1–4.

Üleskirjutus: intervjuu teadmata kadunud
inimeste otsija Angela Johnsoniga

Angela: Halloo!

Pip: Tere, kas Angela Johnson kuuleb?

Angela: Jah, kuulen. Kas Pippa?

Pip: Jah, aitäh, et mu e-kirjale vastasite.

Angela: Pole tänu väärt.

Pip: Kas ma võin meie vestluse lindistada, et saaksin selle hiljem uurimistöö jaoks arvutisse trükkida?

Angela: Jah, ikka. Vabandust, aga mul on ainult kümme minutit. Mida sa kadunud inimeste kohta teada tahad?

Pip: Noh, ma mõtlesin, et äkki saaksite mulle kirjeldada, mis juhtub, kui keegi kadunuks kuulutatakse? Milline on tegevuskava ja millised on politsei esimesed sammud?

Angela: Kui keegi helistab hädaabisse ja annab teada kadunud isikust, üritab politsei esmalt koguda nii palju teavet kui võimalik, et teha kindlaks, kas isiku elu on ohus ja kuidas edasi käituda. Esimese kõne ajal kogutakse sellist infot nagu nimi, vanus, isikukirjeldus, mis riided tal viimati seljas olid, kadumise asjaolud, kas kadumine on selle inimese puhul ebatavaline, kadumisega seotud sõiduvahendi kirjeldus. Selle informatsiooni põhjal teeb politsei kindlaks, kas tegu on kõrge, keskmise või madala riskiga juhtumiga.

Pip: Millised asjaolud teevad juhtumist kõrge riskiga juhtumi?

Angela: Kui kadunud inimene kuulub oma vanuse või puude tõttu riskigruppi, siis muudab see juhtumi kõrge riskiga juhtumiks. Kui tema käitumine erineb tavapärasest, siis see on tõenäoliselt märk sellest, et isik on sattunud ohtu, ja see tähendab kõrge riskiga juhtumit.

Pip: Nii et kui kadunud isik on seitsmeteistkümneaastane ja kadumine ei ole tema jaoks tavaline käitumine, siis kas seda võib pidada kõrge riskiga juhtumiks?

Angela: Oh, absoluutselt, kui tegu on alaealisega.

Pip: Kuidas politsei kõrge riskiga juhtumile reageerib?

Angela: Noh, esmalt saadetakse politseinikud kadumispaika. Politseinik peab koguma täpsemat infot kadunud isiku kohta, nagu üksikasjad sõprade või elukaaslase kohta, võimalikud terviseriskid ja pangakonto andmed juhuks, kui ta üritab raha välja võtta. Samuti on vaja kadunud isikust hiljutisi fotosid ja kõrge riskiga juhtumi puhul võidakse võtta ka DNA-proove, juhuks kui hiljem tuleb kriminalistikauuringuid läbi viia. Samuti, koduomanike loal otsitakse kodu põhjalikult läbi, et näha, kas kadunud isik on sinna peidetud või varjab ennast, ja et otsida täiendavaid asitõendeid. See on tavaline asjade käik.

Pip: Nii et politsei hakkab kohe uurima vihjeid või viiteid sellele, et kadunud inimene on langenud kuriteo ohvriks?

Angela: Absoluutselt. Kui kadumise asjaolud on kahtlased, öeldakse politseinikele alati: „Kahtluse korral eelda, et isik on mõrvatud." Muidugi on vaid väike protsent kadunud inimestega seotud juhtumitest mõrvajuhtumid, aga politseinikke õpetatakse kohe uurimise alguses tõendusmaterjali koguma nii, nagu oleks tegemist mõrvaga.

Pip: Ja mis juhtub, kui pärast esmast kodu läbiotsimist ei ole olulisi tõendeid leitud?

Angela: Siis laiendatakse otsinguala. Võimalik, et palutakse telefonikõnede eristusi. Küsitletakse sõpru, naabreid, kõiki, kellel võib asjakohast infot olla. Kui tegu on

kadunud noore inimesega, teismelisega, ei saa
eeldada, et kadumisest teatanud vanem on kursis kõigi
lapse sõprade ja tuttavatega. Sõbrad on hea variant,
kelle kaudu teiste oluliste inimestega ühendust võtta,
näiteks kui kadunud inimesel on salajane poiss-sõber
või midagi taolist. Ja tavaliselt arutatakse läbi ka
pressistrateegia, sest meedia kaudu info otsimine võib
sellises olukorras väga kasulik olla.

Pip: Nii et kui kaduma on läinud seitsmeteistkümneaastane
tüdruk, siis politsei võtaks tema sõprade ja poiss-
sõbraga üsna kiiresti ühendust?

Angela: Jah, muidugi. Inimesi küsitletakse, sest kui kadunud
isik on kodust ära jooksnud, peidab ta end suure
tõenäosusega mõne lähedase juures.

Pip: Ja millisel hetkel hakkab politsei kadunud inimese
juhtumi puhul eeldama, et otsitakse surnukeha?

Angela: Noh, ajalises mõttes ei ole ... Oi, Pippa, ma pean
minema. Vabandust, aga mu koosolek algab.

Pip: Aa, okei, aitäh, et leidsite aega minuga vestelda.

Angela: Ja kui sul on veel küsimusi, siis saada mulle lihtsalt
e-kiri ja ma vastan, kui mul vaba hetk tekib.

Pip: Teeme nii, aitäh veel kord.

Angela: Nägemist.

Leidsin internetist sellise statistika.

80% kadunud inimestest leitakse esimese 24 tunni jooksul.
97% leitakse esimese nädala jooksul. 99% juhtumitest
lahendatakse esimese aasta jooksul. Järele jääb vaid 1%.
1% kadunud inimestest ei leita kunagi. Aga arvesse
tuleb võtta veel üht numbrit: vaid 0,25% kõigist kadunud
inimestega seotud juhtumitest lõppeb surmaga.[5]

---

5 www.findmissingperson.co.uk/stats

Ja kus on selles statistikas Andie Belli koht? Ta hulbib igavesti kuskil 1% ja 0,25% vahel, suurenedes ja vähenedes murdosa võrra iga tibatillukese komakoha mõõtu hingetõmbega.

Aga nüüdseks on suurem osa inimesi juba leppinud sellega, et ta on surnud, kuigi tema surnukeha ei leitud. Ja miks see nii on?

Sal Singhi pärast.

Kaks

Pipi käed takerdusid klaviatuuril, nimetissõrmed w ja h kohal hõljumas, samal ajal kui ta kõrvu teritas, et allkorrusel toimuvat mürglit kuulatada. Kõva pauk, rasked sammud, libisevad küünised ja kammitsemata poisilik itsitamine. Järgmisel sekundil sai kõik selgeks.

„Joshua! Miks on koeral minu särk seljas?!" kõlas Victori elurõõmus hüüatus, selle heli hõljumas läbi vaiba Pipi tuppa.

Pip puhkes norsatades naerma, vajutas raportis salvestusnuppu ja sulges sülearvuti kaane. Nagu alati täitus kodu igapäevaste valjude häältega niipea, kui isa töölt koju jõudis. Ta polnud iialgi tasa: tema sosistamist oli kuulda toa teise otsa, tema kõmisev naer oli nii vali, et pani inimesi võpatama, ja eranditult igal aastal ärkas Pip jõuluööl selle peale, kui isa ülakorruse koridoris hiilis, et kingitused jõulusokkidesse poetada.

Tema kasuisa oli peenetundelisuse elav vastand.

Alla jõudes leidis Pip, et etendus on poole peal. Joshua jooksis ringiratast toast tuppa – köögist esikusse ja sealt elutuppa –, ise naeru lagistades.

Kohe tema kannul jooksis kuldne retriiver Barney, kellel oli seljas Pipi isa kõige silmatorkavam särk: pimestavrohelise mustriga hõlst, mille ta nende viimase Nigeeria reisi ajal oli ostnud. Koer tuhises rõõmujoovastuses üle koridori õlitatud tammeparketi, vilistades erutusest läbi hammaste.

Kõige lõpus tuli Victor oma kolmeosalises hallis Hugo Bossi ülikonnas, kahemeetrine kogu koerale ja poisile järele kihutamas, naer aina valjemate metsikute naerupahvakutena kasvamas. See oli nagu Amobi pere kodukootud variant Scooby-Doo multikast.

„Issand jumal, ma üritasin koduseid töid teha," ütles Pip naeratades, hüpates teelt eest, et konvoi teda pikali ei niidaks. Barney peatus hetkeks, tonksas peaga tema säärt ja sööstis siis elutuppa, et hüpata sülle isale ja Joshile, kes parajasti koos diivanile vajusid.

„Tere, mummuke," ütles Victor ja patsutas tühja kohta enda kõrval diivanil.

„Tere, issi, sa olid nii vaikne, et ma ei saanud arugi, et sa kodus oled."

„Kulla Pipike, sa oled liiga nutikas, et sama nalja uuesti kasutada."

Pip istus nende kõrvale ja tundis, kuidas Joshi ja isa hingeldamine pani diivanipadjad tema istumise all vabisema.

Josh hakkas oma paremas ninasõõrmes kaevandama ja isa rehmas talle käe pihta.

„Kuidas teie päev siis läinud on?" küsis ta, mille peale Josh hakkas peensusteni ulatuva täpsusega enda hiljutisi jalgpallimänge kirjeldama.

Pip vajus mõttesse; ta oli kogu seda juttu juba autos kuulnud, kui Joshi jalgpalliklubist peale korjas. Ta kuulas isegi siis ainult poole kõrvaga, sest ketras peas seda, kuidas asendustreener oli täielikus hämmelduses tema piimvalget nahka jõllitanud, kui ta näitas näpuga, millisele üheksa-aastasele ta järele oli tulnud, ja teatas: „Mina olen Joshua õde."

Ta oleks pidanud praeguseks sellega juba harjunud olema, kuidas inimesed neid silmitsesid, üritades tema pere loogikale, nende sugupuule kritseldatud numbritele ja küsitavustele, pihta saada. Ilmselgelt oli see hiiglaslik Nigeeria mees tema kasuisa ja Joshua tema poolvend. Aga Pipile ei meeldinud neid sõnu, neid külmalt mõjuvaid tehnilisi termineid kasutada. Armastatud inimesed ei ole nagu matemaatika: neid ei saa liita, lahutada või komakohaga eemal hoida. Victor ja Josh ei olnud ainult kolm kaheksandikku tema omad, neljakümne protsendi ulatuses perekond, nad olid täielikult tema omad. Tema isa ja tema närvesööv väikevend.

Tema „päris" isa, mees, kellelt oli pärit tema perekonnanimes sisalduv Fitz, hukkus autoõnnetuses, kui ta oli kümnekuune. Ja kuigi Pip noogutas ja naeratas vahel, kui ema küsis, kas ta mäletab, kuidas isa hambaid pestes ümises või naeris, kui Pipi teine sõna oli „kaka", ei mäletanud teda tegelikult. Aga mõnikord ei olegi mäletamine sinu jaoks, mõnikord teed sa seda sellepärast, et kedagi teist naeratama panna. Need valed olid lubatud.

„Ja kuidas projekt edeneb, Pip?" pöördus Victor tema poole, samal ajal oma särki koera seljast lahti nööpides.

„Pole viga," vastas Pip. „Praegu tegelen ma alles tausta-uuringuga ja kirjutan intervjuusid üles. Kuigi ma käisin täna hommikul Ravi Singhiga rääkimas."

„Nii, ja mis sai?"

„Tal oli kiire, aga lubas mul reedel tagasi tulla."

„Mina sinu asemel ei läheks," ütles Josh hoiataval toonil.

„Sellepärast ei läheks, et sa oled umbusklik eelteismeline poiss, kes arvab ikka veel, et valgusfooride sees elavad väikesed inimesed." Pip vaatas talle otsa. „Singhid ei ole midagi halba teinud."

Isa selgitas omakorda: „Joshua, kujuta ette, kui kõik inimesed vaataksid sinu peale viltu millegi pärast, mida sinu õde tegi."

„Pip teeb ainult koduseid töid."

Pip virutas Joshuale täiuslikult välja arvutatud padjalöögiga näkku. Victor hoidis poisi käsi kinni ja kõdistas teda, samal ajal kui poiss vasturünnakuks lahti rabeleda üritas.

„Miks emps juba kodus pole?" küsis Pip, narrides vangistatud Joshi, torgates talle oma paksu sokiga jala nina alla.

„Ta läks otse töölt veiniemmede lugemisklubisse," vastas isa.

„See tähendab … et me võime õhtusöögiks pitsat tellida?" küsis Pip. Järsku oli omaväräv unustatud ja nad olid Joshiga taas samal poolel. Poiss hüppas püsti ja võttis õe käevangu, vaadates anuval pilgul isale otsa.

„Muidugi," teatas Victor naeratuse saatel enda tagumikku patsutades. „Kuidas muidu ma oma mahlast ahtrit kasvatan?"

„Isa," oigas Pip ja hurjutas enda mineviku-mina, et üldse kunagi isale selle väljendi õpetas.

Uurimistöö raport - 2. sissekanne

Andie Belli juhtumi edasist arengut on üsna keeruline uudislugudest välja selgitada. Loos on augud, mille pean hetkel täitma oletuste ja kuulujuttudega, kuniks hilisemad intervjuud asja ära klaarivad; loodetavasti saavad Ravi ja Naomi – üks Sali parimaid sõpru – mind selles aidata.

Angela öeldut silmas pidades eeldan, et politsei küsis infot Andie sõprade kohta, olles ilmselt enne seda Belli perekonda küsitlenud ja nende kodu põhjalikult läbi otsinud.

Märkimisväärse Facebookis nuhkimise järel näib, et Andie parimad sõbrannad olid kaks tüdrukut nimega Chloe Burch ja Emma Hutton. Selleks on mul järgnev tõendusmaterjal:

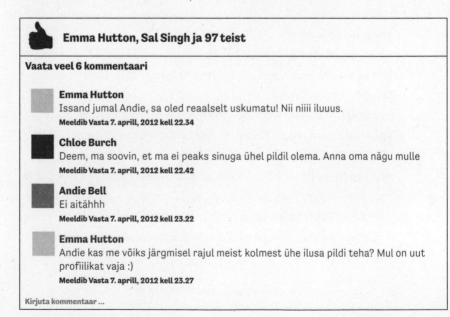

Emma Hutton, Sal Singh ja 97 teist

Vaata veel 6 kommentaari

Emma Hutton
Issand jumal Andie, sa oled reaalselt uskumatu! Nii niiii iluuus.
Meeldib Vasta 7. aprill, 2012 kell 22.34

Chloe Burch
Deem, ma soovin, et ma ei peaks sinuga ühel pildil olema. Anna oma nägu mulle
Meeldib Vasta 7. aprill, 2012 kell 22.42

Andie Bell
Ei aitähhh
Meeldib Vasta 7. aprill, 2012 kell 23.22

Emma Hutton
Andie kas me võiks järgmisel rajul meist kolmest ühe ilusa pildi teha? Mul on uut profiilikat vaja :)
Meeldib Vasta 7. aprill, 2012 kell 23.27

Kirjuta kommentaar ...

See postitus on tehtud kaks nädalat enne Andie kadumist. Tundub, et ei Chloe ega ka Emma ei ela enam Little Kiltonis. [Võib-olla peaks neile privaatsõnumi saatma ja küsima, kas nad on nõus telefoniintervjuuga?]

Chloe ja Emma nägid sellel esimesel nädalavahetusel (21. ja 22. aprillil) palju vaeva, et Thames Valley politseijaoskonna Twitteri kampaania #LeidkeAndie leviks.

Ma ei usu, et ma väga meelevaldseid järeldusi teen, kui eeldan, et politsei võttis Chloe ja Emmaga ühendust kas reede õhtul või laupäeva hommikul. Ma ei tea, mida nad politseile rääkisid. Loodetavasti õnnestub mul see välja uurida.

Küll aga on teada, et politsei rääkis Andie tolleaegse poiss-sõbraga. Tema nimi oli Sal Singh ja ta käis koos Andiega Kiltoni keskkooli viimases klassis.

Mingil hetkel laupäeval võttis politsei Saliga ühendust.

„Uurija Richard Hawkins kinnitas, et politsei küsitles Salil Singhi laupäeval, 21. aprillil. Nad palusid tal anda ütlusi oma käikude kohta eelneval õhtul, eriti ajavahemikul, mil Andie arvatavasti kadunuks jäi."[6]

Sel õhtul oli Sal oma sõbral Max Hastingsil külas. Koos temaga olid seal ta neli parimat sõpra: Naomi Ward, Jake Lawrence, Millie Simpson ja Max.

Jällegi, ma pean järgmisel nädalal Naomilt üle küsima, aga ma arvan, et Sal ütles politseile, et lahkus Maxi juurest umbes kell 00.15. Ta kõndis koju ja tema isa (Mohan Singh) kinnitas, et „Sal jõudis koju umbes 00.50".[7] Märkus: jalgsi Maxi kodust (Tudor Lane) Sali koju (Grove Place) kõnnib umbes 30 minutit – nii ütleb Google.

Politsei kontrollis Sali alibi tema sõpradelt nädalavahetusel üle.

Otsimiskuulutused pandi üles. Pühapäeval alustati majast majja küsitlemisega.[8]

6   www.gbtn.co.uk/news/uk-england-bucks-78355334 05.05.12
7   www.gbtn.co.uk/news/uk-england-bucks-78355334 05.05.12
8   Forbes, Stanley, „Kohalik tüdruk ikka kadunud", Kilton Mail, 23.04.12, lk. 1–2.

Tollel esmaspäeval aitasid 100 vabatahtlikku politseil kohalikku metsatukka läbi otsida. Olen selle kohta uudislõiku näinud, selles näidati tervet rodu inimesi metsas tema nime hüüdmas. Samal päeval hiljem märgati kriminaliste Bellide koju sisenemas.[9]

Ja teisipäeval muutus kõik.

Ma arvan, et selle ja kõigi järgnenud päevade sündmusi on kõige parem vaadelda kronoloogiliselt, mis sest, et meie, linnaelanikud, saime infot vales järjekorras ja läbisegi.

Ennelõuna: Naomi Ward, Max Hastings, Jake Lawrence ja Millie Simpson võtsid koolis olles ühendust politseiga ja tunnistasid, et andsid valeütlusi. Nende sõnul oli Sal palunud neil valetada ja oli tegelikult Andie kadumise õhtul Maxi juurest lahkunud umbes kell 22.30.

Ma ei tea täpselt, kuidas need asjad politseis käivad, aga ilmselt sai Salist sel hetkel peamine kahtlusalune.

Aga nad ei suutnud teda leida: Sali polnud koolis ega kodus. Ta ei vastanud telefonile.

Hiljem tuli välja, et Sal oli hommikul isale tekstisõnumi saatnud, ignoreerides samal ajal kõiki teisi kõnesid. Meedia hakkas sellele viitama kui „ülestunnistussõnumile".[10]

Tolle teisipäeva õhtul leidis üks Andiet otsiv politseirühm metsast surnukeha.

See oli Sal.

Ta oli ennast ära tapnud.

Ajakirjanduses ei avaldatud kunagi, kuidas Sal enesetapu sooritas, ent keskkoolikuulujuttude jõul on see mulle (ja kõigile teistele tolleaegsetele Kiltoni õpilastele) teada.

Sal läks enda kodu lähedale metsa, võttis sisse hunniku unerohutablette, pani kilekoti pähe ja tõmbas selle kummipaelaga tihkelt ümber kaela. Ta lämbus teadvuseta olekus.

---

9   www.gbtn.co.uk/news/uk-england-bucks-56479322 23.04.12
10   www.gbtn.co.uk/news/uk-england-bucks-78355334 05.05.12

Tol õhtul hiljem toimunud politsei pressikonverentsil ei mainitud Sali poole sõnagagi. Politsei avaldas vaid infokillukese, mille kohaselt nähti ühe turvakaamera salvestisel Andiet kodust ära sõitmas kell 22.40.[11]

Samal kolmapäeval leiti Andie auto pargituna ühe hõreda liiklusega tänava äärest (Romer Close).

Alles sellele järgnenud esmaspäeval avaldas politsei pressiesindaja järgmise info: „Mul on Andie Belli juhtumi kohta uudiseid. Hiljuti kindlaks tehtud info ja kohtuekspertiisi tulemuste põhjal on meil tugev alus kahtlustada, et 18-aastane noormees nimega Salil Singh oli Andie röövimise ning mõrvaga seotud. Leitud tõenditest oleks piisanud tema arreteerimiseks ja süüdistuse esitamiseks, ent paraku suri kahtlusalune enne, kui menetluse alustamine võimalikuks sai. Politsei ei kahtlusta praegu Andie kadumisega seoses kedagi teist, aga otsime tüdrukut väsimatult edasi. Oleme mõttes Bellide perekonnaga ja tunneme neile sügavalt kaasa, teades, kui rängalt need uued arengud neile mõjunud on."

Neile piisas järgmistest tõenditest.

Nad leidsid Sali surnukeha juurest Andie mobiiltelefoni.

Kriminalistid leidsid poisi parema käe keskmise ja nimetissõrme küünte alt Andie verd.

Andie verd leiti ka tema mahajäetud auto pagasiruumist. Sali sõrmejälgi leiti armatuurilt ja roolilt, aga seal olid ka Andie ja ülejäänud Belli pereliikmete sõrmejäljed.[12]

Politsei sõnul oleks tõendusmaterjalist piisanud, et Salile süüdistus esitada – vähemalt nii nad olid lootnud – ning ta kohtus süüdi tunnistada. Aga Sal oli surnud, seega kohtuprotsessi ei toimunud ja süüdimõistvat otsust ei langetatud. Samas teda ei kaitstud ka.

11   www.gbtn.co.uk/news/uk-england-bucks-69388473 24.04.12
12   www.gbtn.co.uk/news/uk-england-bucks-78355334 09.05.12

Järgnevatel nädalatel jätkati otsinguid Little Kiltonis ja selle lähedal asuvates metsatukkades. Otsiti laibakoertega. Professionaalsete sukeldujate abil Kilbourne'i jõest. Ent Andie surnukeha ei leitudki.

Andie Belli kadumise toimik suleti haldustoimingutega 2012. juuni keskel.[13] Juhtumi „halduslik lõpetamine" võis toimuda ainult seetõttu, et „süüdistuse esitamiseks oleks olnud piisavalt tõendeid, kui süüdlane ei oleks enne uurimise lõppu surnud." Toimiku „võib uuesti avada, kui leitakse uusi tõendeid või juhtlõngu".[14]

Läheme 15 minuti pärast kinno: Josh kasutas emotsionaalset väljapressimist, nii et meid ootab ees mingi superkangelase filmi vaatamine. Aga Andie Belli / Sal Singhi juhtumi taustauuringus on käsitlemata veel ainult üks viimane osa ja mul on hoog sees.

Kaheksateist kuud pärast seda, kui Andie Belli toimik suleti, esitas politsei kohalikule koronerile raporti. Selliste juhtumite puhul on koroneri ülesandeks otsustada, kas surmajuhtumit tuleks edasi uurida, sest tema asi on hinnata, kas inimene on tõenäoliselt surnud ja kadumisest on möödunud piisav aeg.

Seejärel esitab koroner apellatsiooni justiitsministrile, viidates 1988. aasta koroneride seaduse 15. jaole, mis käsitleb surmajuhtumi uurimist ilma surnukehata. Kui surnukeha pole, lähtub uurimine eelkõige politsei kogutud tõenditest ja sellest, kas vanemuurijate arvates on kadunud inimene surnud.

Surmajuhtumi uurimine on seadusega kindlaks määratud protsess, mille käigus püütakse välja selgitada surma põhjus ja asjaolud. Selle käigus ei tohi „isikuid surmas süüdistada või sellega seoses ühtegi isikut kriminaalselt vastutusele võtta".[15]

---

13   www.gbtn.co.uk/news/uk-england-bucks-87366455 16.06.12
14   The National Crime Recording Standards (NCRS) https://www.gov.co.uk/government/uploads/system/uploads/attachment_data/file/99584773/ncrs.pdf
15   http://www.inquest.uk/help/handbook/7728339

Surmajuhtumi uurimise lõpus 2014. aasta jaanuaris leidis koroner, et surma põhjus on „tapmine" ja Andie Belli perele anti välja surmatunnistus.[16]

Tapmises süüdimõistev otsus tähendab seda, et „inimene tapeti kellegi poolt ebaseadusliku tegevuse tulemusena, täpsemalt kuuluvad siia alla mõrv, tahtmatu tapmine, imiku surma põhjustamine või surm ohtliku sõidustiili tõttu".[17]

Siin kõik lõppebki.

Andie Bell kuulutati ametlikult surnuks, mis sest, et tema surnukeha ei leitudki. Asjaolusid arvestades võime eeldada, et tapmises süüdi mõistev otsus tähistab siinkohal mõrva.

Pärast Andie surmajuhtumi uurimist avaldas riiklik prokuratuur järgneva pressiteate: „Salil Singhi vastu esitatud süüdistus oleks põhinenud kaudsetel ja kohtuekspertiisi käigus leitud tõenditel. Prokuratuuril ei ole õigust öelda, kas Salil Singh tappis Andie Belli, seda oleks pidanud otsustama vandekohus."[18]

Niisiis, kuigi mingit kohtuistungit iialgi ei toimunud, kuigi ükski higiste peopesadega ja adrenaliini täis pumbatud vandekohtu esimees ei ole püsti tõusnud ega teatanud: „Vandekohus leiab, et kaebealune on süüdi", kuigi Salil polnud võimalust end kaitsta, on ta ometi süüdi. Mitte juriidilises mõttes, vaid igas teises vähegi olulises mõttes.

Kui linnaelanikelt küsida, mis Andie Belliga juhtus, ütlevad nad sulle kõhkluseta: „Salil Singh tappis ta." Mitte väidetavalt, mitte võib-olla, mitte ilmselt, mitte tõenäoliselt.

Tema tegi seda, ütlevad nad. Sal Singh tappis Andie.

Aga mina ei ole selles nii kindel ...

[Järgmises logis – proovi välja selgitada, milline oleks olnud Sali vastu ehitatud kaasus, kui see oleks kohtusse jõudnud. Seejärel hakka sellesse auke nokkima.]

---

16   www.dailynewsroom.co.uk/AndieBellInquest/report57743 12.01.14
17   http://www.inquest.uk/help/handbook/verdicts/unlawfulkilling
18   www.gbtn.co.uk/news/uk-england-bucks-95322345 14.01.14

Kolm

Hädaolukord, seisis tekstisõnumis. SOS-hädaolukord. Pip teadis kohe, et see tähendab vaid üht.

Ta haaras autovõtmed, hüüdis emale ja Joshile kohustuslikus korras head aega ja tormas uksest välja.

Tee peal käis ta poes, et osta tohutu suur šokolaad, mis aitaks ravida tohutut auku Laureni südames.

Laureni maja juurde jõudes nägi ta, et Caral oli tulnud täpselt sama mõte. Ent Cara lahkuminekujärgne esmaabikomplekt oli veel täiuslikum kui Pipi oma; ta oli toonud ka karbi pabertaskurätikuid, krõpse ja dipikastet ning vikerkaarevärvilise valiku kangasmaskipakikesi.

„Vaim valmis?" küsis Pip Caralt ja tonksas teda tervituseks puusaga.

„Jep, ma olen pisarateks hästi ette valmistunud." Ta tõstis taskurätikukarbi kõrgemale ja selle nurk jäi tema tuhkblondidesse lokkis juustesse kinni.

Pip harutas karbi tema juustest lahti ja helistas uksekella, mõlemad krimpsutasid selle kriipiva mehaanilise heli peale nägu.

Laureni ema avas ukse.

„Oo, raskekahurvägi jõudis kohale," ütles ta naeratades. „Ta on üleval oma toas."

Nad leidsid Laureni voodist, täielikult tekikookonisse sulgunult; tema eksistentsist andsid märku vaid tekiääre alt piiluvad punased juuksed. Kulus terve minut šokolaadiga meelitamist, enne kui ta nõustus välja tulema.

„Esiteks," ütles Cara Laurenilt telefoni sõrmede vahelt lahti kangutades, „on sul keelatud järgmised kakskümmend neli tundi seda vaadata."

„Ta tegi seda sõnumi teel!" ulgus Lauren ja nuuskas õhukesse pabertaskurätikusse terve tatilaadungi.

„Poisid on jobud, jumal tänatud, et mina ei pea sellega tegelema," ütles Cara, võttis Laurenil ümbert kinni ja toetas oma terava lõua sõbranna õlale. „Loz, sa suudaksid endale palju parema kuti leida."

„Nõus." Pip murdis Laurenile veel ühe riba šokolaadi. „Lisaks kõigele ütles Tom alati „eespetsiifiline", kui ta mõtles „spetsiifilist"."

Cara laksutas innukalt keelt ja näitas Pipi poole nõustuvalt näpuga. „See oli räige punane lipp."

„Ma eespetsiifiliselt arvan, et sul on temata parem," ütles Pip.

„Ma tagapetsiifiliselt arvan sama," lisas Cara.

Lauren tõi kuuldavale märja naerunortsatuse ja Cara pilgutas Pipile silma; see oli võidu märk. Nad teadsid, et koostööd tehes saavad nad õige pea Laureni taas naerma.

„Aitäh, et te tulite," ütles Lauren pisarsilmil. „Ma ei teadnud, kas te tulete. Ma olen teid vist pool aastat unarusse jätnud, kuna hängisin Tomiga. Ja nüüd olen ma kahe parima sõbranna jaoks viies ratas vankri all."

„Jäta jama," ütles Cara. „Me oleme ju kõik parimad sõbrannad, või mis?"

„Jaa," noogutas Pip, „meie ja need kolm poissi, kellega me suvatseme oma imelist seltskonda jagada."

Teised hakkasid naerma. Poisid – Ant, Zach ja Connor – olid parasjagu suvevaheajaks ära sõitnud.

Aga kõigist oma sõpradest tundis Pip Carat kõige kauem ja jah, nad olid tõesti lähedasemad. See oli sõnatu side. Nad olid olnud lahutamatud alates sellest, kui kuueaastane Cara kallistas tillukest sõpradeta Pipi ja küsis: „Kas sulle meeldivad ka jänkud?" Nad said teineteisele toetuda, kui eluraskused üksi kandmiseks liiga koormavaks muutusid. Pip, olles siis vaid kümneaastane, pakkus Carale tuge, kui tema ema vähi-diagnoosi sai ja hiljem suri. Ja ta oli olnud Cara pidepunkt ka kaks aastat tagasi, vajalik julgustav naeratus ja hommiku-tundideni kestev telefonikõne, kui Cara kapist välja tuli. Cara näos ei peegeldunud lihtsalt parim sõbranna; seal peegeldus õde. Seal peegeldus kodu.

Cara perekond oli nagu Pipi teine pere. Elliot – või härra Ward, nagu ta teda koolis kutsuma pidi – oli tema ajaloo-õpetaja ning kolmas isafiguur Victori ja tema bioloogilise isa järel. Pip käis Wardide juures nii tihti, et tal oli omanimeline kruus ja sussipaar, mis sobis kokku Cara ja tema vanema õe Naomi omadega.

„Nii." Cara sööstis telekapuldi poole. „Romantilised komöö-diad või filmid, kus kõik poisid tapetakse mingil võikal moel?"

Vaja läks ligikaudu üht ja poolt imalat filmi Netflixi hämaratest nurgatagustest, et Lauren eitamise faasist läbi sumpaks ning ettevaatlikult varbaga leppimise faasi katsuks.

„Ma peaksin laskma uue soengu lõigata," ütles ta. „Nii ju tavaliselt tehakse."

„Ma olen alati öelnud, et sa näeksid lühikeste juustega hea välja," teatas Cara.

„Ja äkki peaksin laskma ninaneedi panna, mis te arvate?"

„Oo jaa," noogutas Cara.

„Mina ei saa aru, kuidas on loogiline teha oma ninaauku veel üks ninaauk," ütles Pip.

„Veel üks imeline Pipi tsitaat, millest saab kunagi raamatu kirjutada." Cara teeskles, et kirjutab selle õhku üles. „Mis see teine oli, mis mind ükspäev naerma ajas?"

„See vorsti oma," ohkas Pip.

„Ah jaa," norsatas Cara. „Nii, Loz, ma küsisin Pipilt, millist pidžaamat ta selga panna tahab, ja ta ütles nagu muuseas: „See on minu jaoks vorst." Ja siis ei saanud ta aru, miks see vastus imelik oli."

„Nii imelik see ka pole," teatas Pip. „Mu esimese isa vanemad on sakslased. „See on minu jaoks vorst" on täiesti tavaline saksa väljend. See tähendab lihtsalt, et mul pole vahet."

„Või et sul on vorsti-kinnisidee," naeris Lauren.

„Ütleb pornostaari tütar," torkas Pip.

„Issand jumal, mitu korda me peame sellest rääkima? Mu isa tegi ainult ühe alastifotosessiooni kaheksakümnendatel, see on kõik."

„Nii, liigume edasi selle kümnendi poiste juurde," ütles Cara Pipi õlga torkides. „Kas sa käisid juba Ravi Singhi juures?"

„Kahtlane üleminek. Ja jah, aga ma lähen homme tagasi, et teda intervjueerida."

„Ma ei suuda uskuda, et sa juba alustasid uurimistööga," ütles Lauren ja vajus sureva luige kombel dramaatiliselt tagasi voodisse. „Ma tahan juba oma töö pealkirja muuta; näljahädad on liiga masendavad."

„Ilmselt tahad sa mingi aeg Naomiga ka rääkida." Cara vaatas teraval pilgul Pipile otsa.

„Kindlasti, äkki annad talle teada, et ma tulen järgmisel nädalal diktofoniäpi ja pliiatsiga läbi?"

„Jaa," ütles Cara, aga lõi siis kõhklema. „Ta on kindlasti nõus, aga kas sa palun saaksid temaga leebe olla? Ta läheb selle peale ikka veel mõnikord täiega endast välja. Sal oli ju üks tema parimaid sõpru. Tegelikult ilmselt tema *parim* sõber."

„Jaa, muidugi," ütles Pip naeratades, „mis sa siis arvasid, et ma temaga teen? Hoian kinni ja peksan vastused välja?"

„Kas sa kasutad homme Ravi peal seda taktikat?"

„Ei usu."

Lauren tõusis istukile niivõrd valju tatilörina saatel, et Cara võpatas nähtavalt.

„Kas sa lähed siis tema juurde?" küsis ta.

„Jaa."

„Aa, aga ... mida inimesed arvavad, kui näevad sind Ravi Singhi majja sisenemas?"

„See on minu jaoks vorst."

Uurimistöö raport - 3. sissekanne

Ma olen erapoolik. Ilmselgelt. Iga kord, kui ma viimase kahe sissekande üksikasju üle loen, hakkan automaatselt peas kujuteldavaid kohtusaalidraamasid korraldama: ma olen enesekindel kaitsja, kes hüppab püsti, et vastu vaielda, sorin oma märkmetes ja teen Salile silma, kui süüdistajad minu seatud lõksu langevad, sööstan kohtunikulaua juurde ja hüüan: „Härra kohtunik, ta on süütu!"

Sest mingil põhjusel, mida ma isegi väga hästi seletada ei oska, tahan ma, et Sal Singh oleks süütu. Põhjusel, mida olen endas kandnud kaheteistaastasest saati, sest juba viimased viis aastat on mind kummitanud juhtumis esinevad ebakõlad.

Aga ma ei tohi unustada, et eksisteerib ka kinnituskalduvus. Niisiis mõtlesin, et oleks hea idee intervjueerida kedagi, kes on Sali süüs täielikult veendunud. Kilton Maili ajakirjanik Stanley Forbes vastas just mu e-kirjale ja ütles, et võin talle täna igal ajal helistada. Suurem osa Andie Belli juhtumi artiklitest kohalikus lehes on tema kirjutatud ja ta oli isegi surmapõhjuse uurimise juures. Ausalt öeldes on ta minu arvates pask ajakirjanik ja ma olen üsna kindel, et Singhid võiksid ta laimu eest umbes kümnekordselt kohtusse anda. Niipea kui intervjuu tehtud saab, kirjutan transkriptsiooni siia.

No vaatame siis ...

Üleskirjutus: intervjuu Kilton Maili

ajakirjaniku Stanley Forbesiga

Stanley: Jaa.

Pip: Tere, Stanley, mina olen Pippa, suhtlesime enne meili teel.

Stanley: Jaa, ma tean. Sa tahtsid minu käest Andie Belli / Salil Singhi juhtumi kohta küsida, eks?

Pip: Täpselt nii.

Stanley: Noh, lase käia.

Pip: Hästi, aitäh. Ee, esiteks, te olite Andie surmapõhjuse uurimisel kohal, kas pole?

Stanley: Olin küll.

Pip: Kuna riiklik meedia eriti muud ei kajastanud peale lõpliku otsuse ja prokuratuuri hilisema pressiteate, siis tahtsin uurida, kas te räägiksite mulle, milliseid tõendusmaterjale politsei koronerile esitas?

Stanley: Seal oli hunnik asju.

Pip: Selge, kas saaksite mõne täpsemalt nimetada?

Stanley: Ee, noh, Andie juhtumi peauurija tõi välja tema kadumise üksikasjad, kronoloogia ja nii edasi. Seejärel rääkis ta tõenditest, mis sidusid Sali tüdruku mõrvaga. Suur teema oli auto pagasiruumist leitud veri; nad ütlesid, et see viitas võimalusele, et Andie tapeti kusagil mujal ja surnukeha pandi pakiruumi ning transporditi sellest vabanemiseks teise kohta. Oma lõpukõnes ütles koroner midagi stiilis: „Tundub selge, et Andie oli seksuaalse motiiviga mõrva ohver ja tema surnukeha kõrvaldamiseks võeti kasutusele märkimisväärseid meetmeid."

Pip: Ja kas vanemuurija Richard Hawkins või mõni teine politseinik andis ülevaate ajajoonest, mis nende hinnangul vastab tolle õhtu sündmuste käigule ja sellele, kuidas Sal tüdruku väidetavalt tappis?

Stanley: Jaa, midagi meenub küll. Andie lahkus kodust autoga ja mingil hetkel ristus tema tee koju kõndiva Saliga. Emb-kumb neist sõitis, Sal viis ta eraldatud kohta ja tappis. Peitis surnukeha pagasiruumi ja sõitis seejärel kuskile mujale, et laipa peita või sellest vabaneda. Pane tähele, ta tegi seda piisavalt hästi, et seda pole viie aasta jooksul leitud, nii et pidi ikka päris sügav auk olema. Ja siis jättis ta auto sinna tee äärde, Romer Close oli vist selle nimi, ning kõndis koju.

Pip: Nii et pagasiruumist leitud vere tõttu arvas politsei, et Andie tapeti ühes kohas ja peideti seejärel teise kohta?

Stanley: Jep.

Pip: Olgu. Paljudes juhtumit käsitlevates artiklites viitate te Salile kui „tapjale", „mõrtsukale" ja isegi „koletisele". Kas te olete ikka teadlik, et süüdimõistva otsuse puudumisel tuleb krimiuudistest kirjutades kasutada sõna „väidetavalt"?

Stanley: Ma ei usu, et mingi laps peaks mulle ütlema, kuidas ma oma tööd pean tegema. Igatahes on see ilmselge, et Sal on süüdi, ja kõik teavad seda. Ta tappis tüdruku ja süütunne viis ta enesetapuni.

Pip: Hästi. Mis põhjustel te Sali süüs veendunud olete?

Stanley: Kõiki ei jõuaks nimetadagi. Kui tõendid kõrvale jätta, siis tema oli ju Andie poiss-sõber, kas pole? Ja süüdi on alati kas poiss-sõber või endine poiss-sõber. Pealegi oli Salil hindu.

Pip: Ee... Tegelikult sündis ja kasvas Sal Suurbritannias, aga on tõesti märkimisväärne, et te viitate talle kui hindule kõigis oma artiklites.

Stanley: Noh, sama asi. Ta oli India päritolu.

Pip: Ja miks see oluline on?

Stanley: Ma ei ole just ekspert ega midagi, aga neil on teistsugused elukombed kui meil, või mis? Nad ei kohtle naisi nagu meie, nende naised on neile nagu omand. Nii et võib-olla Andie otsustas, et ta ei taha enam Saliga käia või midagi, ja poiss tappis ta raevuhoos, sest tema silmis kuulus tüdruk talle.

Pip: Vau... Ma... Ee... Te... Tõesti, Stanley, ma olen päris üllatunud, et teid pole veel laimu eest kohtusse kaevatud.

Stanley: See on sellepärast, et kõik teavad, et minu öeldu on tõsi.

Pip: Tegelikult mina ei tea. Minu arust on väga vastutustundetu kedagi mõrvariks tembeldada, ilma et kasutataks sõnu „kahtlustatav" või „väidetavalt", kui kohtuprotsessi ega süüdimõistvat otsust pole. Või Sali koletiseks nimetada. Sõnakasutust arvesse võttes on huvitav võrrelda teie hiljutisi uudiseid Slough' Kägistaja teemal. Tema tappis viis inimest ja tunnistas end kohtus süüdi, ent oma artikli pealkirjas viitate talle kui „armuvalus noormehele". Kas sellepärast, et tema on valge?

Stanley: Sellel pole Salili juhtumiga midagi pistmist. Ma lihtsalt ütlen asju nii, nagu need on. Rahune maha. Ta on surnud, mis vahet seal on, kui inimesed teda mõrvariks kutsuvad? See ei tee talle haiget.

Pip: Aga tema perekond ei ole surnud.

Stanley: Mulle hakkab tunduma, nagu sa arvaksid tõsimeeli, et ta on süütu. Hoolimata kõigi kogenud politseinike arvamusest.

Pip: Minu arvates on Sali vastu ehitatud kaasuses lihtsalt teatud lüngad ja vasturääkivused.

Stanley: Jah, kui see nolk ei oleks endale enne vahistamist otsa peale teinud, oleksime võib-olla saanud lüngad täita.

Pip: Üsna tundetu suhtumine.

Stanley: No temast jällegi oli tundetu tappa oma kena blond
          tüdruksõber ja surnukeha ära peita.

Pip: Väidetavalt!

Stanley: Kuule fänniplika, kas sul on veel tõestust vaja, et see
          poiss oli mõrvar? Meil ei lubatud seda trükki lasta, aga
          minu kontaktisik politseist ütles, et nad leidsid Andie
          koolikapist kirja tapmisähvardusega. Kõigepealt ta
          ähvardas tüdrukut ja siis viis ähvarduse täide. Kas sa
          tõesti arvad ikka, et ta võib süütu olla?

Pip: Arvan jah. Ja ma arvan, et teie olete rassistlik,
          ebatolerantne, sitapea, ajudeta jõmm ...

(Stanley katkestab kõne)

Jah, noh, ilmselt minust ja Stanleyst just parimaid sõpru ei saa.

Kuigi temaga tehtud intervjuust sain kaks infokillukest, mida
mul varem ei olnud. Esiteks see, et politsei arvates tapeti Andie
kuskil mujal, pandi seejärel tema auto pagasiruumi ja viidi teise
kohta, kus laibast vabaneti.

Teine killuke, mille imearmas Stanley mulle andis, on see
„tapmisähvardus". Ma ei ole näinud seda üheski artiklis või
politseiteates mainitavat. Selle taga peab midagi olema: võib-
olla ei arvanud politsei, et see on oluline. Või äkki ei suutnud
nad tõestada, et see on Saliga seotud. Või äkki mõtles Stanley
selle välja. Igal juhul on hea seda meeles pidada, kui hiljem Andie
sõpru intervjueerin.

Nii et nüüd, kus ma (enam-vähem) tean, milline oli politsei
versioon tol õhtul toimunust, ja milline prokuratuuri kaasus
oleks võinud välja näha, on aeg joonistada MÕRVAKAART.

Aga pärast õhtusööki, sest ema hüüab mind umbes kolm ...
kaks ... jep ...

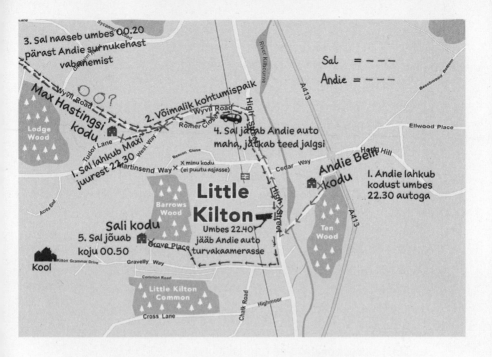

Nii professionaalne. Aga see aitab politsei nägemust juhtunust paremini ette kujutada. Ma pidin seda luues paaris kohas omavolitsema. Esmalt tuleb arvestada, et Maxi juurest Sali juurde saab minna mitut teed pidi; valisin selle, mis läheb mööda peateed, sest Google'i sõnul on see kiireim ja eeldan, et enamik inimesi eelistab öösel kõndida hästivalgustatud tänavatel.

Samuti pakub see hea kohtumispunkti kusagil Wyvil Roadil, kus Andie potentsiaalselt kinni pidas ja Sal autosse istus. Kui mõelda nagu politseiuurija, siis Wyvil Roadil on tegelikult paar vaikset eramajadega ääristatud tänavat ja farm. Need vaiksed eraldatud paigad – kaardil ringiga tähistatud – võivad olla potentsiaalsed mõrvapaigad (politsei narratiivi järgi).

Ma ei hakanud mõistatama, kuhu Andie surnukeha peideti, sest nagu ülejäänud maailmal, ei ole ka minul halli aimugi, kus see on. Aga arvestades, et kohast Romer Close'il, kuhu auto jäeti, kõnnib Sali juurde Grove Place'il umbes kaheksateist minutit, pean eeldama, et ta oli Wyvil Roadi kandis tagasi umbes kell 00.20. Nii et kui Andie ja Sal kohtusid 22.45 paiku, oli Salil tund ja kolmkümmend viis minutit, et tüdruk mõrvata ja surnukeha ära peita. Mulle tundub see vähemalt ajastuse mõttes täiesti loogiline. See on võimalik. Aga juba trügib sisse tosin „miks" ja „kuidas" küsimust.

Andie ja Sal lahkuvad kell 22.30 mõlemad sealt, kus nad parasjagu on, nii et ilmselt plaanisid nad kohtuda, või mis? Sellise juhul pidid nad kohtumisest enne rääkima, muidu oleks see liiga suur kokkusattumus. Asi on selles, et politsei ei maininud kordagi telefonikõnet või tekstisõnumeid Andie ja Sali vahel, mis oleksid viidanud kohtumisplaanidele. Ja kui nad seda silmast silma arutasid, näiteks koolis, kus vestlusest märki maha ei jääks, siis miks nad lihtsalt ei leppinud kokku, et Andie võtab Sali Maxi juurest peale? See tundub mulle imelik.

Ma ajan segast. Kell on 2 hommikul ja ma sõin just pool Tobleronet, selles on asi.

Neli

Temas helises üks laul. Haiglane rütm, mis mõjus ta randmete ja kaela nahale ärritavalt, murduv akord, kui ta kurgu puhtaks köhis, ja tema hingamise katkendlik triller. Järgmiseks tuli kohutav mõistmine, et nüüd, kus ta oli oma hingamist tähele pannud, ei suutnud ta seda enam mitte märgata.

Ta seisis maja ukse ees ja üritas seda mõttejõul avanema panna. Iga sekund muutus siirupiseks ja paksuks, kui uks temaga jõllitamismängu mängis, minutid igavikku lahti rullumas. Kui kaua oli tema koputusest möödas? Kui Pip seda enam taluda ei suutnud, haaras ta värskelt küpsetatud muffinitega täidetud uduse Tupperware'i karbi kaenla alt taas kätte ja asutas end minekule. Kummitusmaja oli täna külastajatele suletud ja pettumus oli lausa põletav.

Olles vaid paari sammu kaugusele jõudnud, kuulis ta kriipivat ja klõpsuvat heli ning nägi ümber pöörates ukseavas seismas Ravi Singhi, kelle juuksed olid sassis ja nägu mõistmatusest krimpsus.

„Oi," ütles Pip piiksuval häälel, mis ei kuulunud talle. „Vabandust, ma arvasin, et sa ütlesid, et ma tuleksin reedel tagasi. Täna on reede."

„Ee, jaa, ütlesin küll," sõnas Ravi kukalt sügades, pilk umbes Pipi pahkluude kõrgusele suunatud. „Aga ... Ausalt öeldes ... Ma arvasin, et sa ajad jama. Et see on mingi nali. Ma ei eeldanud, et sa päriselt ka tagasi tuled."

„Kahju küll." Pip andis endast parima, et haavumist varjata. „See pole nali, ma luban. Mul on tõsi taga."

„Jaa, sa tundud tõsine tüüp." Poisi kukal pidi küll vist erakordselt kõvasti sügelema. Või äkki oli Ravi Singhi peasügelus Pipi kasutute faktidega ühel pulgal: turvis ja kilp, mis kaitsesid nende sees ebamugavusest väänlevat rüütlit.

„Ma olen ebaratsionaalselt tõsine," ütles Pip naeratades ja ulatas poisile Tupperware'i karbi. „Ja ma küpsetasin muffineid."

„Kas nagu altkäemaksumuffineid?"

„Jaa, vähemalt retseptis oli nii kirjas."

Ravi suu tõmbles, see oli midagi naeratusesarnast. Alles sel hetkel mõistis Pip, kui raske võis poisil olla siin linnas elada, tema näol peegeldumas surnud venna vari. Polnud mingi ime, et naeratus nõudis pingutust.

„Kas ma võin siis sisse tulla?" küsis Pip alahuult ette punnitades ja silmi ülemäära lahti venitades, üritades manada näole oma parima versiooni anuvast ilmest, sellest, mis tema isa sõnul nägi välja, nagu tal oleks kõht kinni.

„Jaa, olgu," ütles Ravi pärast peaaegu ahastamapanevalt pikka pausi. „Aga ainult siis, kui sa enam seda nägu ei tee." Ta astus sammu tagasi, et tüdruk saaks tuppa astuda.

„Aitäh, aitäh, aitäh," ütles Pip kiiresti ja komistas siis suurest innukusest trepiastme otsa.

Ravi sulges kulmukergituse saatel ukse ja küsis, kas tüdruk sooviks tassikest teed.

„Jah, palun." Pip seisis kohmetunult esikus ja üritas võimalikult vähe ruumi võtta. „Musta, palun."

„Ma ei ole kunagi usaldanud inimesi, kes teed mustalt joovad." Poiss andis käeliigutusega märku, et Pip talle kööki järgneks.

Ruum oli avar ja erakordselt valge; välissein oli üks suur klaasist lükanduks, mis avanes pikka aeda, kus võis imetleda suvelillede ja muinasjutuliste väätide kirevat plahvatust.

„Kuidas sina siis teed jood?" küsis Pip ja asetas oma seljakoti ühele söögitoatoolile.

„Piima nii palju, et tee muutub valgeks, ja kolm lusikatäit suhkrut," ütles Ravi üle veekannu turtsumise.

„Kolm lusikatäit suhkrut? *Kolm?*"

„Ma tean, ma tean. Ilmselgelt pole ma ise piisavalt magus."

Pip jälgis, kuidas Ravi köögis ringi askeldab, keeva veekannu vilistamine andis nendevahelise vaikuse andeks. Poiss õngitses peaaegu tühjast purgist teekoti ja trummeldas samal ajal sõrmedega, kui teed kallas, suhkrut ja piima lisas. Närviline energia oli nakkav ja Pipi süda hakkas poisi trummeldavate sõrmede taktis kiiremini lööma.

Ravi tõi kruusid laua juurde, hoides Pipi oma põrgukuumast põhjast, et tüdruk saaks kõrvast kinni võtta. Pipi kruusil ilutses joonistatud kõrv ja sellel seisis: *Millised kõrvad ei kuule? Tassikõrvad.*

„Su vanemad ei ole kodus?" küsis tüdruk kruusi lauale asetades.

„Ei." Ravi võttis sõõmu ja Pip märkas tänulikult, et poiss ei ole luristaja. „Ja kui nad oleksid, siis sind ei oleks siin. Me üritame Salist võimalikult vähe rääkida; ema läheb endast välja. Tegelikult kõik lähevad."

„Ma ei suuda isegi ette kujutada," ütles Pip vaikselt. Vahet polnud, et viis aastat oli mööda läinud; see teema oli Ravi jaoks ikka veel raske – see oli talle näkku kirjutatud.

„Asi pole ainult selles, et ta on surnud. Asi on selles, et ... Noh, me ei tohi teda leinata, arvestades seda, mis juhtus. Ja kui ma ütleksin: „Ma igatsen oma venda", siis teeb see minust mingisuguse koletise."

„Mina küll ei usu."

„Mina ka mitte, aga ilmselt oleme sina ja mina siin vähemuses."

Pip võttis lonksu teed, et vaikust täita, ent tee oli liiga kuum ja tema silmad täitusid pisaratega.

„Juba nutad või? Me pole kurbade teemadeni jõudnudki." Ravi parem kulm tõusis laubal kõrgemale.

„Kuum," ahmis Pip õhku ja tema keel tundus olevat kobrutav ning ära põlenud.

„Las ta siis jahtub viivu, või noh, tead küll, kolm sajandikku sekundit."

„Hei, sul oli see meeles."

„Kuidas ma sellist sissejuhatust unustada saaksin? Mis küsimusi sa siis mult küsida tahtsid?"

Pip silmitses telefoni oma süles ja küsis: „Esiteks, kas sulle sobib, kui ma meie vestlust salvestan, et saaksin selle hiljem täpselt üles kirjutada?"

„Kõlab nagu lõbus reedeõhtu."

„Ma võtan seda siis nõustumisena." Pip avas oma läikiva messingitooni seljakoti ja tõmbas sealt välja märkmepataka.

„Mis need on?" küsis Ravi näpuga näidates.

„Ettevalmistatud küsimused." Pip soputas lehti, et paberipakki korda sättida.

„Oo, vau, sa võtad asja tõesti tõsiselt, mis?" Ravi vaatas teda ilmel, mis väreles kusagil küsiva ja skeptilise vahepeal.

„Jaa."

„Kas ma peaksin kartma?"

„Veel mitte," ütles Pip, saatis talle veel viimase tõsise pilgu ja vajutas seejärel punast salvestamisnuppu.

Uurimistöö raport - 4. sissekanne

Üleskirjutus: intervjuu Ravi Singhiga

Pip: Niisiis, kui vana sa oled?

Ravi: Miks sa küsid?

Pip: Üritan lihtsalt kõik faktid paika saada.

Ravi: Hästi, Seersant, ma sain just kakskümmend.

Pip: (Naerab) [Vahemärkus: ISSAND JUMAL, MU NAER KÕLAB AUDIOSALVESTISEL KOHUTAVALT. MA EI NAERA ENAM KUNAGI!] Ja Sal oli sinust kolm aastat vanem?

Ravi: Jah.

Pip: Kas sa mäletad oma venna käitumises reedel, 20. aprillil 2012. aastal midagi imelikku?

Ravi: Ohhoo, nii et lendame otse peale. Ee, ei, üldse mitte. Me sõime varakult umbes seitsme paiku õhtust, enne kui isa ta Maxi juurde ära viskas, ta rääkis meiega nagu tavaline Sal. Kui ta salamisi mõrva plaanitses, siis meile see silma ei jäänud. Ta oli ... reibas on ilmselt hea kirjeldus.

Pip: Ja siis, kui ta Maxi juurest koju tuli?

Ravi: Ma olin siis juba magama läinud. Aga ma mäletan, et ta oli järgmisel hommikul väga heas tujus. Sal oli alati hommikuinimene. Ta tõusis üles, tegi meile kõigile hommikusöögi valmis ja alles peale seda helistas talle üks Andie sõpradest. Siis saimegi teada, et Andie on kadunud. Sellest hetkest alates ta loomulikult ei olnud enam reibas, ta oli mures.

Pip: Nii et reede õhtul Andie vanemad ega politsei talle ei helistanud?

Ravi: Mina küll ei tea. Andie vanemad ei tundnud Sali eriti. Ta polnud nendega kunagi kohtunud ega neil külas käinud. Andie tuli tavaliselt siia või siis hängisid nad koolis ja pidudel.

Pip: Kui kaua nad koos olid olnud?

Ravi: Nad hakkasid käima vahetult enne eelmise aasta jõule, nii et umbes neli kuud. Salil oli küll paar vastamata kõnet ühelt Andie parimalt sõbrannalt, kes helistas öösel umbes kella kahe paiku. Aga tal oli telefon hääletu peal, nii et ta magas ega kuulnud neid kõnesid.

Pip: Mis siis veel sellel laupäeval juhtus?

Ravi: Noh, pärast seda, kui ta sai teada, et Andie on kadunud, istus Sal kogu aeg telefoni otsas ja üritas talle iga paari minuti tagant helistada. See läks otse kõneposti, aga Sal arvas, et kui ta üldse kellegi kõne vastu võtab, siis tema oma.

Pip: Oota, nii et Sal helistas Andiele?

Ravi: Jaa, umbes miljon korda, terve nädalavahetuse ja esmaspäeval ka.

Pip: See ei kõla nagu asi, mida sa teeksid, kui sa tead, et oled selle inimese tapnud ja ta ei võta kunagi vastu.

Ravi: Eriti kui tal oleks tüdruku telefon kuskile peidetud.

Pip: Täpselt. Mis sel päeval veel juhtus?

Ravi: Mu vanemad keelasid tal Andie juurde minna, sest politsei otsis nende kodu parasjagu läbi. Nii et ta istus lihtsalt kodus ja üritas talle helistada. Ma küsisin, kas tal on mingitki aimu, kus Andie olla võiks, aga ta oli tupikus. Ta ütles midagi, mis mulle alatiseks meelde on jäänud. Ta ütles, et kõik, mida Andie tegi, oli sihilik, ja et võib-olla ta jooksis meelega ära, et kedagi karistada. Loomulikult nädalavahetuse lõpuks oli ta juba taibanud, et ilmselt polnud asi selles.

Pip: Keda Andie karistada tahta võis? Teda?

Ravi: Ma ei tea, ma ei pärinud rohkem. Ma ei tundnud teda hästi; ta tuli ainult mõni üksik kord siit läbi. Tähendab, ma eeldasin, et see „keegi", kellest Sal rääkis, oli Andie isa.

Pip: Jason Bell? Miks?

Ravi: Ma kuulsin lihtsalt nii mõndagi, kui ta siin käis. Mulle jäi mulje, et tal polnud isaga just parim suhe. Ma ei mäleta midagi spetsiifilist.

[Huhh, ta ütleb „spetsiifilist", mitte „eespetsiifilist".]

Pip: Kahjuks on just spetsiifilisi asju vaja. Millal politsei Saliga ühendust võttis?

Ravi: See oli pühapäeva pärastlõunal. Nad helistasid talle ja küsisid, kas võivad tulla temaga rääkima. Nad jõudsid siia umbes kolme-nelja paiku. Meie koos vanematega läksime kööki jalust ära, nii et me ei kuulnud eriti midagi.

Pip: Kas Sal rääkis teile ka, mida nad küsisid?

Ravi: Natukene. Ta oli päris häiritud sellest, et nad vestlust salvestasid, ja ...

Pip: Politsei salvestas vestlust? Kas see on normaalne?

Ravi: Mina ei tea, sina oled ju uurija. Nad ütlesid, et see on tavapärane, ja küsisid lihtsalt, kus ta tol õhtul oli ning kellega. Ja tema ja Andie suhte kohta.

Pip: Milline nende suhe siis oli?

Ravi: Ma olen tema vend; ma ei näinud just palju. Aga jah, Salile meeldis Andie väga. Tähendab, ta näis üsna uhke, et käis nende lennu kõige ilusama ja populaarsema tüdrukuga. Aga tundus, et Andiega käis kogu aeg mingi draama kaasas.

Pip: Milline draama?

Ravi: Mina ei tea, mulle lihtsalt tundus, et ta oli selline inimene, kes elas draama nimel.

Pip: Kas ta su vanematele meeldis?

Ravi: Jaa, vanematel polnud ta vastu midagi. Ta ei andnud kunagi põhjust.

Pip: Mis siis veel juhtus pärast seda, kui politsei teda küsitles?

Ravi: Ee, ta sõbrad tulid õhtul läbi, tead küll, et näha, kas temaga on kõik korras.

Pip: Ja kas see oli see hetk, kus ta palus sõpradel politseile valetada ja talle alibi anda?

Ravi: Ilmselt küll.

Pip: Mis sa arvad, miks ta seda tegi?

Ravi: Tähendab, ma ei tea. Võib-olla ta oli pärast politseiga rääkimist liimist lahti. Äkki ta kartis, et temast tehakse kahtlusalune, ja üritas seetõttu ennast kaitsta. Ma ei tea.

Pip: Kui me oletame, et Sal ei olnud süüdi, siis kas sul on aimu, kus ta võis olla selles ajavahemikus, kui ta Maxi juurest kell 22.30 lahkus ja 00.50 koju jõudis?

Ravi: Ei, sest ta ütles meile ka, et hakkas Maxi juurest koju kõndima umbes kell 00.15. Ilmselt oli ta kuskil üksinda ja teadis, et kui ta tõtt räägib, siis pole tal alibit. See jätab päris halva mulje, või mis?

Pip: Politseile valetamine ja see, et ta palus sõpradel samuti valetada, jätab tõesti Salist halva mulje. Aga see pole ümberlükkamatu tõend selle kohta, et tal oli Andie surmaga midagi pistmist. Mis siis sellel pühapäeval juhtus?

Ravi: Pühapäeva pärastlõunal läksime mina, Sal ja tema sõbrad Andie otsimise kuulutusi üles panema, jagasime neid ka linnaelanikele. Esmaspäeval ei näinud ma teda koolis eriti, aga tal oli ilmselt väga raske, sest kõik rääkisid ainult Andie kadumisest.

Pip: Ma mäletan seda.

Ravi: Politsei oli ka väljas; ma nägin, kuidas nad Andie kapi läbi otsisid. Jaa, nii et sel õhtul oli ta natuke masenduses. Ta oli vaikne, aga ta oli mures, nagu võikski eeldada. Tema tüdruksõber oli kadunud. Ja järgmisel päeval ...

Pip: Sa ei pea järgmisest päevast rääkima, kui sa ei taha.

Ravi: (Väike paus) Pole hullu. Me kõndisime koos kooli ja mina läksin esimesse tundi, jätsin Sali parklasse. Ta tahtis korraks õues istuda. See oli viimane kord, kui ma teda nägin. Ja ma ütlesin ainult: „Näeme hiljem." Ma ... Ma teadsin, et politsei on koolis; kuulu järgi rääkisid nad Sali sõpradega. Ja ma nägin alles umbes kella kahe paiku, et ema oli üritanud mulle helistada, nii et ma läksin koju ja mu vanemad ütlesid, et politsei tahtis Saliga tõsiselt rääkida, ning küsisid, kas ma olen teda näinud. Ma arvan, et politseinikud olid seni juba tema toa läbi otsinud. Üritasin samuti Salile helistada, aga ta ei võtnud vastu. Isa näitas mulle tekstisõnumit, mille ta sai, ja see oli viimane kord, kui nemad Salist midagi kuulsid.

Pip: Kas sa mäletad mis seal kirjas oli?

Ravi: Jaa, seal oli kirjas: *see olin mina. mina tegin seda. mul on nii kahju*. Ja ... (väike paus) samal õhtul hiljem tuli politsei tagasi. Vanemad läksid neile uksele vastu ja ma jäin kööki kuulama. Kui nad ütlesid, et leidsid metsast surnukeha, olin hetkeks täiesti kindel, et nad rääkisid Andiest.

Pip: Ja ... Ma ei taha ebadelikaatne olla, aga need unerohutabletid ...

Ravi: Jah, need olid isa omad. Ta võttis fenobarbitaali unetuse vastu. Ta süüdistas pärast ennast. Praegu ei võta ta enam ühtegi rohtu. Lihtsalt ei maga ka eriti.

Pip: Olid sa varem mõelnud, et Salil võiks olla
enesetapumõtteid?

Ravi: Mitte kordagi. Sal oli sõna otseses mõttes kõige
õnnelikum inimene. Ta naeris ja lollitas kogu aeg. See
kõlab võib-olla läägelt, aga ta oli selline inimene, kes
pani sisse astudes ruumi särama. Ta oli parim kõiges,
mida ette võttis. Ta oli mu vanemate musterlaps,
nende puhas viieline õpilane. Nüüd olen ainult mina neil
kaela peal.

Pip: Ja vabandust, aga nüüd tuleb kõige põletavam
küsimus: kas sa arvad, et Sal tappis Andie?

Ravi: Ma ... Ei, ei arva. Ma ei saa nii arvata. See lihtsalt
ei tundu mulle loogiline. Sal oli üks maailma kõige
lahkemaid inimesi. Ta ei kaotanud mitte kunagi
enesevalitsust, ükskõik kui palju ma ka tema nuppe ei
vajutanud. Ta polnud kunagi selline poiss, kes kakleks.
Ta oli parim suur vend, keda keegi võiks tahta, ja ta tuli
alati mulle appi, kui seda vajasin. Ta oli parim inimene,
keda ma kunagi tundnud olen. Nii et pean ütlema ei.
Aga samas, ma ei tea, politsei tundub olevat nii kindel
ja tõendid ... Jaa, ma tean, et Sali vastu räägib palju.
Aga ma ei suuda ikkagi uskuda, et ta oleks olnud
selleks võimeline.

Pip: Ma mõistan. Ma arvan, et praegu mul rohkem küsimusi
ei ole.

Ravi: (Ajab ennast sirgu ja toob kuuldavale pika ohke) Niisiis,
Pippa ...

Pip: Sa võid mind Pipiks kutsuda.

Ravi: Olgu siis, Pip. Sa ütlesid, et see on kooliprojekti jaoks?

Pip: On jah.

Ravi: Aga miks? Miks sa selle teema valisid? Okei, võib-olla
sa tõesti ei usu, et Sal seda tegi, aga miks sa tahad
seda tõestada? Mis sul sellest? Mitte kellelgi teisel siin

linnas pole raske uskuda, et mu vend oli koletis. Nad on kõik edasi liikunud.

Pip: Mu parim sõbranna Cara on Naomi Wardi õde.

Ravi: Aa, Naomi, ta oli minu vastu alati kena. Ta oli kogu aeg meie juures, käis Salil järel nagu kutsikas. Ta oli sada protsenti mu venda armunud.

Pip: Ah tõesti?

Ravi: Minu arust küll. See, kuidas ta naeris kõige peale, mida Sal ütles, isegi kui see polnud tegelikult naljakas. Aga minu arust Sal ei vastanud tema tunnetele.

Pip: Hm.

Ravi: Nii et sa teed seda Naomi heaks? Ma ei saa ikkagi aru.

Pip: Ei, asi pole selles. Mida ma öelda tahtsin ... Ma tundsin Sali.

Ravi: Tundsid või?

Pip: Jaa. Ta oli tihtipeale Wardidel külas samal ajal kui mina. Ükskord lasi ta meil nendega koos ühte alla viieteistaastastele keelatud filmi vaadata, kuigi meie Caraga olime ainult kaheteistkümnesed. See oli komöödia ja ma mäletan siiamaani, kui väga ma naersin. Ma naersin nii, et valus hakkas, isegi kui ma ei saanud naljadele päriselt pihta, sest Sali naer oli niivõrd nakkav.

Ravi: Peenike ja itsitav?

Pip: Jaa. Ja kui ma olin kümnene, siis õpetas ta mulle kogemata mu esimese vandesõna. Selleks oli *persse*, muide. Ja üks teine kord õpetas ta mulle, kuidas pannkooke ümber keerata, sest ma ei osanud seda üldse, aga olin liiga põikpäine, et lasta kellelgi seda minu eest teha.

Ravi: Ta oli hea õpetaja.

Pip: Ja kui ma esimeses klassis käisin, siis kaks poissi kiusasid mind, sest mu isa on nigeerlane. Ja Sal nägi seda. Ta tuli ja ütles lihtsalt väga rahulikult: „Kui teid kaht siit kiusamise eest välja visatakse, siis järgmine kool on siit pooletunnise autosõidu kaugusel, ja seda juhul, kui te üldse sisse saate. Mõelge nüüd, kas tahate täiesti võõras koolis otsast peale alustada.“ Nad ei narrinud mind enam kunagi. Ja pärast istus Sal koos minuga ja andis mulle oma KitKati, et mul tuju paremaks läheks. Sellest ajast olen ma … Noh, vahet pole.

Ravi: Hei, ole nüüd, jaga minuga oma mõtteid. Ma lasin sul selle intervjuu teha – mis sest, et su altkäemaksumuffinid maitsevad nagu juust.

Pip: Sellest ajast saati on ta olnud minu jaoks kangelane. Ma lihtsalt ei suuda uskuda, et ta seda tegi.

Uurimistöö raport - 5. sissekanne

Ma veetsin just kaks tundi infot otsides: arvan, et võin
teabevabaduse seadusele tuginedes Thames Valley
politseijaoskonda päringu saata ja küsida Sali ülekuulamise
salvestuse koopiat.

Selle seaduse rakendamisele kehtivad teatud erandid, näiteks
kui küsitav materjal puudutab pooleliolevat uurimist, või kui see
läheb vastuollu andmekaitseseadusega, sest avaldataks elavate
inimeste isikuandmeid. Aga Sal on surnud, nii et järelikult ei
tohiks neil olla mingit põhjust intervjuu saladuses hoidmiseks?
Ja kui ma juba neile päringu saadan, võiksin küsida luba ka teiste
Andie Belli juhtumi kohta käivate dokumentide nägemiseks.

Teisel teemal: ma ei suuda unustada seda, mida Ravi Jason
Belli kohta rääkis. Et esmalt arvas Sal, et Andie jooksis kodust
ära, et kedagi karistada, ja et tema suhe isaga oli keeruline.

Jason ja Dawn Bell lahutasid varsti pärast seda, kui Andie
surmatunnistus välja anti (see on Little Kiltonis hästi teada fakt,
aga tegin kiire Facebooki otsingu, et kindel olla). Jason kolis ära
ja elab nüüd teises linnas siit umbes viieteistkümneminutilise
autosõidu kaugusel. Varsti pärast lahutust hakkas tema
sotsiaalmeediapiltidel figureerima kena blond naisterahvas,
kes näeb tema jaoks natuke liiga noor välja. Tundub, et nad on
nüüdseks abielus.

Olen tundide kaupa YouTube'ist esimesi Andie kadumisele
järgnenud pressikonverentse vaadanud. Ma ei suuda uskuda, et
ma seda varem ei märganud, aga Jasoni juures on midagi natuke
kahtlast. See, kuidas ta pigistab oma naise õlavart natuke liiga
tugevasti, kui naine Andie pärast nutma hakkab, kuidas ta nügib

teda õlaga mikrofoni juurest eemale, kui otsustab, et naine on juba piisavalt öelnud. Värisev hääl, mis kõlab natuke pingutatult, kui ta ütleb: „Andie, me armastame sind nii väga" ja „palun tule koju, me ei ole pahased". See, kuidas Andie õde Becca isa pilgu all taganeb. Ma tean, et see ei tee minust just väga objektiivset uurijat, aga tema silmades on midagi – mingi külmus –, mis teeb ettevaatlikuks.

Ja siis märkasin ma SUURT ASJA. Esmaspäeval, 23. aprillil toimunud õhtusel pressikonverentsil ütleb Jason Bell järgmist: „Me tahame lihtsalt oma tütart tagasi. Me oleme murest murtud ega tea, mida endaga peale hakata. Kui keegi teab, kus ta on, siis paluge tal koju helistada, et me teaksime, et temaga on kõik korras. Andie *oli* meie kodu päikesekiir, temata on liiga vaikne."

Täpselt nii. Ta ütles „oli". OLI. MINEVIKUS. See oli enne, kui kogu see Sali-värk juhtus. Sel hetkel arvasid kõik veel, et Andie on elus. Aga Jason Bell ütles OLI.

Kas see oli lihtsalt süütu eksitus, või kasutas ta minevikuvormi, sest teadis juba, et tütar on surnud? Kas Jason Bell rääkis end sisse?

Nii palju kui mina tean, olid Jason ja Dawn Bell tol õhtul peol ning Andie pidi neile järele minema. Kas Jason võis vahepeal peolt ära käia? Ja isegi kui ta seda ei teinud, kui tal on kindel alibi, siis see ei tähenda, et ta ei võiks kuidagi Andie kadumisega seotud olla.

Kui jõuan huvipakkuvate isikute nimekirja koostamiseni, siis saab Jason Bellist ilmselt mu esimene sissekanne.

Huvipakkuvad isikud
Jason Bell

Viis

Midagi oli paigast ära, justkui oleks ruumis olev õhk kopitanud ja muutunud aina paksemaks, kuni ta hingas seda sisse hiiglaslike tarretiselaadsete klompidena. Kõigi nende aastate jooksul, mil ta oli Naomit tundnud, ei olnud tal sellist tunnet olnud.

Pip saatis Naomile julgustava naeratuse ja viskas möödaminnes nalja Barney karvadega kaetud retuuside üle. Naomi naeratas hädiselt ja kammis sõrmedega läbi oma lendlevate *ombré*-stiilis blondeeritud juuste.

Nad istusid Elliot Wardi kabinetis, Pip keerlevas kontoritoolis ja Naomi tema vastas punakas nahktugitoolis. Naomi ei vaadanud Pipile otsa; ta jõllitas selle asemel hoopis toa tagumisel seinal rippuvat kolme maali. Kolm hiiglaslikku lõuendit, millel oli Wardide perekond igaveseks vikerkaarevärvilistesse pintslitõmmetesse talletatud. Tema vanemad kõndimas sügiseses metsas, Elliot joomas auravast tassist ning väikesed Naomi ja Cara kiikumas. Nende ema maalis need pildid, kui oli suremas, see oli nagu tema viimane panus sellesse maailma. Pip teadis, kui olulised need Wardide jaoks olid, kuidas nad otsisid piltidest tuge nii rõõmsaimatel kui ka kõige kurvematel aegadel. Kuigi tema mälu järgi pidanuks siin rippuma veel paar tööd; võib-olla hoidis Elliot neid panipaigas, et need tüdrukutele anda, kui nood suureks kasvavad ja välja kolivad.

Pip teadis, et Naomi oli teraapias käinud sellest ajast saati, kui ta ema seitse aastat tagasi suri. Ja et ta oli suutnud oma ärevusega võideldes ülikooli lõpetada, pead vaevu vee peal

hoides. Ent paar kuud tagasi oli tal Londonis oma uuel töö-
kohal paanikahoog ja ta tuli töölt ära, et tagasi isa ning õe
juurde kolida.

Naomi oli habras ja Pip üritas anda endast parima, et ta veel
rohkem liimist lahti ei läheks. Ta nägi silmanurgast, kuidas
diktofoniäpi taimer aina edasi ketras.

„Kas sa saaksid mulle rääkida, mida te tol õhtul Maxi juures
tegite?" küsis Pip õrnalt.

Naomi niheles ja langetas pilgu oma põlvedele.

„Ee, me lihtsalt nagu ... jõime, rääkisime juttu, mängisime
Xboxiga, ei midagi põnevat."

„Ja te tegite pilte? Facebookis on sellest õhtust paar tükki
üleval."

„Jaa, me tegime naljakaid pilte. Lihtsalt lõbutsesime," ütles
Naomi.

„Aga Salist ei ole sellest õhtust ühtegi pilti."

„Ei, noh, ta vist läks ära, enne kui me pildistama hakkasime."

„Ja kas Sal käitus enne lahkumist kummaliselt?" küsis Pip.

„Ee, ma ... Ei, minu arust mitte eriti."

„Kas ta Andiet mainis?"

„Ma, ee ... Jaa, võib-olla natuke." Naomi nihkus tugitoolis
ettepoole ja nahk nagises valjult, kui ta end selle küljest lahti
tõmbas. Pipi väikevenna jaoks oleks see väga naljakas olnud ja
teiste asjaolude korral oleks see võib-olla ka Pipi lõbustanud.

„Mida ta Andie kohta ütles?" küsis Pip.

„Ee." Naomi jäi hetkeks mõttesse ja nokkis pöidlaküüne
kõrval tilpnevat nahariba. „Ta, ee... Ma arvan, et neil oli vist
mingi tüli. Sal ütles, et ta ei räägi temaga natuke aega."

„Miks?"

„Ma ei mäleta täpselt. Aga Andie oli … Ta oli suht õudukas. Ta üritas kogu aeg Saliga iga väikseimagi asja pärast tüli norida. Sal eelistas vaikida, selle asemel et vaielda."

„Mille pärast nad siis tülitsesid?"

„Nagu kõige tobedamate asjade pärast. Näiteks kui Sal ei vastanud tema sõnumile piisavalt kiiresti. Selliste asjade pärast. Ma … Ma ei öelnud seda talle kunagi, aga minu arust oli Andiega algusest peale ainult pahandust. Kui ma oleksin midagi öelnud, siis ma ei tea, võib-olla oleksid asjalood teisiti kujunenud."

Naomi norgus nägu ja värisevat ülahuult vaadates teadis Pip, et ta peab nad sellest august välja tooma, enne kui Naomi täitsa lukku läheb.

„Kas Sal mainis õhtu jooksul, et lahkub varem?"

„Ei maininud."

„Ja mis kell ta Maxi juurest ära läks?"

„Me olime üsna kindlad, et see oli umbes poole üheteist-kümne paiku."

„Ja kas ta ütles midagi enne lahkumist?"

Naomi niheles ja sulges hetkeks silmad, tema laud olid nii kõvasti kinni pressitud, et Pip nägi, kuidas need värelesid, isegi teiselt poolt tuba. „Jaa," ütles ta. „Ta ütles lihtsalt, et tal pole erilist tuju, et ta kõnnib koju ja läheb varem magama."

„Ja mis kell sina Maxi juurest koju läksid?"

„Ma ei läinudki, ma … Mina ja Millie jäime külalistetuppa ööbima. Isa tuli mulle hommikul järele."

„Mis kell te magama läksite?"

„Ma arvan, et see oli veidi enne poolt kahtteist. Ma pole päris kindel."

Järsku kõlas kabineti uksele koputuste jada ja Cara pistis pea sisse, tuues kuuldavale piiksuva heli, kui tema sassis krunn ukseraami külge kinni jäi.

„Kao minema, ma salvestan," ütles Pip.

„Vabandust, mul on hädaolukord, kaks sekki," ütles Cara, hõljudes ukseavas nagu kehata pea. „Nai, kuhu pagana kohta kõik need küpsised said?"

„Ma ei tea."

„Ma reaalselt nägin, kuidas isa eile terve paki poekotist välja võttis. Kuhu need kadusid?"

„Ma ei tea, küsi temalt."

„Ta pole veel koju jõudnud."

„Cara," ütles Pip kulme kergitades.

„Jaa, vabandust, kaon minema," ütles ta juukseid ukseraami küljest lahti harutades ja sulges enda järel taas ukse.

„Okei," ütles Pip, üritades jutulõnga taas üles leida. „Niisiis, millal sina esimest korda kuulsid, et Andie on kadunud?"

„Ma arvan, et Sal saatis mulle laupäeval sõnumi, millalgi ennelõunal vist."

„Ja millised olid sinu esmased mõtted selle kohta, kuhu ta kaduda võis?"

„Ma ei tea." Naomi kehitas õlgu; Pip polnud kindel, kas ta on kunagi varem teda õlgu kehitamas näinud. „Andie oli selline tüdruk, kes tundis paljusid inimesi. Ma ilmselt arvasin, et ta hängib mingite teiste sõpradega, keda meie ei tunne, ega taha, et teataks, kus ta on."

Pip hingas ettevalmistuseks sügavalt sisse ja heitis pilgu oma märkmetele; ta pidi järgneva küsimuse väga hoolikalt sõnastama. „Kas sa võiksid mulle rääkida sellest, kui Sal palus teil

61

politseile selle kohta valetada, mis kellaajal ta Maxi juurest lahkus?"

Naomi üritas kõneleda, aga tundus, et sõnad ei tule välja. Väikeses ruumis paisus kummaline justkui veealune vaikus. Pipi kõrvad hakkasid selle raskuse all pinisema.

„Ee," ütles Naomi lõpuks, hääl natuke katkendlik. „Me läksime talle laupäeva õhtul külla, et vaadata, kuidas tal läheb. Ja rääkisime juhtunust ja Sal ütles, et ta on närvis, sest politsei oli juba teda küsitlenud. Ja kuna ta oli Andie poiss-sõber, arvas ta, et ilmselt tehakse temast kahtlusalune. Niisiis ta küsis, kas meil oleks midagi selle vastu, kui me ütleksime, et ta lahkus Maxi juurest tegelikust ajast veidi hiljem, umbes viisteist minutit kaksteist läbi või nii, et politsei lõpetaks tema kahtlustamise ja keskenduks päriselt Andie üles leidmisele. See polnud, ee, see ei tundunud mulle tol hetkel vale. Ma arvasin lihtsalt, et ta üritab olla mõistlik ja aidata Andie kiiremini üles leida."

„Ja kas ta rääkis teile, kus ta oli poole üheteistkümne ja kaksteist viiekümne vahel?"

„Ee. Mul ei ole meeles. Ei, vist ei rääkinud."

„Kas te ei küsinud? Kas te ei tahtnud teada?"

„Ma tõesti ei mäleta, Pip. Vabandust," tõmbas Naomi ninaga.

„Pole hullu." Pip taipas järsku, et oli viimase küsimuse ajal täitsa ettepoole nõjatunud; ta sättis märkmed taas korda ja ajas selja sirgu. „Politseist helistati sulle tol pühapäeval, eks ole? Ja sa ütlesid neile, et Sal lahkus Maxi juurest viisteist minutit pärast südaööd?"

„Jaa."

„Aga miks te neljakesi siis meelt muutsite ja otsustasite politseile teisipäeval Sali võlts-alibist rääkida?"

„Ma ... Ma arvan, et see oli sellepärast, et meil oli olnud aega mõelda ja me saime aru, et võime valetamise pärast pahandustesse sattuda. Mitte keegi meist ei arvanud, et Sal oli Andie kadumisega seotud, niisiis me ei näinud politseile tõe tunnistamises probleemi."

„Kas te arutasite läbi, et nii teete?"

„Jaa, me helistasime üksteisele esmaspäeva õhtul ja leppisime kokku."

„Aga te ei öelnud Salile, et kavatsete politseiga rääkida?"

„Ee," alustas ta, käed jälle juukseid sasimas. „Ei, me ei tahtnud, et ta meie peale pahaseks saaks."

„Olgu, viimane küsimus." Pip nägi, kuidas Naomi nägu ilmselgest kergendusest lõdvestus. „Kas sinu arvates tappis Sal tol õhtul Andie?"

„Mitte see Sal, keda mina tundsin," vastas tüdruk. „Ta oli kõige parem, kõige kenam inimene. Alati valmis nalja viskama ja inimesi naerma ajama. Ja ta oli ka Andie vastu nii hea, kuigi tüdruk võib-olla ei olnud seda ära teeninud. Nii et ma ei tea, mis juhtus, või kas ta tegi seda, aga ma ei taha uskuda, et ta seda tegi."

„Hästi, oleme lõpetanud," ütles Pip naeratades ja vajutas telefonil stopp-nuppu. „Aitäh sulle selle intervjuu eest, Naomi. Ma tean, et see polnud kerge."

„Pole midagi." Ta noogutas ja tõusis püsti, tugitooli nahk jalgade vastas kriuksumas.

„Oota, üks asi veel," ütles Pip. „Kas Max, Jake ja Millie on siin, et ma neid intervjueerida saaksin?"

„Oi, Millie on levist väljas, ta rändab praegu Austraalias, ja Jake elab oma tüdruksõbraga Devonis – nad said just lapse. Max on küll Kiltonis; ta lõpetas just magistrikraadi ja tuli tagasi kodulinna tööd otsima, nagu minagi."

„Mis sa arvad, kas ta oleks nõus lühikese intervjuuga?" küsis Pip.

„Ma annan sulle tema numbri ja sa võid talt ise küsida." Naomi hoidis kabinetiust tema jaoks lahti.

Köögist leidsid nad Cara, kes üritas parajasti korraga kaht röstsaiaviilu suhu mahutada, ja just koju jõudnud Ellioti, kes kandis silmikriipivat kahvatukollast särki ning tegeles köögi tasapindade puhastamisega. Ta pööras ennast ringi, kui kuulis neid sisse astumas, ja laetuled püüdsid tema pruunidest juustest kinni pisikesed hallikad laigud ning välkusid tema paksude raamidega prillidel.

„Noh, tüdrukud, kas lõpetasite?" küsis ta lahkelt naeratades. „Suurepärane ajastus, ma panin just teevee tulele."

Uurimistöö raport - 7. sissekanne

Jõudsin just Max Hastingsi juurest koju. Seal olemine tekitas veidra tunde, justkui oleksin kõndinud läbi mingisuguse kuriteopaiga rekonstruktsiooni; ta kodu näeb välja täpselt samasugune kui nendel Facebooki piltidel, mille Naomi koos teistega tol saatuslikul õhtul viis aastat tagasi tegi. Õhtul, mis muutis meie linna igaveseks. Ka Max näeb ikka samasugune välja: pikk, blondid lehvivad juuksed, nurgelise näo kohta natuke liiga lai suu, natuke ülbe. Aga ta ütles, et mäletab mind, mis oli temast kena.

Pärast temaga rääkimist … Ma ei tea, mul on tunne, et siin on midagi valesti. Kas üks Sali sõpradest mäletab õhtut valesti või siis üks neist valetab. Aga miks?

Üleskirjutus: intervjuu Max Hastingsiga

Pip: Hästi, salvestame. Niisiis, Max, sa oled kahekümne kolme aastane, jah?

Max: Tegelikult mitte. Ma saan umbes kuu aja pärast kakskümmend viis.

Pip: Aa.

Max: Jaa, kui ma olin seitsmene, oli mul leukeemia ja ma puudusin pikalt koolist, nii et jäin klassi kordama. Tean, ma olen imelaps.

Pip: Mul polnud aimugi.

Max: Võid hiljem autogrammi saada.

Pip: Okei, läheme siis kohe asja juurde, kas sa kirjeldaksid, milline oli Sali ja Andie suhe?

Max:	See oli normaalne. See polnud just sajandi armastuslugu ega midagi. Aga nad mõlemad arvasid, et teine näeb hea välja, nii et ju see siis toimis.
Pip:	Seal polnud midagi sügavamat?
Max:	Ma ei tea, ma ei pööranud keskkooliromanssidele just erilist tähelepanu.
Pip:	Kuidas nende suhe siis alguse sai?
Max:	Nad lihtsalt jõid ennast täis ja kukkusid ühel jõulupeol voodisse. Sealt edasi asi lihtsalt jätkus.
Pip:	Kas see oli – kuidas neid kutsutaksegi – raju?
Max:	Täitsa lõpp, mul oli meelest läinud, et me kutsusime oma pinnapidusid „rajudeks". Sa oled neist kuulnud?
Pip:	Jaa. Praegused kooliõpilased korraldavad neid jätkuvalt, väidetavalt on see traditsioon. Legendi kohaselt panid sina neile aluse.
Max:	Mis asja, noored korraldavad ikka veel majaläbusid ja nimetavad neid rajudeks? Nii lahe. Ma tunnen ennast nagu jumal. Kas nad teevad seda järgmise peokorraldaja valimise triatloni ka?
Pip:	Ma pole kunagi ühelgi käinud. Igatahes, kas sa tundsid Andiet enne seda, kui nad Saliga käima hakkasid?
Max:	Jaa, natukene, koolist ja rajudelt. Me rääkisime mõnikord juttu. Aga me polnud kunagi nagu päriselt sõbrad, ma ei tundnud teda eriti. Pigem oli ta nagu tuttav.
Pip:	Okei, nii et reedel, 20. aprillil, kui kõik olid sinu juures, kas Sal käitus sinu mäletamist mööda imelikult?
Max:	Mitte eriti. Ta oli võib-olla lihtsalt natuke vaiksem.
Pip:	Kas sa tundsid huvi, miks?
Max:	Ei, ma olin üsna täis.
Pip:	Kas Sal rääkis tol õhtul Andiest?
Max:	Ei, ta ei maininud teda kordagi.
Pip:	Ta ei rääkinud, et nad olid parajasti tülis või …

Max: Ei, ta ei maininud teda.

Pip: Kui hästi sa toda õhtut mäletad?

Max: Ma mäletan kõike. Suurema osa õhtust mängisime Jake'i ja Milliega „Call of Dutyt". See on mul meeles, sest Millie jauras võrdsusest ja nii edasi, aga ei võitnud ise kordagi.

Pip: Kas see oli pärast seda, kui Sal oli ära läinud?

Max: Jaa, ta lahkus väga vara.

Pip: Kus Naomi oli, samal ajal kui teie videomänge mängisite?

Max: Kadunud.

Pip: Kadunud? Teda polnud seal?

Max: Aa, ei ... Ee... Ta läks natukeseks üles korrusele.

Pip: Üksi? Mida tegema?

Max: Mina ei tea. Tukkuma. Sittuma. Kurat seda teab.

Pip: Kui kauaks?

Max: Ma ei mäleta.

Pip: Hästi, ja kui Sal ära hakkas minema, siis mida ta ütles?

Max: Eriti midagi. Ta lihtsalt hiilis vaikselt minema. Ma ei märganudki kohe, et ta on ära läinud.

Pip: Järgmisel õhtul, kui te olite kõik teada saanud, et Andie on kadunud, läksite Sali juurde?

Max: Jaa, sest me arvasime, et ta on ilmselt üsna liimist lahti.

Pip: Ja kuidas ta sõnastas palve, et te valetaksite ja talle alibi annaksite?

Max: Ta ütles selle lihtsalt otse välja. Ütles, et asjalood ei maali teda just heas valguses, ja küsis, kas me saaksime aidata ja natukene neid aegu muuta. See polnud mingi suur asi. Ta ei sõnastanud seda, et „andke mulle alibi". See polnud nii. See oli lihtsalt teene sõbrale.

Pip: Kas sa usud, et Sal tappis Andie?

Max: No ta pidi ju seda tegema, või mis? Tähendab, kui
        sa küsid, kas ma arvasin, et mu sõber on mõrvaks
        võimeline, siis oleks vastus mitte mingil juhul. Ta oli
        nagu selline heasüdamlik vanaema, kellele kõik said
        oma muret kurta. Aga ta tegi seda, sest sa ju tead,
        kogu see veri ja värki. Ja ma arvan, et ainus põhjus,
        miks Sal oleks ennast ära tapnud, on see, kui ta
        tegi midagi väga halba. Nii et kõik need pusletükid
        sobituvad kahjuks kokku.

Pip: Okei, aitäh, see oli viimane küsimus.

Nende kahe sündmuste versiooni vahel on mõned ebakõlad.

Naomi ütles, et Sal mainis küll Andiet ja ütles kõigile
sõpradele, et nad olid tülis. Maxi sõnul ei maininud ta tüdrukut
kordagi. Naomi ütles, et Sal teatas kõigile, et läheb varem koju,
sest tal polnud „tuju". Maxi sõnul hiilis ta vaikselt minema.

Loomulikult tuleb arvestada sellega, et ma küsin õhtu kohta,
mis leidis aset rohkem kui viis aastat tagasi. Selge see, et kõik ei
ole enam nii täpselt meeles.

Ja siis veel see, et Maxi sõnul oli Naomi vahepeal kadunud.
Kuigi ta ei mäleta, kui kaua Naomi ära oli, ütles ta enne, et veetis
„suurema osa" õhtust Millie ja Jake'iga ja kui nad mängisid,
Naomit juures polnud. Ütleme nii, et oletatavasti oli ta „ülemisel
korrusel" vähemalt tund aega. Aga miks? Miks ta peaks olema
Maxi juures üksinda ülemisel korrusel, selle asemel et sõpradega
koos olla? Kui just Max ei öelnud mulle täiesti kogemata, et
Naomi lahkus tol õhtul mingiks ajaks majast, ja üritab nüüd
tüdrukut kaitsta.

Ma ei suuda uskuda, et ma seda siia kirjutan, aga ma hakkan
vaikselt kahtlustama, et Naomil võis Andie kadumisega midagi
pistmist olla. Ma olen teda tundnud üksteist aastat. Ma olen
elanud peaaegu kogu oma elu, austades teda nagu vanemat õde,

õppides tema käest, kuidas ise seda rolli täita. Naomi on lahke; selline inimene, kes saadaks sulle julgustava naeratuse, kui oled loo jutustamisega poole peal ja kõik teised on kuulamisest loobunud. Ta on malbe, õrn, rahulik. Aga kas ta võiks olla ebastabiilne? Kas temas võib peituda vägivaldne pool?

Ma ei tea, ma ruttan vist liiga palju ette. Aga mulle meenub ka Ravi öeldu, et tema arvates oli Naomi Sali armunud. Naomi vastustest on samuti päris selge, et Andie talle eriti ei meeldinud. Ja intervjuu ajal oli tal väga ebamugav, ta oli väga pinges. Ma tean, et ma palusin tal halbu mälestusi taas läbi elada, aga sama kehtib Maxi puhul ja tema intervjuu läks ludinal. Samas aga … Kas Maxi intervjuu oli liiga lihtne? Kas ta oli natuke liiga muretu?

Ma ei tea, mida arvata, aga ma ei saa sinna midagi parata, mu kujutlusvõime viskas just rihma kaelast ja näitas mulle keskmist sõrme. Mulle kerkis nüüd silme ette selline pilt: Naomi tapab Andie armukadedusehoos. Sal satub neile peale, šokeeritud ja meeleheitel. Tema parim sõbranna tappis tema tüdruksõbra.

Aga ta hoolib Naomist endiselt, niisiis aitab ta tüdrukul Andie surnukehast vabaneda ja nad lepivad kokku, et ei räägi sellest iial. Aga ta ei suuda peituda kohutava süütunde eest, mis teda kuriteo varjamise pärast kummitab. Ainuke pääsetee tundub olevat surm.

Või on see kõik mu enda fantaasialend?

Ilmselt küll. Igatahes tundub mulle, et Naomi koht on samuti nimekirjas.

Mul on puhkust vaja.

Huvipakkuvad isikud
Jason Bell
Naomi Ward

Kuus

„Nii, nüüd on meil vaja vaid külmutatud herneid, tomateid ja vaia," ütles Pipi ema, hoides poenimekirja välja sirutatud käes, et üritada Victori varesejalgu dešifreerida.

„Seal on kirjas „sai"," ütles Pip.

„Ah jaa, sul on õigus," itsitas Leanne, „me oleksime sel nädalal küll huvitavaid võileibu teinud."

„Äkki on aeg prillideks?" Pip haaras riiulist pakendatud pätsi ja viskas selle korvi.

„Ei, ma ei tunnista veel kaotust. Prillid teevad mind vanaks," ütles Leanne külmikut avades.

„Sellest pole midagi, sa oledki vana," ütles Pip, mille eest sai ta külmutatud herneste kotiga külma nätaka vastu õlavart. Samal ajal, kui ta teeskles dramaatiliselt surmava hernehaava kätte kõngemist, märkas ta, et teda jälgitakse. Poiss kandis valget T-särki ja teksaseid. Ja naeris vaikselt pihku.

„Ravi," ütles Pip ja silkas teisele poole vahekäiku tema juurde. „Tere."

„Tere," ütles ta naeratades ja kratsis kukalt, Pip oli seda liigutust ette aimanud.

„Ma pole sind siin varem näinud." *Siin* oli Little Kiltoni ainuke supermarket, mis oli taskuformaadis ja rongijaama kõrvale pressitud.

„Jaa, me käime tavaliselt linnast väljas poes," ütles ta. „Aga meil oli piima-hädaolukord." Ta hoidis üleval vaadisuurust piimapudelit.

„Noh, kui sa vaid jooksid teed mustalt."

„Ma ei tule kunagi tumeduse poolele üle," ütles ta pilku tõstes, kui Pipi ema täis korviga nende juurde tuli. Ravi saatis talle naeratuse.

„Oi, ema, tema on Ravi," ütles Pip. „Ravi, see on minu ema Leanne."

„Meeldiv tutvuda," ütles Ravi piimapudelit vastu rinda surudes ja paremat kätt välja sirutades.

„Sinuga samuti," ütles Leanne pakutud kätt surudes. „Tegelikult me oleme varem kohtunud. Mina olin kinnisvaramaakler, kes su vanematele nende maja müüs, issake, nüüd on sellest vist juba viisteist aastat. Ma mäletan, et sa olid sel ajal umbes viiene ja kandsid alati Pikachu sipukaid ja tüllseelikut."

Ravi põsed lõid õhetama. Pip hoidis naerunorsatust kinni, kuni nägi, et poiss naeratab.

„Kas te suudate uskuda, et see ei kujunenudki moerööga-tuseks?" ütles ta naeru pugistades.

„Jaa, noh, van Goghi ei hinnatud ka tema eluajal," ütles Pip, samal ajal kui nad koos kassa poole kõndisid.

„Mine sina ees," ütles Leanne käega Ravile osutades, „meil läheb palju kauem."

„Oi, tõesti? Aitäh."

Ravi suundus kassasse ja saatis kassiirile ühe oma täius-likest naeratustest. Ta pani piima lindile ja ütles: „Ainult see, palun."

Pip jälgis kassas töötavat naist ja nägi, kuidas tema nahk kortsu tõmbus, samal ajal kui tema nägu tülgastusest väändus. Ta lõi piima läbi, jõllitades Ravit külmade mürgiste silmadega.

Ausalt öeldes on päris suur vedamine, et pilgud ei suuda päriselt tappa. Ravi silmitses oma jalgu, justkui poleks midagi märganud, aga Pip teadis, et märkas küll.

Pipi sees tärkas midagi kuuma ja ürgset. Midagi, mis algstaadiumis tundus nagu iiveldus, aga see aina paisus ja kees, kuni jõudis isegi kõrvadeni.

„Üks nelikümmend kaheksa," sisistas naine.

Ravi tõmbas välja viieka, aga kui ta üritas kassiirile raha anda, tõmbas naine värina saatel käe järsult tagasi. Rahatäht liugles põrandale nagu sügisene leht ja Pip süttis põlema.

„Kuulge," ütles ta kõva häälega ja marssis Ravi kõrvale. „Kas teil on probleem?"

„Pip, ära tee," ütles Ravi vaikselt.

„Vabandust, Leslie," luges Pip tema nimesildilt põlastaval häälel, „ma küsisin, kas teil on probleem?"

„Jaa," vastas naine, „ma ei taha, et ta mind puutub."

„Ma arvan, et on üsna kindel, et tema ka ei taha, et teie teda puutute, Leslie; lollus võib olla nakkav."

„Ma kutsun juhataja."

„Jaa, tehke seda. Ma annan talle väikese ülevaate nendest kaebekirjadest, millega ma teie peakontori varsti üle ujutan."

Ravi pani viieka letile, võttis piima ja suundus vaikides väljapääsu poole.

„Ravi?" hüüdis Pip, aga poiss ei teinud temast välja.

„Oot-oot." Pipi ema astus nüüd ettepoole, käed alandlikult välja sirutatud, ja seisis Pipi ning näost aina punasemaks muutuva Leslie vahele.

Pip keeras kanna peal ringi, tossud ülepoleeritud põrandal kriuksumas. Just enne ukseni jõudmist hüüdis ta üle õla: „Aa, aga Leslie, te peaksite tõesti arsti juurde minema ja laskma selle tõpranäo eemaldada."

Väljas nägi ta Ravit umbes kümne meetri kaugusel kiirel sammul mäest alla suundumas. Pip, kes ei jooksnud mitte iialgi, jooksis, et teda kinni püüda.

„Kas sinuga on kõik korras?" küsis ta poisi teed tõkestades.

„Ei." Ta astus tüdrukust mööda, hiiglaslik piimakanister vastu külge loksumas.

„Kas ma tegin midagi valesti?"

Ravi pööras end ümber, tumedad silmad välkumas. Ta ütles: „Kuule, mul pole vaja, et mingi plika, keda ma vaevu tunnen, võitleb minu lahinguid minu eest. Ma ei ole sinu mure, Pippa; palun ära ürita mind selleks teha. Sa teed asja ainult hullemaks."

Ta jätkas kõndimist ja Pip vaatas, kuidas ta läheb, kuni ühe kohviku varjualuse heidetav vari tema kuju kustutas. Seistes seal hingetult, tundis ta, kuidas raev taas kõhtu vajub ja vaikselt kustub. Kui see kadus, jäi talle alles vaid tühjus.

Uurimistöö raport - 8. sissekanne

Mitte keegi ei saa kunagi öelda, et Pippa Fitz-Amobi ei ole oportunistlik intervjueerija. Olin täna koos Laureniga taas Caral külas. Ka poisid ühinesid hiljem, aga nad nõudsid, et jalgpall käiks taustal. Cara isa Elliot jahvatas parasjagu mingil teemal, kui mulle torkas pähe: ta tundis Sali päris hästi, mitte ainult kui oma tütre sõpra, vaid ka õpilasena. Mul on juba iseloomukirjeldused Sali sõpradelt ja vennalt (eakaaslastelt, kui nii võib öelda), aga ma mõtlesin, et äkki Cara isal oleks täiskasvanu vaatepunktist midagi lisada. Elliot nõustus intervjuuga; ma ei andnud talle eriti valikut.

Üleskirjutus: intervjuu Elliot Wardiga

Pip: Mitu aastat sa Sali õpetasid?

Elliot: Ee, pean korraks mõtlema. Ma hakkasin Kiltoni keskkoolis õpetama 2009. aastal. Salil oli ühes esimestest gümnaasiumilendudest, keda ma õpetasin, niisiis ... Peaaegu kolm aastat, ma arvan. Jaa.

Pip: Nii et Sal tahtis teha ajaloo lõpueksamit?

Elliot: Oh, mitte ainult, Sal lootis Oxfordi õppima minna. Ma ei tea, kas sa mäletad, Pip, aga enne kui ma teie kooli õpetama tulin, töötasin ma Oxfordis õppejõuna. Õpetasin ajalugu. Ma vahetasin töökohta, et saaksin Isobeli eest hoolitseda, kui ta haige oli.

Pip: Ah jaa.

Elliot: Nii et tegelikult tol sügisel enne seda, kui kõik juhtus, veetsin ma Saliga palju aega koos. Aitasin

74

teda motivatsioonikirjaga, enne kui ta oma ülikooli sisseastumisavalduse ära saatis. Kui ta Oxfordist vestlusele kutsuti, aitasin tal selleks valmistuda, nii koolis kui ka väljaspool kooli. Ta oli nii terane poiss. Hiilgav. Ta sai sisse. Kui Naomi mulle sellest rääkis, ostsin talle õnnitluskaardi ja šokolaadi.

Pip: Nii et Sal oli väga intelligentne?

Elliot: Jaa, oi, absoluutselt. Väga-väga tark noormees. See, mis lõpuks juhtus, on tõeline tragöödia. Kaks noort elu raisus. Sal oleks lõpetanud maksimumpunktidega, selles pole küsimustki.

Pip: Kas sul oli Saliga tund tol esmaspäeval pärast seda, kui Andie kadus?

Elliot: Hmm, issake. Vist küll. Jaa, sest ma mäletan, et rääkisin temaga pärast tundi ja küsisin, kas temaga on kõik kombes. Nii et jaa, pidi olema küll.

Pip: Kas sa märkasid tema käitumises midagi veidrat?

Elliot: Noh, oleneb, mida sa veidraks pead. Kogu kool käitus tol päeval veidralt; üks meie õpilastest oli kadunud ja see oli uudistes. Küllap ta tundus vaikne, võib-olla oli tal kogu selle asja pärast pisar silmas. Kohe kindlasti näis ta murelik.

Pip: Andie pärast?

Elliot: Jah, võimalik.

Pip: Ja teisipäeval, sel päeval, kui ta ennast ära tappis. Kas sa mäletad, nägid sa teda tol hommikul koolis?

Elliot: Ma ... Ei, ei näinud, sest pidin sel päeval haiguslehe võtma. Olin mingi viiruse saanud, nii et viisin tüdrukud hommikul kooli ja veetsin päeva kodus. Ma ei kuulnud sellest enne, kui mulle pärastlõunal koolist kogu selle Naomi/Sali alibi asjus helistati ja öeldi, et politsei oli neid koolis üle kuulanud. Nii et viimane kord, kui ma Sali nägin, pidi olema esmaspäeval pärast tundi.

Pip: Ja kas sina usud, et Sal tappis Andie?

Elliot: (Ohkab) Tähendab, ma saan aru, kui lihtne on
          endale sisendada, et ta ei teinud seda; ta oli niivõrd
          suurepärane noormees. Aga tõendeid arvesse võttes
          ma ei näe, kuidas ta oleks saanud seda mitte teha.
          Isegi kui see tundub täiesti uskumatu, ta ilmselt ikkagi
          tegi seda. Muud seletust pole.

Pip: Ja Andie Bell? Kas sa õpetasid teda ka?

Elliot: Ei, või noh, jaa, ta oli Saliga samas ajalootunnis, nii et
          sel aastal õpetasin küll. Aga ta ei teinud ajalooeksamit,
          nii et ma ei tundnud teda eriti hästi.

Pip: Hästi, tänan. Sa võid nüüd tagasi kartuleid koorima minna.

Elliot: Aitäh, et loa annad.

Ravi ei maininud, et Sal sai Oxfordi ülikooli sisse. Küllap on veel
asju, mida ta mulle Sali kohta ei rääkinud, aga ma pole kindel,
kas Ravi mind enam jutule võtab. Mitte pärast seda, mis paar
päeva tagasi juhtus. Ma ei tahtnud talle sihilikult haiget teha; ma
üritasin aidata. Võib-olla peaksin minema ja vabandust paluma?
Ilmselt lööb ta lihtsalt ukse mu nina ees kinni. [Aga mis siis, ma
ei saa lasta sellel ennast häirida, mitte jälle.]

Kui Sal oli niivõrd nutikas ja teel Oxfordi, siis miks olid teda
Andie mõrvaga siduvad tõendid niivõrd ilmselged? Mis siis, et
tal polnud Andie kadumise ajaks alibit? Ta oli piisavalt tark, et
puhtalt pääseda, nii palju on nüüdseks teada.

P.S. Mängisime Naomiga „Monopoli" ja ... võib-olla ma
reageerisin enne üle. Ta on ikka veel huvipakkuvate isikute
nimekirjas, aga mõrvar? See pole lihtsalt võimalik. Ta pole nõus
maju mänguväljale panema, isegi kui tal on kaks tumesinist, sest
tema arvates on see liiga julm. Mina ostan kohe hotelli, kui saan,
ja naeran, kui teised minu surmalõksu astuvad. Isegi minul on
suurem tapjainstinkt kui Naomil.

Seitse

Järgmisel päeval tegeles Pip Thames Valley politsei teabepäringu viimase ülelugemisega. Tema tuba oli põrgukuum ja umbne, lõksus päike mossitas seal temaga koos, mis sest, et ta oli selle õue peletamiseks akna lahti teinud.

Pip kuulis allkorrusel kauget koputamist, samal ajal kui ta enda e-kirjale kõva häälega heakskiidu andis: „Jaa, sobib", ning saatmisnupule vajutas; see väike klõps algatas kahekümne tööpäeva pikkuse ootamise. Pip vihkas ootamist. Ja täna oli laupäev, nii et ta pidi ootama, et ootamine alata saaks.

„Pips," tuli allkorruselt Victori hüüe. „Siin on keegi sinu juurde."

Iga sammuga trepist alla muutus õhk veidike värskemaks; tema magamistoa põrgu esimese ringi kuumusest üsnagi talutavaks soojuseks. Trepist alla jõudes võttis ta tammeparketil kurvi sokitaldadel libisedes, aga tõmbas järsult pidurit, kui nägi Ravi Singhi ukse taga seismas. Isa rääkis temaga innukalt juttu. Kogu kuumus valgus talle näkku tagasi.

„Ee, tšau," ütles Pip nende poole kõndides. Aga tema selja tagant kostis kiiresti mööda puitpõrandat paterdavate küünte aina valjenevat heli, kui Barney temast mööda tuisates ise esimesena kohale jõudis ja nina Ravile kubemesse torkas.

„Ei, Barney, maha," hüüdis Pip edasi tormates. „Vabandust, ta on natuke liiga sõbralik."

„Nii pole ilus oma isa kohta öelda," sõnas Victor. Pip kergitas tema suunas kulme.

„Sain aru, sain aru, sain aru," ütles ta ja suundus kööki.

Ravi kummardus Barneyt paitama ja koerasabatuul jahutas Pipi pahkluid.

„Kuidas sa tead, kus ma elan?" küsis Pip.

„Ma küsisin sealt kinnisvarabüroost, kus su ema töötab," ütles ta ennast sirgu ajades. „Tõsiselt, su maja on palee."

„Noh, see kummaline mees, kes sulle ukse lahti tegi, on kõva äriõiguse jurist."

„Ei olegi kuningas või?"

„Ainult teatud päevadel," vastas tüdruk.

Pip märkas, et Ravi suunas oma pilgu allapoole ja kuigi tema huuled tõmblesid, üritades seda varjata, murdis lai naeratus läbi. Siis meenus tüdrukule, mis tal seljas on: teksariidest kottis traksipüksid ja valge T-särk, mille rinnaesisel ilutses kiri TALK NERDY TO ME.

„Ee, mis sind siis siia toob?" küsis ta. Kõhtu läbis jõnks ja ta taipas alles sellel hetkel, et on närvis.

„Ma ... Ma tulin, sest ... Ma tahtsin vabandada." Ta vaatas Pipile oma suurte nukrate silmadega otsa, kulmud kipras. „Ma sain vihaseks ja ütlesin asju, mida poleks pidanud. Ma ei arva, et sa oled lihtsalt mingi suvaline plika. Vabandust."

„Pole midagi," ütles Pip. „Mina palun ka vabandust. Ma ei tahtnud sulle sisse sõita ja sinu lahinguid sinu eest võitlema hakata. Tahtsin vaid aidata, tahtsin lihtsalt, et see naine teaks, et tema teguviis polnud õige. Aga mõnikord tegutseb mu suu enne aju heakskiitu."

„Oi, ma ei tea," ütles Ravi. „See tõpranäo kommentaar oli päris vaimukas."

„Sa kuulsid seda?"

„Kuri Pip oli päris valjuhäälne."

„Mulle on öeldud, et teistsugused Pipid on samuti päris valjud, näiteks tunnikontrolli-Pip ja grammatikapolitsei-Pip. Nii et ... meie vahel on kõik okei?"

„Kõik on okei." Ta naeratas ja vaatas taas koerale otsa. „Minu ja sinu inimese vahel on kõik okei."

„Ma hakkasin tegelikult just koeraga jalutama minema, kas sa tahaksid kaasa tulla?"

„Jaa, muidugi," ütles ta Barney kõrvu sasides. „Kuidas ma saaksin sellele ilusale näole ära öelda?"

Pip ütles peaaegu *Oh palun, ma punastan*, aga hoidis ennast tagasi.

„Olgu, ma toon oma jalanõud. Barney, koht."

Pip kimas kööki. Tagumine uks oli lahti ja ta nägi, kuidas vanemad lillede ümber askeldasid ning Josh mängis – loomulikult – oma jalgpalliga.

„Ma viin Barnsi jalutama, näeme varsti," hüüdis ta aia suunas ja ema lehvitas kinnastatud kätt, andes märku, et ta kuulis.

Pip libistas jalga oma ei-tohi-kööki-jätta-tossud, mis olid kööki jäetud, ja krahmas teel välisukse poole kaasa ka koera jalutusrihma.

„Hästi, lähme," ütles ta rihma Barney kaelarihma külge kinnitades ja välisust nende taga kinni tõmmates.

Sissesõidutee lõppu jõudes ületasid nad tänava ja suundusid vastas asuvasse metsa. Laiguline vari jahutas Pipi kuumavat nägu. Ta lasi Barney rihma otsast lahti ja koer oli kuldse välguna kadunud.

„Ma tahtsin alati koera." Ravi naeratas, kui Barney tagasi nende poole jooksis, et neid kiirustama utsitada. Ta peatus hetkeks, lõualihased liikumas, justkui mingit hääletut mõtet mäludes. „Aga Salil oli allergia, seepärast me ei ..."

„Aa." Pip ei teadnud, mida muud öelda.

„Seal pubis, kus ma töötan, on omanikul koer. Ta on ilastav taani dogi nimega Peanut. Mõnikord kukutan talle kogemata söögijääke. Ära kellelegi räägi."

„Mul pole kogemata maha kukutatud söögijääkide vastu midagi," vastas Pip. „Millises pubis sa töötad?"

„George and Dragonis, see asub Amershamis. Ma ei taha seda tööd igavesti teha. Kogun lihtsalt raha, et Little Kiltonist nii kaugele põgeneda, kui võimalik."

Pip tundis sel hetkel tema vastu sõnulseletamatut kurbust, mis nööris kurku.

„Mida sa igavesti teha tahaksid?"

Poiss kehitas õlgu. „Varem tahtsin juristiks saada."

„Varem?" Pip nügis teda. „Ma usun, et sa oleksid suure-pärane jurist."

„Hmm, mitte siis, kui minu lõpueksamitulemusi kokku liites saad ühekohalise numbri."

Ta ütles seda, nagu see oleks nali, aga Pip teadis, et ei ole. Nad mõlemad teadsid, kui raske Ravil pärast Andie ja Sali surma koolis oli olnud. Pip oli isegi kõige jubedamale kiusa-misele osaliselt tunnistajaks olnud. Poisi kapile maaliti punaste tilkuvate tähtedega: *Vend vennast kaugele ei kuku.* Ja see lumine hommik, kui kaheksa vanemat poissi hoidsid teda maas kinni ja tühjendasid talle pähe neli täis prügikasti. Tal ei lähe iialgi meelest see ilme kuueteistkümneaastase Ravi näol. Mitte iialgi.

Sel hetkel taipas Pip, kus nad on, ja tundis, kuidas jäine selgus talle kõhtu vajus.

„Issand jumal," ahmis ta õhku ja kattis näo kätega. „Anna andeks, ma ei mõelnud üldse. Ma unustasin täiesti ära, et siit metsast leiti Sal ..."

„Pole midagi." Ravi katkestas teda. „Tõesti. Sa ei saa sinna midagi parata, et just see metsatukk sinu kodu lähedal asub. Pealegi, Kiltonis polegi sellist kohta, mis mulle venda ei meenutaks."

Pip vaatas natuke aega, kuidas Barney Ravi jalgade ette oksa kukutas ning Ravi mitu korda viskamist teeskles, saates koera tagasi ja edasi ja uuesti tagasi, enne kui oksa päriselt lendu lasi.

Nad olid mõnda aega vait. Aga see vaikus polnud ebamugav; see oli laetud mõttekildudega, mida nad endamisi mõtlesid. Ja nagu selgus, jõudsid nad oma mõtetega samasse punkti.

„Alguses, kui sa mu uksele koputasid, suhtusin sinusse ette-vaatusega," ütles Ravi. „Aga sa tõepoolest ei usu, et Sal seda tegi, või mis?"

„Ma lihtsalt ei suuda seda uskuda," ütles Pip üle maha-kukkunud puutüve astudes. „Mu aju ei ole suutnud seda teemat rahule jätta. Nii et kui see projektivärk koolis välja hõigati, siis krahmasin kohe võimalusest, et juhtumit ise uuesti uurida."

„See on täiuslik ettekääne, mille taha peituda," ütles Ravi noogutades. „Mul ei olnud midagi sellist."

„Mida sa sellega mõtled?" Pip pööras end näoga tema poole, mängides samal ajal ümber kaela visatud rihmaga.

„Ma üritasin sama teha, kolm aastat tagasi. Vanemad ütlesid, et selle teema rahule jätaksin, arvasid, et teen kõik enda jaoks hullemaks, aga ma ei suutnud sellega leppida."

„Sa üritasid asja uurida?"

Ta tegi, nagu annaks Pipile au, ja hüüdis: „Jah, Seersant."
Justkui ei suudaks lasta endal haavatav olla, ei suudaks
lasta endal piisavalt kaua tõsine olla, et mõra tema raudrüüs
paljastuks.

„Aga ma ei jõudnud sellega kuskile," jätkas ta. „See ei õnnes-
tunud. Ma helistasin Naomi Wardile, kui ta ülikoolis oli, aga
ta ainult nuttis ja ütles, et ei saa minuga sellest rääkida. Max
Hastings ja Jake Lawrence ei vastanudki mu sõnumitele. Ma
üritasin Andie parimate sõpradega ühendust võtta, aga nad
lõpetasid kõne kohe, kui ütlesin, kes ma olen. Mõrvari vend
ei ole just parim sissejuhatus. Ja loomulikult ei tulnud Andie
perekonnaga rääkimine üldse kõne alla. Ma olin juhtumile liiga
lähedal seisev isik, ma teadsin seda. Nägin liiga venna moodi
välja, liiga „mõrvari" moodi. Ja ma ei saanud kooliprojekti
ettekäändeks tuua."

„Mul on nii kahju," ütles Pip, oskamata midagi öelda ja
tundes olukorra ebaõigluse pärast piinlikkust.

„Pole põhjust." Ravi müksas teda. „Hea on, et kordki pole
ma selles asjas üksi. Lase käia, ma tahan su teooriaid kuulda."
Ta korjas Barney oksa üles, mis vahutas nüüd ilast, ja viskas
selle puudesse.

Pip kõhkles.

„Lase käia." Tema silmad naeratasid, üks kulm kergitatud.
Kas poiss testis teda?

„Olgu, mul on praegu neli teooriat töös," ütles Pip neist
esimest korda kõva häälega rääkides. „Ilmselgelt on kõige väik-
sema vastupanu tee laialdaselt aktsepteeritud narratiiv juhtu-
nust: et Sal tappis Andie ja süütundest või tabamise hirmust
ajendatuna võttis endalt elu. Politsei ütleks, et juhtumis on

augud ainult seetõttu, et Andie surnukeha pole leitud ja Sal pole enam elus, et öelda meile, kuidas ta seda tegi. Aga minu esimene teooria on," ütles ta üht sõrme üleval hoides, tehes kindlaks, et see pole see mitte nii viisakas sõrm, „et keegi kolmas tappis Andie Belli, aga Sal oli kuidagi asjasse segatud, näiteks kaas-osalisena. Jällegi viis süütunne teda enesetapuni ja temalt leitud asitõendid viitavad talle kui mõrva toimepanijale, kuigi tema tüdrukut ei tapnud. Tõeline tapja on ikka tabamata."

„Jaa, ma mõtlesin ka selle peale. Aga see ei meeldi mulle. Järgmine?"

„Teooria number kaks," ütles Pip, „on see, et keegi kolmas tappis Andie ja Sal polnud sellest absoluutselt teadlik. Tema paar päeva hiljem toimunud enesetapp ei olnud mõrvari süütundest motiveeritud, vaid võib-olla hoopis erinevate tegurite kogum, mida mõjutas ka tüdruksõbra kadumisest põhjustatud stress. Temalt leitud asitõenditel – verel ja telefonil – on täiesti süütu seletus ja need pole Andie mõrvaga seotud."

Ravi noogutas mõtlikult. „Ma ikkagi ei arva, et need Salisse puutuks, aga olgu. Kolmas teooria?"

„Kolmas teooria." Pip neelatas, tema kurk tundus kuiv ja kleepuv. „Keegi kolmas mõrvab reedel Andie. Tapja teab, et Salist kui Andie poiss-sõbrast saaks teha täiusliku kahtlus-aluse. Eriti kuna Salil ei tundu selleks õhtuks vähemalt kaheks tunniks alibit olevat. Tapja mõrvab Sali ja jätab sellest mulje kui enesetapust. Ta sokutab vere ja telefoni tõendusmaterjaliks Sali surnukehale, et teha temast süüdlane. Kõik toimib nagu plaanitult."

Ravi jääb hetkeks seisma. „Kas sinu arust on võimalik, et Sal tegelikult mõrvati?"

Ta teadis poisi teravnenud pilguga silmadesse vaadates, et vastust sellele küsimusele oligi ta oodanud.

„See on teoreetiliselt võimalik," noogutas Pip. „Neljas teooria on kõige ebausutavam." Ta hingas kopsud õhku täis ja tegi selle ühe hingetõmbega ära. „Mitte keegi ei tapnud Andie Belli, sest ta pole surnud. Ta teeskles ise kadumist ja meelitas siis Sali metsa, mõrvas ta ning jättis sellest mulje kui enesetapust. Ta sokutas surnukehale oma telefoni ja verd, et kõik usuksid, et ta on surnud. Miks ta peaks seda tegema? Võib-olla oli tal vaja mingil põhjusel kaduda. Võib-olla kartis ta enda elu pärast ja pidi jätma mulje, nagu oleks ta juba surnud. Võib-olla oli tal kaasosaline."

Nad jäid jälle vait, samal ajal kui Pip hinge tõmbas ja Ravi tema vastuseid seedis, ülahuul keskendunult pruntis.

Nad olid metsarajale ringi peale teinud; läbi puude nende ees paistis erksa päikesevalgusega triibutatud autotee. Pip kutsus Barney enda juurde ja pani talle rihma kaela. Nad ületasid tee ja jalutasid Pipi maja ukseni.

Saabus ebamugav vaikusehetk ja Pip polnud kindel, kas ta peaks poisi sisse kutsuma või mitte. Tundus, et Ravi ootab midagi.

„Niisiis," ütles Ravi, kratsides ühe käega enda ja teise käega koera kukalt, „ma tulin siia selleks, et … Ma tahan sinuga kokkuleppe sõlmida."

„Kokkuleppe?"

„Jaa, ma tahan kampa lüüa," ütles ta kergelt väriseval häälel. „Mul ei avanenud selleks võimalust, aga sinul võib see õnnestuda. Sa oled kõrvaline isik, kooliprojekt on hea ettekääne, see avab sulle palju uksi. Inimesed võib-olla isegi räägivad sinuga.

Äkki oled sina minu võimalus teada saada, mis tegelikult juhtus. Ma olen seda nii kaua oodanud."

Pipi nägu tundus jälle kuumavat ja värelus poisi hääles pani tal rinnus pitsitama. Ravi tõesti usaldas teda ja palus tema abi; ta poleks projekti alustades iialgi uskunud, et nii läheb. Tema ja Ravi Singh on partnerid.

„Olen nõus," ütles ta naeratades ja sirutas käe välja.

„Kokku lepitud," ütles Ravi tema kätt enda sooja ja niiskesse pihku võttes, kuigi ta unustas seda suruda. „Hästi, mul on sulle midagi." Ta torkas käe tagataskusse ja tõmbas välja vana iPhone'i, mis mahtus talle peopesale.

„Ee, mul tegelikult on juba, aitäh," ütles Pip.

„See on Sali telefon."

Kaheksa

„Mis mõttes?" küsis Pip teda suu ammuli jõllitades.

Ravi vastas talle telefoni üles tõstes ja seda õrnalt raputades.

„See on Sali oma?" küsis Pip. „Kuidas see sinu käes on?"

„Politsei andis selle meile tagasi paar kuud pärast Andie toimiku sulgemist."

Pipi kaela mööda sööstis üles ettevaatlik surin. „Kas ma ..." alustas ta, „kas ma võin seda vaadata?"

„Muidugi," naeris Ravi, „seepärast ma ju selle kaasa võtsingi, totu."

Tüdrukut täitis kontrollimatu elevus, rabav ja pead pööritama panev.

„Püha müristus," ütles ta, üritades pabinaga kiirustades ust lukust lahti keerata. „Lähme vaatame seda mu töötoas."

Tema ja Barney sööstsid üle lävepaku, aga kolmas jalapaar ei järgnenud. Ta pööras end ringi.

„Mis siin nii naljakat on?" küsis ta. „Tule nüüd."

„Vabandust, sind on lihtsalt nii tore vaadata, kui sa eriti hoogu satud."

„Kiiresti nüüd," ütles Pip ja utsitas teda läbi koridori trepi juurde. „Ära seda maha pilla."

„Ma ei pilla seda maha."

Pip sörkis trepist üles, samal ajal kui Ravi järgnes talle ikka äärmiselt aeglaselt. Enne kui poiss kohale jõudis, vaatas Pip kiiruga oma toa üle, et ennast potentsiaalse piinlikkuse eest kaitsta. Ta sööstis värskelt pestud rinnahoidjate hunniku poole oma tooli kõrval, krahmas need sülle ja toppis sahtlisse, lüües selle kinni just siis, kui Ravi sisse astus. Pip osutas oma kirjutuslaua toolile, olles ise istumiseks liialt ähmi täis.

„Töötuba?" küsis Ravi.

„Jaa," vastas Pip, „kui mõni inimene töötab oma magamistoas, siis mina magan oma töötoas. Kaks täiesti erinevat asja."

„Võta siis. Laadisin selle eile õhtul täis."

Ta ulatas telefoni Pipile, kes võttis selle oma kausiks seatud peopesadesse samasuguse hoole ja ettevaatlikkusega, nagu ta pakkis igal aastal lahti oma esimesele isale kuulunud kuuseehteid, mis olid pärit Saksa jõuluturult.

„Kas sa oled selle juba läbi vaadanud?" küsis ta telefoni lukust lahti libistades, palju ettevaatlikumalt, kui ta oma isiklike telefonide puhul – isegi uuest peast – kunagi teinud oli.

„Jaa, loomulikult. Sec oli mu kinnisidee. Aga lase käia, Seersant. Kuhu sina esimesena vaataksid?"

„Kõnelogisse," ütles Pip rohelist telefoninuppu toksates.

Ta vaatas esmalt vastamata kõnede nimekirja. 24. aprillist, sellest teisipäevast, mil Sal suri, oli seal kümneid. Kontaktidest olid helistanud Isa, Ema, Ravi, Naomi, Jake ja lisaks salvestamata numbrid, ilmselt politseinikud, kes üritasid teda kätte saada.

Pip keris kaugemale, Andie kadumise kuupäevani. Salil oli sellest päevast kaks vastamata kõnet. Üks oli Maximees kell 19.19, ilmselt millal-sa-jõuad-kõne Maxilt. Teine vastamata kõne, mille lugemine pani südame värisema, oli Andie < 3 kell 20.54.

„Andie helistas talle tol õhtul," ütles Pip endale ja Ravile. „Vahetult enne üheksat."

Ravi noogutas. „Aga Sal ei võtnud vastu."

87

„Pippa!" hõljus trepist üles Victori naljatav-ent-tõsine-hääl. „Ei mingeid poisse magamistoas."

Pip tundis, kuidas ta põsed õhetama hakkavad. Ta keeras end ringi, et Ravi seda ei näeks, ja hüüdis vastu: „Me töötame mu uurimistöö kallal! Mu toauks on lahti."

„Olgu, see sobib!" tuli vastus.

Ta piilus Ravi poole ja nägi, et poiss pugistas taas tema üle naerda.

„Ära lõbusta ennast kogu aeg minu kulul," ütles ta uuesti telefoni silmitsedes.

Ta suundus järgmiseks Sali väljaminevate kõnede logisse. Pikkade ridadena kordus seal Andie nimi. Neid katkestasid aeg-ajalt vaid üksikud kõned koju või isale ja üks kõne Naomile laupäeval. Pip keskendus sellele, et kõik Andiele tehtud kõned kokku lugeda: alates kella 10.30st laupäeva hommikul kuni 7.20ni teisipäeval helistas Sal talle 112 korda. Iga kõne kestis kaks-kolm sekundit; otse kõneposti.

„Sal helistas talle üle saja korra," ütles Ravi seda tema näolt välja lugedes.

„Miks ta oleks pidanud talle nii palju kordi helistama, kui ta väidetavalt Andie mõrvas ja tema telefoni kuskile peitis?" küsis Pip.

„Võtsin mitu aastat tagasi politseiga ühendust ja küsisin neilt sedasama," ütles Ravi. „Uurija sõnul oli selge, et Sal üritas teadlikult end süütuna näidata ja seepärast helistaski ohvri telefonile nii palju kordi."

„Aga," vaidles Pip vastu, „kui nad arvasid, et ta üritab süütut mängida ja vahistamist vältida, siis miks ta lihtsalt Andie telefoni ei hävitanud? Ta oleks võinud panna selle samasse kohta, kuhu surnukehagi, ja see poleks kunagi teda tüdruku surmaga sidunud. Kui ta üritas mitte vahele jääda, siis milleks üht kõige olulisemat tõendit alles hoida? Ja siis veel nii meeleheitel olla, et võtta endalt elu nii, et tema surnukehalt leitakse see võtmetähtsusega asitõend?"

Ravi vormis käed püstoliteks ja sihtis teda. „Politseinik ei osanud samuti sellele küsimusele vastata."

„Kas sa vaatasid viimaseid sõnumeid Andie ja Sali vahel?" küsis Pip.

„Jaa, vaata ise. Ära muretse, need pole seksikad ega midagi."

Pip väljus kõnelogist ja avas sõnumirakenduse. Ta puudutas Andie nime, tundes ennast nagu ajas rändav sissetungija.

Sal oli pärast Andie kadumist tüdrukule kaks sõnumit saatnud. Esimene oli pühapäeva hommikul: *andie tule koju kõik on mures*. Ja esmaspäeva pärastlõunal: *palun lihtsalt helista kellelegi et me teaks et sinuga on kõik hästi*.

Sellele eelnev sõnum oli saadetud reedel, kui Andie kadunuks jäi. Kell 21.01 kirjutas Sal: *ma ei räägi sinuga kuni sa pole seda jama ära lõpetanud*.

Pip näitas Ravile sõnumit, mida ta just luges. „Ta saatis selle reede õhtul vahetult pärast Andie kõne ignoreerimist. Kas sa tead, mille pärast nad tülitsesid? Mis asja Andie pidi ära lõpetama?"

„Pole aimugi."

„Kas ma võin selle oma uurimistöösse kirja panna?" küsis Pip üle tema läpaka järele küünitades. Ta parkis ennast voodile ja trükkis sõnumi sisse, koos kirjavigadega.

„Nüüd sa pead vaatama viimast sõnumit, mille ta mu isale saatis," ütles Ravi. „Seda, mis politsei sõnul on ülestunnistus."

Pip võttis sõnumi lahti. Kell 10.17 oma viimasel teisipäevahommikul kirjutas Sal oma isale: *see olin mina. mina tegin seda. mul on nii kahju.* Pip käis sellest silmadega mitu korda üle, saades iga lugemisega veidi rohkem infot. Tähti moodustavad pikslid olid mõistatus, selline, mida saab lahendada ainult siis, kui sa lõpetad otsimise ja hakkad nägema.

„Sa näed seda ka, eks ole?" küsis Ravi teda silmitsedes.

„Kirjapilti?" küsis Pip, otsides Ravi silmadest nõustumise märki.

„Sal oli kõige targem inimene, keda ma teadsin," ütles Ravi, „aga sõnumeid saatis ta nagu kirjaoskamatu. Alati kiirustades, ei mingeid punkte, ei mingeid suuri tähti."

„Tal oli ilmselt automaatparandus välja lülitatud," ütles Pip. „Ja ometi on tema viimases sõnumis kolm punkti. Kuigi mitte ühtegi suurtähte."

„Ja mida sa sellest järeldad?" küsis Ravi.

„Minu mõistus ei tee väikeseid hüppeid, Ravi," sõnas Pip. „Minu mõistus kihutab kohe Everesti tippu. See paneb mind arvama, et keegi teine kirjutas selle sõnumi. Keegi, kes lisas punktid, kuna oli harjunud niimoodi sõnumeid kirjutama. Võib-olla viskas ta kiiresti pilgu peale ja arvas, et see näeb piisavalt Sali kirjutatu moodi välja, kuna on väikeste tähtedega."

„Mina arvasin sama, kui telefoni tagasi sain. Politsei saatis mind lihtsalt minema. Vanemad ei tahtnud ka sellest midagi kuulda," ohkas ta. „Ma arvan, et neil on võltslootuse ees kabuhirm. Minul ka, kui aus olla."

Pip vaatas ülejäänud telefoni läbi. Sal ei olnud kõnealusel õhtul ühtegi pilti teinud, mitte ühtegi alates Andie kadumisest. Ta kontrollis kindluse mõttes ka kustutatud failide kausta. Kõik meeldetuletused olid kirjutamist vajavate esseede ja üks emale sünnipäevakingituse ostmise kohta.

„Märkmetes on üks huvitav asi," ütles Ravi tooliga ümber pöörates ja Pipile rakendust avades.

Märkmed olid üsna vanad: Sali kodune Wi-Fi-parool, kõhulihaste harjutuste nimekiri, lehekülg praktikakohtadest, kuhu kandideerida. Aga seal oli ka üksainuke hiljem kirjutatud märge, mis oli sisse kantud kolmapäeval, 18. aprillil 2012. Pip klõpsas sellel. Sinna oli trükitud vaid üks asi: R009 KKJ.

„See on auto numbrimärk, kas pole?" ütles Ravi.

„Näib küll olevat. Ta kirjutas selle märkmetesse üles kaks päeva enne Andie kadumist. Kas see on sulle tuttav?"

Ravi raputas pead. „Ma üritasin seda veebis otsida, et äkki leian omaniku, aga ei midagi."

Pip kirjutas selle siiski enda logisse üles, lisades sinna ka täpse aja, millal seda märget viimati muudeti.

„See on kõik," ütles Ravi, „muud ma ei leidnud."

Pip saatis telefonile viimase igatseva pilgu ja andis selle poisile tagasi.

„Sa näid pettunud," sõnas Ravi.

„Ma lihtsalt lootsin, et seal on midagi konkreetsemat, mida me uurida saaksime. Ebakõlad grammatikas ja hunnik telefonikõnesid Andiele jätavad temast tõepoolest süütu mulje, aga need ei ava ühtegi juhtlõnga, mida uurida."

„Veel mitte," ütles poiss, „aga sul oli vaja seda näha. Kas sul on mulle midagi näidata?"

Pip kõhkles. Jah, oli küll, aga üks nendest asjadest oli Naomi võimalik seotus. Tema kaitsjainstinkt lõi lõkkele ja surus keele hammaste taha. Aga kui nad tahtsid olla partnerid, siis pidid nad kõike jagama. Ta teadis seda. Ta avas uurimistöö raporti dokumendid, keris üles ja ulatas sülearvuti Ravile. „See on siiani kõik, mis mul on," teatas ta.

Ravi luges selle vaikides läbi ja andis siis arvuti tagasi, näol mõtlik ilme.

„Okei, nii et Sali alibi on täielik tupik," ütles ta. „Ma arvan, et pärast Maxi juurest kell pool üksteist lahkumist oli ta üksinda, sest see seletaks, miks ta paanikasse sattus ja palus oma sõpradel valetada. Äkki ta istus lihtsalt koduteel pargi-pingile ja mängis Angry Birdsi või midagi taolist."

„Ma olen nõus," teatas Pip. „Ilmselt ta oligi üksi ja seetõttu pole tal ka alibit; see on ainuke seletus, mis tundub loogiline. Nii et selle nurga alt läheneda ei saa. Minu arvates peaks järgmisena proovima uurida Andie elu kohta nii palju kui võimalik, äkki leiame nii, kellel võis olla motiiv teda tappa."

„Sa lugesid mu mõtteid, Seeru," ütles Ravi. „Võib-olla peaksid alustama Andie parimatest sõbrannadest, Emma Huttonist ja Chloe Burchist. Sinuga nad võib-olla isegi räägiksid."

„Saatsin neile mõlemale sõnumi. Nad pole veel vastanud."

„Olgu, hästi," ütles Ravi endale ja siis sülearvutile nooguta-des. „Selle ajakirjanikuga tehtud intervjuus mainisid sa juhtumi ebakõlasid. Oled sa peale nende veel midagi märganud?"

„Noh, kui sa oleksid kellegi ära tapnud," ütles Pip, „küüriksid sa ennast mitu korda üle, sealhulgas sõrmeküüsi. Eriti kui sa valetad alibite kohta ja teed võltskõnesid, et süütuna paista, siis kas sul ei tuleks pähe, ma ei tea, näiteks see kuramuse veri kätelt maha pesta, et see ei oleks sõna otseses mõttes punane lipp."

„Jaa, Sal ei olnud kindlasti nii rumal. Aga tema sõrmejäljed Andie autos?"

„Muidugi leiti tema autost Sali sõrmejälgi; ta oli ju Andie poiss," sõnas Pip. „Sõrmejälgede vanust ei saa täpselt määrata."

„Ja mis puutub surnukeha peitmisesse?" küsis Ravi ettepoole kummardudes. „Meie elukohta arvestades võib ilmselt arvata, et ta on maetud kuskile metsa, kas linna piirile või linnast veidi välja."

„Täpselt," noogutas Pip. „Nii sügavasse auku, et teda pole ikka leitud. Kuidas oli Salil piisavalt palju aega, et paljaste kätega nii suur auk kaevata? Isegi labidaga oleks see päris raske."

„Äkki ta polegi maetud."

„Jaa, noh, ma arvan, et mõnel teisel moel laibast vabanemine nõuab veidi rohkem aega ja palju rohkem vahendeid," sõnas Pip.

„Ja see on vähima vastupanu tee, nagu sa ütlesid."

„On, väidetavalt," ütles Pip. „Kuni sa hakkad küsima kus, mis ja kuidas."

Üheksa

Nad mõtlesid arvatavasti, et ta ei kuule neid. Allkorruse elutoas vaidlevad vanemad. Pip oli ammu aru saanud, et tema nimi liigub läbi seinte ja lagede erakordselt hästi.

Magamistoa uksepao vahelt kuulates ei olnud raske tabada jutukatkeid ja need sisuks vormida. Ema ei olnud rahul, et Pip pühendab nii suure osa suvest koolitööle. Isa ei olnud rahul, et ema nii ütles. Siis ei olnud ema rahul, sest isa oli temast valesti aru saanud. Ema meelest ei olnud Andie Belli üle juurdlemine Pipile kasulik. Isa ei olnud rahul, et ema ei anna Pipile ruumi, et tütar saaks ise oma vigu teha, kui need üldse vead olid.

Sõnasõda muutus tüütuks ja Pip sulges oma toa ukse. Ta teadis, et vanemate tsükliline vaidlus sumbub kõrvalise sekkumiseta peagi. Ning tal oli vaja teha üks tähtis telefonikõne.

Ta oli saatnud eelmisel nädalal mõlemale Andie parimale sõbrale sõnumi. Emma Hutton saatis mõne tunni eest telefoninumbri ning ütles, et tal ei ole midagi selle vastu, et vastata täna õhtul kell kaheksa „lihtsalt paarile" küsimusele. Kui Pip sellest Ravile teatas, vastas poiss sõnumis leheküljetäie šokeeritud näo ja rusikat kergitavate emotikonidega.

Pip vaatas arvutikella ja ta pilk tardus. Kell püsis kangekaelselt 19.58 juures.

„No palun," pomises ta, kui 19.58 number kaheksa ei olnud ka pärast kuus korda kümneni lugemist üheksaks muutunud.

Kui see pärast tervet igavikku siiski juhtus, poetas Pip: „Peaaegu", ja vajutas äpil salvestusnuppu. Ta valis Emma numbri, nahk ärevusest kirvendamas. Emma vastas pärast kolmandat helinat.

„Halloo?" kostis kõrge sõbralik hääl.

„Tere, Emma, mina olen Pip."

„Ahjaa, tere. Oota üks hetk, lähen üles oma tuppa."

Pip kuulas kannatamatult Emma samme trepil.

„Nii," sõnas Emma. „Sa ütlesid, et teed projekti Andiest?"

„Natuke nagu jah. Tema kadumise uurimisest ja meedia rollist sellest. Natuke nagu juhtumianalüüs."

„Selge," sõnas Emma, kuid ta hääl kõlas ebakindlalt. „Ma ei tea, kui palju ma aidata saan."

„Ära muretse. Mul on lihtsalt paar küsimust uurimise kohta, nii nagu sina seda mäletad," rahustas Pip teda. „Kõigepealt, millal sa teada said, et Andie on kadunud?"

„Ee... see oli öösel kella ühe paiku. Ta vanemad helistasid mulle ja Chloe Burchile, me olime Andie parimad sõbrad. Ütlesin, et ma ei ole teda näinud ega temast kuulnud ja lubasin tagasi helistada. Proovisin helistada Sal Singhile, aga ta vastas alles hommikul."

„Kas politsei võttis sinuga üldse ühendust?" küsis Pip.

„Jah, laupäeva hommikul. Nad tulid ja esitasid küsimusi."

„Ja mida sa neile rääkisid?"

„Sedasama, mida Andie vanematele. Et mul ei ole aimugi, kus ta on, ta ei olnud rääkinud, et läheb kuhugi. Ja nad küsisid Andie kallima kohta ning ma rääkisin neile Salist ja ütlesin, et olin talle äsja helistanud ja öelnud, et Andie on kadunud."

„Mida sa neile Sali kohta rääkisid?"

„Noh, ainult seda, et tol nädalal nad koolis nagu tülitsesid. Nägin neid päris kindlasti nääklemas neljapäeval ja reedel ning see ei olnud tavaline. Tavaliselt naaksus Andie Sali kallal, aga Sal ei läinud kaasa. Kuid seekord tundus ta millegi peale maruvihane."

„Mille peale?" küsis Pip. Äkki sai talle selgemaks, miks politsei oli pidanud vajalikuks Sali tol pärastlõunal üle kuulata.

„Ma ausalt ei tea. Kui ma Andielt küsisin, ütles ta ainult, et Sal oli millegi suhtes „pisike mõrd"."

Pip jahmus. „Selge," ütles ta. „Nii et Andie ei kavatsenud Saliga reedel kokku saada?"

„Ei, tegelikult ei kavatsenud ta üldse midagi teha, ta pidi reede õhtul koju jääma."

„Kuidas nii?" Pip ajas end sirgu.

„Ee... ma ei tea, kas peaksin seda rääkima."

„Ära muretse ..." Pip üritas varjata meeleheidet hääles, „kui see ei ole oluline, siis see projekti ei lähe. Äkki aitab see mul lihtsalt tema kadumise asjaolusid paremini mõista."

„Olgu. Andie väikeõde Becca oli mõni nädal varem enese-vigastamise tõttu haiglasse sattunud. Nende vanemad läksid õhtul välja ning ütlesid, et Andie peab jääma koju ja Becca eest hoolitsema."

„Või nii." Midagi muud ei osanud Pip öelda.

„Jah, vaene tüdruk. Ja Andie jättis ta ikkagi üksi. Alles tagasi vaadates saan aru, kui raske pidi elu olema, kui sul oli vanemaks õeks Andie."

„Mida sa sellega mõtled?"

„Mm... lihtsalt ... saad aru, ma ei taha surnutest halba rääkida, aga ... Mul on olnud viis aastat, et saada suureks ja kõige üle järele mõelda, ning kui ma sellele ajale tagasi mõtlen, ei meeldi see inimene, kes ma olin, mulle enam üldse. See inimene, kes ma olin koos Andiega."

„Kas ta oli sulle halb sõber?" Pip ei tahtnud liiga palju öelda, ta pidi hoidma Emmat rääkimas.

„Jah ja ei. Seda on raske seletada." Emma ohkas. „Andie sõprus oli väga destruktiivne, kuid tollal oli mul tema suhtes sõltuvus. Ma tahtsin olla tema. Sa ju ei kirjuta sellest?"

„Ei, muidugi mitte." Väike vale.

„Hästi. Andie oli ilus, ta oli populaarne, temaga oli lõbus. See, kui olid tema sõber, see, kellega ta otsustas koos olla, tekitas erilise tunde. Soovitud tunde. Ning siis tegi ta kannapöörde ja kasutas asju, mis tekitasid sinus suurimat ebakindlust, sinu mahategemiseks ja haavamiseks. Ometi jäime mõlemad tema juurde, ootasime järgmist korda, kui ta meid üles korjab ja paneb meid ennast jälle hästi tundma. Ta võis olla imeline ja kohutav ning iial ei võinud teada, milline pool temast sinu uksele ilmub. Mind paneb imestama, et mul üldse mingi enese-väärikus alles jäi."

„Kas Andie käitus kõigiga niimoodi?"

„Nojah, minu ja Chloega küll. Andie ei lasknud meid kuigi palju enda juurde, aga ma nägin, milline ta ka Beccaga oli. Ta võis olla kohutavalt julm." Emma vaikis. „Ma ei räägi seda kõike sellepärast, nagu arvaksin, et Andie sai, mille oli ära teeninud. Ei, ma ei mõtle üldse seda, keegi ei ole ära teeninud tapmist ja auku ajamist. Ma tahan ainult öelda, et kuna ma nüüd mõistan, milline inimene Andie oli, võin aru saada, miks Sal murdus ja ta tappis. Andie võis tekitada sinus nii hea ning siis kohe nii viletsa tunde, et ma arvan, et see pidigi traagiliselt lõppema."

Emma tõmbas ninaga ja Pip mõistis, et jutuajamine on lõppenud. Emma ei suutnud oma nuttu varjata ega üritanudki.

„Olgu, rohkem küsimusi mul ei olegi. Suur tänu abi eest."

„Pole tänu väärt," ütles Emma. „Vabandust, arvasin, et olen sellest kõigest üle saanud. Ilmselt mitte."

„Mul on kahju, et sundisin sind seda uuesti läbi elama. Ee... tegelikult saatsin ka Chloe Burchile sõnumi ja palusin intervjuud, aga ta ei ole veel vastanud. Kas te suhtlete endiselt?"

„Ei, tegelikult mitte. Jah, saadan talle sünnipäeval sõnumi, aga ... kindlasti oleme pärast Andiet ja siis pärast kooli lõpetamist kaugeks jäänud. Usun, et see sobis meile mõlemale, see oli nagu selja pööramine inimestele, kes me tollal olime."

Pip tänas teda uuesti ja lõpetas kõne. Ta hingas välja ning silmitses pikalt telefoni. Ta teadis, et Andie oli olnud ilus ja populaarne, selles osas oli sotsiaalmeedia olnud täiesti selge. Ja nagu kõik, kes on kunagi keskkoolis käinud, teadis Pip, et populaarsetel inimestel on vahel teravad nurgad. Kuid seda ei olnud ta oodanud. Et Emma võib ennast nii pika aja tagant ikka veel vihata selle eest, et oli oma piinajat armastanud.

Kas see oli tõeline Andie Bell, kes varjas ennast täiusliku naeratuse ja säravate sinisilmade taha? Kõik tema orbiidil olid temast nii pimestatud, et ei märganud pimedust, mis võis luusida pinna all. Mitte enne, kui oli juba hilja.

Uurimistöö raport - 11. sissekanne

Täiendatud: otsisin veel kord, kas leian selle auto omaniku, mille numbri Sal oli üles kirjutanud: R009 KKJ. Ravil on õigus. Me peame teadma auto marki ja mudelit, et saata autoregistrile päring. See tee on ilmselt tupik.

   Okei, uuesti ülesande juurde. Lõpetasin just kõne Chloega. Seekord proovisin teistsugust taktikat: mul ei olnud vaja uuesti läbi võtta asju, mida olin Emmalt kuulnud, ning ma ei tahtnud intervjuud ohtu seada mingite Andiet puudutavate uinunud emotsioonidega.

   Kuid komistasin neile ikkagi ...

Üleskirjutus: intervjuu Chloe Burchiga

[Intervjuude sissejuhatuste sissetoksimine muutub tüütuks; kõik on ühesugused ja mõjuvad alati kohmakalt. Edaspidi liigun kohe põneva osa juurde.]

Pip:　　OK, mu esimene küsimus: kuidas sa kirjeldaksid Andie ja Sali suhet?

Chloe:　No Sal oli Andie vastu kena ja Andie meelest oli ta seksikas. Sal tundus alati nii rahulik ja muretu, mõtlesin, et ta muudab ka Andie pisut rahulikumaks.

Pip:　　Miks oleks Andiet pidanud rahulikumaks muutma?

Chloe:　Tal käis alalõpmata mingi draama.

Pip:　　Ja kas Salil õnnestus Andiet rahulikumaks teha?

Chloe: (naerab) Ei.

Pip: Aga kas nad suhtusid teineteisesse tõsiselt?

Chloe: Ma ei tea, vist küll. Mida sa tõsise all mõtled?

Pip: Noh, vabanda, aga kas nad magasid koos? [Jah, seda uuesti kuuldes ajab see mind grimassitama. Aga ma pean kõike teadma.]

Chloe: Vau, kooliprojektid on minu lahkumisest saati muutunud. Miks sul ometi seda on vaja teada?

Pip: Kas Andie ei rääkinud sulle?

Chloe: Muidugi rääkis ta mulle. Ja ei, tegelikult ei maganud.

Pip: Või nii. Kas Andie oli neitsi?

Chloe: Ei olnud.

Pip: Kellega ta siis magas?

Chloe: (väike paus) Ma ei tea.

Pip: Sa ei teadnud?

Chloe: Saad aru, Andiele meeldisid saladused. Need andsid talle võimutunde. Talle pakkus elevust, et mina ja Emma ei teadnud kõiki asju. Aga ta tilbendas nendega meie nina ees, sest talle meeldis, et me küsisime. Nagu see, kust ta kogu selle raha sai: ta lihtsalt naeris ja pilgutas silma, kui me küsisime.

Pip: Raha?

Chloe: Jah. Ta ostis pidevalt asju, tal oli alati palju raha. Ja viimasel aastal rääkis ta, et kogub raha huulte süstimiseks ja ninalõikuseks. Seda ta Emmale ei rääkinud, ainult mulle. Aga ta oli helde. Ta ostis meile meigiasju ja muud kraami ja lubas alati oma riideid laenata. Aga siis valis ta mõnel peol sobiva hetke, et öelda: „Oh, Chloe, sa oled selle ära venitanud. Ma pean selle nüüd Beccale andma."

Armas tüdruk.

Pip: Kust tema raha tuli? Kas ta käis osalise koormusega tööl?

Chloe: Ei. Ma ütlesin sulle, et ma ei teadnud. Ma lihtsalt eeldasin, et ta sai isalt raha.

Pip: Taskuraha?

Chloe: Jah, võib-olla.

Pip: Kui Andie kadus, kas osa sinust arvas algul, et ta jooksis ära, et kedagi karistada? Näiteks oma isa?

Chloe: Andiel oli kõik liiga hästi, et tahta ära joosta.

Pip: Aga kas Andie suhetes oma isaga oli pingeid?

[Niipea kui ütlen „isa", muutub Chloe hääletoon.]

Chloe: Ma ei kujuta ette, kuidas see sinu projekti puutub. Kuule, ma tean, et ma ei ole temast kõige kenamini rääkinud ja jah, tal oli vigu, aga ta oli siiski mu parim sõber ja ta tapeti. Ma ei pea õigeks rääkida tema suhetest ja tema perest, ükskõik kui palju aega on mööda läinud.

Pip: Ei, sul on õigus, vabandust. Ma lihtsalt mõtlesin, et kui ma teaksin, missugune Andie oli ja mis tema elus toimus, saaksin sellest juhtumist paremini aru.

Chloe: Jah, arusaadav, aga see kõik ei puutu asjasse. Andie tappis Sal Singh. Ja sa ei suuda Andiet paari intervjuu põhjal tundma õppida. Teda oli võimatu tunda isegi siis, kui olid tema parim sõber.

[Üritan kohmakalt vabandada ja meid uuesti teema juurde tuua, kuid on selge, et Chloe on lõpetanud. Tänan teda abi eest, enne kui ta kõne lõpetab.]

Prr, nii masendav. Arvasin, et hakkan kuhugi jõudma, aga ei, koperdasin Andie mõlema sõbraga hiigelsuurele tunnete miiniväljale ja rikkusin kõik ära. Mulle tundub, et isegi kui nad on enda meelest eluga edasi läinud, ei ole nad end Andie haardest ikka veel päris vabaks murdnud. Võib-olla hoiavad nad isegi mõnd tema saladust. Päris kindlasti tabasin Andie isa mainides hella kohta, kas siin on mingi lugu?

Lugesin äsjase üleskirjutuse veel paar korda üle ja ... võib-olla on siin veel midagi varjul. Kui ma Chloelt küsisin, kellega Andie magas, pidasin silmas seda, kellega Andie magas enne Sali, tahtsin teada eelmiste suhete kohta. Kuid kogemata sõnastasin küsimuse ebamääraselt: „Kellega ta magas?" Selles kontekstis kõlab see nii, nagu oleksin kogemata küsinud: kellega Andie veel magas sel ajal, kui ta Saliga käis? Kuid Chloe ei parandanud mind. Ta lihtsalt vastas, et ei tea.

Ma tean, et haaran õlekõrte järele. Muidugi võis Chloe vastata küsimusele, mida ma tahtsin esitada. Siin ei pruugi midagi olla. Tean, et ma ei saa seda juhtumit lahendada tähenärimisega sõnastuse kallal, pärismaailmas asjad paraku nii ei käi.

Ent nüüd, kui olen lõhna üles võtnud, ei suuda ma sellest enam lahti lasta. Kas Andie kohtus salaja kellegi teisega? Kas Sal sai teada ning sellepärast nad tülitsesidki? Kas see seletab Sali viimast sõnumit Andiele enne tüdruku kadumist: *ma ei räägi sinuga, enne kui oled lõpetanud*?

Ma ei ole politseinik, see on lihtsalt kooliprojekt, seepärast ei saa ma sundida neid mulle midagi rääkima. Ja need on sedasorti saladused, mida jagad vaid oma parimate sõprade, mitte suvalise tüdrukuga, kes teeb oma kooliprojekti.

Oh issand. Mul tuli just kohutav, kuid võib-olla hiilgav idee. Kohutav ja kindlasti ebamoraalne ning arvatavasti rumal. Ning kindlasti, päris kindlasti väär. Ja ikkagi arvan, et peaksin seda tegema. Kui ma tõesti tahan teada, mis Andie ja Saliga juhtus, ei saa ma sellest plekituna välja tulla.

Ma teesklen Chloet ja püüan Emma lõksu.

Mul on alles see ettemakstud SIM-kaart, mida kasutasin eelmisel aastal puhkamas olles. Kui panen selle telefoni, võin saata Emmale sõnumi ja teeselda, et olen Chloe, kellel on uus number. See võib toimida, Emma ütles, et nad ei pea enam ühendust, nii et ta ei pruugi aru saada. Ja see ei pruugi toimida. Mul ei ole midagi kaotada, samas võin teada saada saladusi ning tabada tapja.

Hei, Em! Chloe olen, sain hiljuti uue numbri. See Kiltoni tüdruk helistas mulle just ja esitas mingi projekti jaoks Andie kohta igasuguseid küsimusi. Kas ta helistas sulle ka? Xxx

Issand, tere! 🤚.
Jah, ta helistas paari päeva eest. See ajas mind tõtt-öelda kõige suhtes jälle pisut ärevile. Xx

Nojah! Andie mõjus meile ju niimoodi. Sa ju ei rääkinud talle midagi Andie armuelust? Xx

Sa ilmselt mõtled seda salajast vanemat meest, mitte Sali?

Jah.

Ei, ma ei rääkinud talle.

Jah, mina ka mitte. Aga ma olen alati mõelnud, kas Andie ütles sulle, kes see oli?

Ei, sa ju tead, et ei öelnud. Ainus, mida ta rääkis, oli see, et ta võiks mehe elu ära rikkuda, kui tahaks.

Jah, Andiele meeldisid saladused.

Tõtt-öelda ei ole ma kindel, et see mees üldse olemas oli.

Ta võis selle lihtsalt välja mõelda, et mõjuda salapärasemalt.

Jah, võib-olla.
See tüdruk küsis ka Andie isa kohta, mis sa arvad, kas ta võib teada?

Võib-olla, seda ei ole nüüd enam raske välja nuputada, ta ju abiellus selle hooraga kohe, kui nad olid lahutanud.

Jah, aga kas ta võib teada, et Andie teadis sellest tollal?

Ma ei kujuta ette, kuidas. Meie olime ainsad, kes teadsid. Ja ilmselgelt ka Andie isa. Ja mis tähtsust sellel oleks, kui ta teaks?

Jah, sul on õigus. Ilmselt on mul ikka veel tunne, et pean Andie saladusi kaitsma, saad aru?

Minu meelest tuleks sulle kasuks, kui püüaksid sellest rohkem lahti lasta. Mina tunnen end igal juhul paremini, kui püüan end distantseerida kõigest, mis oli Andiega seotud.

Jah, püüan. Kuule, ma pean lõpetama, mul on vaja varakult ärgata. Me peaksime millalgi varsti kokku saama, et muljetada?

Jah, oleks tore! Anna teada, kui oled vaba ja Londonis. 👍

Teeme nii! Tšau! xxxxx

Püha *pepperoni*.

Ma ei ole kogu oma paganama elus nii hullusti higistanud. Olen šokis, et see mul läbi läks. Paar korda oleksin kõik peaaegu nässu ajanud, aga ... ma sain hakkama.

Kuid mul on paha tunne. Emma on nii kena ja usaldav. Aga hea seegi, et mul süümekad on, see näitab, et ma ei ole oma moraalset kompassi päriselt kaotanud. Ma võin ikka veel hea tüdruk olla ...

Ja niisama lihtsalt on meil veel kaks niidiotsa.

Jason Bell oli juba huvipakkuvate isikute nimekirjas, kuid nüüd on ta nimi rasvases kirjas kui peamine kahtlusalune. Tal oli armulugu ja Andie teadis sellest. Veelgi enam, Jason teadis, et Andie teadis. Ta pidi sellest Jasoniga rääkima või ehk oli Andie see, kes ta teolt tabas. See täitis kindlasti paar lünka küsimuses, miks nende suhe oli pingeline.

Ja kui ma järele mõtlen, kas kogu see Andie salajane raha tuli isalt SELLEPÄRAST, et Andie teadis? Kas ta pressis äkki isalt raha välja? Ei, see on puhas oletus, ma pean võtma raha eraldi teemana, kuni suudan tõendada, kust see tuli.

Teine niidiots ja õhtu suurim avastus: Andie kohtus samal ajal, kui ta Saliga käis, salaja mingi vanema mehega. Nii salaja, et ei rääkinud sõpradele, kes see on, ütles vaid, et võib mehe hävitada. Mu mõtted liiguvad otsemaid ühte suunda: abielumees. Kas see mees võis olla salajase raha allikas? Mul on uus kahtlusalune. Säärane, kellel võis päris kindlasti olla motiiv, et Andie suu igaveseks sulgeda.

See ei ole see Andie, keda eeldasin uurimisega välja kooruvat, see on hoopis teistsugune kui avalik pilt kaunist blondist ohvrist. Ohvrist, keda tema pere armastas ja sõbrad jumaldasid, ohvrist, kelle elu tema „julm mõrvarlik" kallim nii varakult lõpetas. Võib-olla oli see Andie kogu aeg välja mõeldud tegelane, kes oli loodud inimeste kaastunde ärakasutamiseks, et panna nad enda pilli järgi tantsima. Ja nüüd, kui ma sõrmega kraabin, hakkab see pilt nurkadest kooruma.

Ma pean helistama Ravile.

Huvipakkuvad isikud
Jason Bell
Naomi Ward
Salajane Vanem Mees (kui palju vanem?)

Kümme

„Ma vihkan telkimist," mühatas Lauren kortsus kangahunnikule komistades.

„Jah, aga sünnipäev on minul ja mulle meeldib telkida," vastas Cara, kes luges juhendit, keel hammaste vahel.

Oli suvevaheaja viimane reede ja nad olid kolmekesi väikesel lagendikul keset Kiltoni serval asuvat pöögimetsa. Cara valik oma kaheksateistkümnenda sünnipäeva tähistamiseks: magada kogu öö lageda taeva all ja käia tumeda puudesalu vahel kükitades pissil. Pip kaldus selles küsimuses Laureni poole, kindlasti ei näinud ta kiviaegses kempsus ja väljas magamises mingit loogikat. Kuid ta oskas hästi teeselda.

„Tehniliselt võttes on ebaseaduslik telkida väljaspool registreeritud telkimiskohta," sõnas Lauren ja andis kangale kättemaksuks jalahoobi.

„Ee ... loodame, et laagripolitsei siis Instagrami ei vaata, sest ma teatasin sellest juba kogu maailmale. Ja nüüd kuss," ütles Cara. „Ma üritan lugeda."

„Ee, Cara," ütles Pip ebakindlalt, „sa ikka tead, et sa ei toonud tegelikult telki. See on varikatus."

„Vahet pole," vastas Cara. „Me peame sisse mahutama meid endid ja kolm poissi."

„Aga sellel ei ole põrandat." Pip torkas sõrme pildile juhendis.

„Sinul ei ole põrandat." Cara lükkas ta kõrvale. „Isa pakkis meile eraldi aluskile kaasa."

„Millal poisid siia jõuavad?" uuris Lauren.

„Nad saatsid kahe minuti eest sõnumi, et hakkavad tulema. Ja ei," nähvas Cara, „me ei oota neid ära, et nemad selle üles paneksid, Lauren."

„Ma ei pakkunudki seda."

Cara naksutas sõrmenukke. „Lammutame patriarhaati, telk telgi haaval."

„Varikatuse," parandas Pip.

„Kas sa tahad, et ma teeksin sulle haiget?"

„Eeei."

Kümme minutit hiljem seisis lagendikul valge kümme korda kakskümmend jalga varikatus, mis mõjus nii kohatult kui üldse võimalik. Kui nad olid aru saanud, et varikatuse raam avaneb nagu vihmavari, käis asi lihtsalt. Pip heitis pilgu telefonile. Kell oli juba pool seitse ja tema ilmarakendus ütles, et päike loojub viieteistkümne minuti pärast, kuigi neil on enne pimedust ees veel paar videvikutundi.

„Meil saab olema nii lõbus." Cara astus tagasi, et imetleda nende kätetööd. „Mulle meeldib telkimine. Ma joon džinnimaasikakokteile, kuni hakkan oksele. Homme ei taha ma midagi mäletada."

„Imetlusväärsed sihid," tähendas Pip. „Kas teie kaks tahaksite minna ja autost ülejäänud toidu tuua? Mina laotan magamiskotid ja panen külgseinad üles."

Cara auto oli pargitud tillukesse asfalteeritud parklasse nende valitud telkimiskohast umbes kahesaja meetri kaugusel. Lauren ja Cara lonkisid puude vahel minema, metsa valgustas viimane oranžikas kuma enne hämardumist.

„Ärge taskulampe unustage!" hüüdis Pip, kui oli nad silmist kaotanud. Ta kinnitas varikatusele suured riidest küljed, vandus endamisi, kui teipkinnitus alt vedas ning ta pidi otsast alustama. Ta maadles aluskilega ja rõõmustas, kui kuulis Cara ja Laureni naasmist reetvat okste praksumist. Neile välja vastu minnes ei näinud ta aga kedagi. Ainult harakas pilkas teda pimenevast puuladvast, naeris oma krääksuvat naeru. Pip viipas linnule tusaselt tervituseks ning sättis kolm magamiskotti ritta, püüdes mitte mõelda sellele, et Andie Bell võib olla vabalt maetud siia metsa sügavale maa alla.

Kui Pip viimase magamiskoti maha laotas, muutus jalge all murduvate okste pragin valjemaks ning kostma hakkas hirnumist ja kiljumist, mis sai tähendada vaid seda, et poisid olid kohale jõudnud. Pip viipas neile ja tüdrukutele, kes naasid, süled täis. Ant, kes – nagu nimigi viitas – ei olnud sestsaati, kui nad kaheteistaastaselt sõbraks said, kuigi palju kasvanud. Zach Chen, kes elas Amobidest neli maja edasi, ning Connor, keda Pip ja Cara tundsid algkoolist. Viimasel ajal oli poiss pööranud Pipile pisut liiga palju tähelepanu. Loodetavasti kustub see kiiresti nagu siis, kui Connor oli veendunud, et teda ootab hiilgav tulevik kassipsühholoogina.

„Tere," ütles Connor, kes tassis koos Zachiga külmakasti. „Oh, pagan, tüdrukud said parimad magamiskohad. Hea, et ma *pips* ei ole." Polnud üllatav, et Pip ei kuulnud seda nalja esimest korda.

„Marunaljakas, Con," sõnas ta ükskõikselt ja lükkas juuksed silmade eest.

„Ui," torkas Ant vahele. „Ära lase nina norgu, Connor. Kui sa oleksid kodutöö, tahaks Pip ehk sinuga mässata."

„Või Ravi Singhiga," sosistas Cara silma pilgutades Pipile.

„Kodutöö annab palju rohkem kui poisid," sõnas Pip ja torkas küünarnukiga Carale roiete vahele. „Ja räägi aga, Ant, sinu seksielu on nagu argonautmolluskil."

„Ja see tähendab?" Ant tegi käega laineliigutuse.

„Noh," sõnas Pip, „argonautmolluski peenis tuleb vahekorra ajal ära, nii et ta saab elu jooksul vaid korra seksida."

„Mina võin seda kinnitada," torkas Lauren, kellel oli eelmisel aastal olnud Antiga põgus armulugu.

Kõik pahvatasid naerma ja Zach toksas Antile lepitavalt vastu selga.

„Täiesti pöörane," möirgas Connor naerda.

Metsale oli laskunud hõbedane hämarus, ümbritsedes igast küljest väikest erksat katusealust, mis hõõgus laternana uinunud puude keskel. Neil oli varikatuse all kaks kollase tulega lampi ja kuue peale kolm taskulampi.

Vedas, et nad olid varikatuse alla istuma kolinud, märkis Pip, sest oli hakanud sadama, üsna tugevasti, kuigi pea kohal olevad puud püüdsid suurema osa vihmast kinni.

Nad istusid ringis suupistete ja jookide ümber, varikatuse kaks otsa olid üles rullitud, et poisihaisu leevendada.

Pip oli lubanud endal koguni ühele õllele põhja peale teha, tumesinine tähistaevast meenutav magamiskott vööni tõmmatud. Kuigi ta tundis suuremat huvi krõpsude ja hapukooredipi vastu. Ta ei armastanud eriti juua, see kontrollikaotuse tunne ei meeldinud talle.

Ant oli oma kummituslooga poole peal, lõua alla torgatud taskulamp moonutas poisi nägu ja muutis selle groteskseks.

Juhtumisi rääkis lugu kuuest sõbrast, kolmest poisist ja kolmest tüdrukust, kes olid laagris metsas varikatuse all.

„Ja sünnipäevatüdruk," kuulutas Ant teatraalselt, „teeb lõpu peale tervele pakile maasikamaitselistele kummikommidele, punased kommid kleepuvad ta lõua külge nagu verenired."

„Pea suu," pomises Cara täis suuga.

„Ta käsib kenal taskulambiga poisil suu pidada. Ja siis nad kuulevadki seda: kraapiv heli varikatuse seina vastas. Miski või keegi on väljas. Aeglaselt hakkavad küüned kangast lõhki kiskuma, rebivad sellesse augu. „Kas peate pidu?" küsib tüdrukuhääl. Ja siis sööstab ta august sisse ning rebib ühe käeliigutusega lõhki ruudulises särgis poisi kõri. „Kas tundsite minust puudust?" kriiskab ta ja siis näevad elusolijad viimaks, kes see on: Andie Belli kõdunev zombilaip, kes on tulnud kätte maksma ..."

„Pea suu, Ant." Pip tõukas poissi. „See ei ole naljakas."

„Miks siis kõik naeravad?"

„Sest te olete kõik haiged. Mõrvatud tüdruk ei ole teie totrate naljade jaoks aus sihtmärk."

„Aga kooliprojekti jaoks on?" torkas Zach vahele.

„See on hoopis teine asi."

„Pidin just jõudma Andie salajase vanema kallima / tapja osa juurde," ütles Ant.

Pip krimpsutas nägu ja heitis talle tigeda pilgu.

„Lauren rääkis mulle," sõnas poiss vaikselt.

„Cara rääkis mulle," sekkus Lauren pisut pehme keelega.

„Cara?" Pip pöördus sõbratari poole.

„Anna andeks," ütles Cara sõnadega puterdades, sest kaheksa ühikut džinni oli hakanud mõju avaldama. „Ma ei teadnud, et see pidi olema saladus. Rääkisin ainult Naomile ja Laurenile. Ja ütlesin, et nad kellelegi ei räägiks." Cara õõtsus kergelt ja osutas süüdistavalt Laurenile.

See vastas tõele, Pip ei olnud konkreetselt öelnud, et seda tuleb saladuses hoida. Ta oli arvanud, et selleks ei ole vajadust. Seda viga ta rohkem ei tee.

„Minu projekt ei ole mõeldud selleks, et teile klatšimaterjali anda." Ta üritas Caralt Laureni ja siis Anti poole vaadates hääles ärritust peita.

„Pole oluline," ütles Ant. „Pool meie klassist teab, et sa teed projekti Andie Bellist. Ja miks me üldse oma vabaduse viimasel reedeõhtul koolitööst räägime? Zach, too laud välja."

„Mis laud?" ei saanud Cara aru.

„Ma ostsin *ouija*-laua. Lahe, mis?" ütles Zach seljakotti lähemale sikutades. Ta tõmbas välja maitsetu plastaluse, mida kaunistas tähestik, ja väikese plastist tahvli avaga, millest paistsid tähed. Ta asetas laua ringi keskele.

„Ei!" kuulutas Lauren käsi ristates. „Ei mingil juhul. See ületab õõva piiri. Jutud on okei, aga ei mingit lauda."

Pip kaotas huvi, kui poisid üritasid Laurenit ümber veenda, et nad saaksid mingit plaanis olnud vempu visata. Ilmselt jälle Andie Belli kohta. Pip sirutas käe üle *ouija*-laua, et uut krõpsupakki võtta ja siis ta nägigi seda.

Hele valgus puude vahel sähvatamas.

Pip tõusis kandadele ja kissitas silmi. See juhtus uuesti. Kaugel pimeduses ilmus vaatevälja väike nelinurkne valgusvihk ja kadus siis jälle. Nagu telefoniekraan, mille valgus lukustusnupu vajutamisel kadus.

Pip ootas, kuid valgusesähvatus ei kordunud. Väljas valitses pimedus. Vihma hääl õhus. Uinuvate puude siluetid kuu kumas.

Kuni üks tume puu liigutas end kahel jalal.

„Kuulge," ütles Pip vaikselt. Kerge hoop vastu Anti pahkluud, et poiss vaikima sundida. „Ärge praegu vaadake, kuid minu meelest on puude vahel keegi. Ja jälgib meid."

Üksteist

„Kus?" Connor liigutas hääletult suud ja pilutas Pipi poole vaadates silmi.

„Minu poolt vaadates kella kümne suunal," sosistas tüdruk. Kõhtu hiilis jäine hirm. Kõigi silmad läksid pärani, nagu oleksid nad nakkuse saanud.

Siis haaras Connor taskulambi ja kargas jalule.

„Kuule sina, pervert!" röökis ta ootamatu vaprusega ja tormas katusealusest välja pimedusse, taskulambi valgusvihk ägedalt rappumas.

„Connor!" hüüdis Pip poisile järele ja üritas ennast magamiskotist välja saada. Ta haaras jahmatusest oimetu Anti käest taskulambi ja jooksis sõbra kannul puude vahele. „Connor, oota!"

Kõikjal ümberringi mustasid ämblikke meenutavad varjud, valgustatud puud kargasid nende seas esile, kui taskulamp Pipi käes rappus ja jalad poris tümpsusid. Valgusvihus hüplesid vihmapiisad.

„Connor!" hüüdis ta uuesti ja tormas järele ainsale märgile poisist, peenikesele valgusvihule lämmatavas pimeduses.

Oma selja taga kuulis Pip sammumüdinat, keegi hüüdis teda. Üks tüdrukutest karjus.

Edasi tormates hakkas Pip tundma küljes pisteid, adrenaliin oli maha surunud viimased tuimuseriismed, mida õlu võis olla tekitanud. Ta oli ärgas ja valmis.

„Pip!" hüüdis keegi talle kõrva. Ant oli talle järele jõudnud, telefoni taskulamp juhtis poisi samme puude vahel.

„Kus Con on?" lõõtsutas Ant.

Pipi kopsud olid õhust tühjad. Ta osutas võbelevale valgus-vihule eespool ja Ant tormas temast mööda.

Ja ikka kostsid Pipi selja taga sammud. Ta püüdis ringi vaadata, kuid nägi vaid heledat valgustäppi.

Pip vaatas ettepoole ning taskulambi valgusvihk langes kahele küürakil kogule. Pip lõi vankuma ja vajus põlvili, et nendega mitte kokku põrgata.

„Pip, kas kõik on korras?" küsis Ant hingetult ja ulatas tüdrukule käe.

„Jah." Pip ahmis niisket õhku, rinda ja kõhtu pigistas kramp. „Connor, mida põrgut?"

„Ma kaotasin ta silmist." Connor hoidis pead põlvede vahel ja ahmis õhku. „Mulle tundub, et kaotasin ta juba mõne aja eest."

„Oli see mees? Kas sa nägid teda?" küsis Pip.

Connor raputas pead. „Ei, ma ei nainud, et see oleks olnud mees, kuid see pidi ju mees olema? Nägin vaid, et tal oli tume kapuuts. Ta ilmselt põikles kõrvale, kui mu taskulamp oli alla suunatud, ja ma läksin rumalast peast ikka vanas suunas."

„Rumalast peast läksid teda üldse jahtima," nähvas Pip vihaselt. „Üksipäini."

„Ilmselgelt!" ütles Connor. „Mingi pervert keset ööd metsas, vahtis meid ja arvatavasti näppis ennast. Tahtsin talle korrali-kult kere peale anda."

„Polnud vaja end ohtu seada," noomis Pip. „Mida sa üritasid tõestada?"

Pip märkas silmanurgast sähvatust ja välja ilmus Zach, kes peaaegu talle ja Antile otsa tormas. „Mida paganat?" oli kõik, mida nad oskasid öelda.

Ja siis kuulsid nad karjatust.

„Pask!" pomises Zach, pööras kannal ringi ja jooksis tuldud teed tagasi.

„Cara! Lauren!" hüüdis Pip taskulampi haarates ja Zachile järele tormates, teised kaks tema kõrval. Jälle tumedate puude vahel, mille tontlikud sõrmed haarasid ta juustest. Torkimine küljes muutus iga sammuga tugevamaks.

Pool minutit hiljem leidsid nad Zachi, kes valgustas telefoniga kohta, kus kaks tüdrukut seisid teineteisel käest kinni hoides, Lauren pisarais.

„Mis juhtus?" küsis Pip neile käsi ümber pannes, kõik kolm värisesid, kuigi öö oli soe. „Miks te karjusite?"

„Sest me eksisime ära ja taskulamp kukkus puruks ja me oleme purjus," vastas Cara.

„Miks te varjualusesse ei jäänud?" ei saanud Connor aru.

„Sest te kõik jätsite meid maha," hüüatas Lauren.

„Olgu-olgu," rahustas Pip teisi. „Me kõik reageerisime pisut üle. Kõik on korras, me peame lihtsalt tagasi varjualusesse minema. Kes see ka ei olnud, on ta nüüd minema jooksnud, ja me oleme kuuekesi. Jah? Meiega on kõik korras." Ta pühkis Laureni lõualt pisarad.

Neil kulus isegi taskulampidega tagasi varjualuse juurde jõud-miseks ligi viisteist minutit, mets oli öösel hoopis teistsugune. Neil tuli kasutada koguni Zachi telefoni kaardirakendust, et aru saada, kui kaugel nad maanteest on. Nende samm kiirenes, kui nad silmasid kaugel puutüvede vahel valge kanga laike ja laternate sooja kollakat kuma.

Keegi ei rääkinud suurt midagi, kui nad korjasid rutuga tühjad joogipurgid ja toidupakid prügikotti, et teha ruumi oma magamiskottidele. Nad lasid kõik varikatuse küljed alla, jäädes turvaliselt valgest riidest seinte vahele ning puud paistsid vaid moonutatult läbi kilega kaetud aknaavade.

Poisid hakkasid oma öise puudevahelise sprindi üle juba nalja viskama. Lauren ei olnud veel naljadeks valmis.

Kui Pip ei suutnud enam pealt vaadata, kuidas Lauren joobnult lukuga kohmitseb, tõmbas ta tüdruku magamiskoti enda ja Cara oma vahele ning aitas tal selle sisse ronida.

„*Ouija*-lauda vist ei tule?" oletas Ant.

„Ma arvan, et aitas sellestki hirmudoosist," vastas Pip.

Ta istus mõnda aega Cara kõrval ja sundis teda vett jooma, Cara aga segas teda, rääkides seosetult Rooma langusest. Lauren magas juba, Zach varjualuse teises servas niisamuti.

Kui Cara laud hakkasid iga silmapilgutusega raskemaks muutuma, ronis Pip uuesti oma magamiskotti. Ta nägi, et Ant ja Connor on veel üleval ja sosistavad omavahel, kuid tema ise oli valmis magama jääma või vähemalt lamama ja und lootma. Kui ta jalad magamiskotti torkas, krabises miski parema jalatalla vastas. Pip tõmbas põlved rinnale ja pistis käe magamiskotti, sõrmede vahele jäi paberitükk.

Ilmselt kukkus toidupakend koti sisse. Pip tõmbas paberi välja. See ei olnud pakend. See oli pooleks murtud valge printeripaber.

Pip tegi paberi lahti ja lasi pilgul üle selle libiseda.

Üle lehekülje oli suurtähtedega trükikiri: *Lõpeta kaevamine, Pippa.*

Pip lasi paberi käest ja saatis pilguga selle kukkumist. Ta hingamine rändas ajas tagasi pimedas jooksmise ja puudeni taskulambi kiirtevihus. Uskumatus muutus hirmuks. Veel viis sekundit ja hirm tõmbus servadest krussi ning lahvatas vihaks.

„Mida kuradit!" ütles Pip, võttis paberi ja suundus poiste poole.

„Kuss," sosistas üks neist, „tüdrukud magavad."

„Kas see on teie meelest naljakas?" küsis Pip nende poole vaadates ja kokku murtud paberit näidates. „Te olete uskumatud."

„Millest sa räägid?" Ant kissitas tema poole vaadates silmi.

„Sellest kirjast, mille te mulle jätsite."

„Mina ei jätnud sulle mingit kirja," ütles Ant kätt sirutades.

Pip tõmbas käe eemale. „Ja sa arvad, et ma usun seda?" küsis ta. „Kas see võõras-metsas-värk oli samuti lavastus? Osa sinu naljast? Kes see oli, sinu sõber George?"

„Ei, Pip," ütles Ant tüdrukule otsa vaadates. „Ausalt, ma ei tea, millest sa räägid. Mis seal öeldakse?"

„Ära mängi süütukest," napsas Pip. „Connor, äkki tahad sina midagi lisada?"

„Pip, kas sa arvad, et ma oleksin sellele perverdile ummisjalu järele tormanud, kui see olnuks lihtsalt mingi pagana vemp? Ausalt, me ei plaaninud midagi."

„Te tahate öelda, et kumbki teist ei jätnud mulle seda kirja?" Mõlemad noogutasid.

„Te olete mõlemad pasakotid," ütles Pip ja pöördus tagasi tüdrukute poolele.

„Ausalt, Pip, meie seda ei teinud," kinnitas Connor.

Pip eiras poissi, ronis tagasi magamiskotti ja tegi seda tehes rohkem müra kui tingimata vaja.

Ta heitis pikali ja toppis kokku kägardatud kampsuni pea alla padjaks. Kiri oli lahtiselt tema kõrval maas. Pip pöördus seda vaatama, pööramata tähelepanu Anti ja Connori „Pip"-sosistamisele.

Pip oli viimasena ärkvel. Ta sa sellest aru teiste hingamise järgi. Üksi ärkvelolekus.

Viha tuhast sündis uus olevus, mis lõi ennast sütest ja põrmust. Tunne, mis oli kusagil õuduse ja kahtluse, kaose ja loogika vahel.

Pip kordas sõnu peas nii palju kordi, et need muutusid hapraks ja said võõra kõla.

Lõpeta kaevamine, Pippa.

See ei olnud võimalik. See oli lihtsalt õel nali. Lihtsalt nali.

Pip ei saanud kirjalt pilku ära, ta sõrmed liikusid unetult mööda mustas kirjas tähtede lookeid.

Mets oli keset ööd tema ümber elus. Pragisevad oksaraod, tiivalöögid ja karjed puude vahel. Rebane või hirv, ta ei saanud aru, kuid nad kiljusid ja kisasid ja see oli ega olnud Andie Bell, kes läbi ajakooriku karjus.

Lõpeta kaevamine, Pippa.

TEINE
OSA

Kaksteist

Pip kohmitses närviliselt laua all ja lootis, et Cara on selle märkamiseks vadistamisega liiga ametis. See oli esimene kord, mil Pip pidi Cara eest midagi varjama ning närvilisus mõjus nii tema kohmitsevatele sõrmedele kui ka sõlmele kõhus.

Pip oli läinud Cara juurde kolmandal päeval pärast kooli algust, kui õpetajad ei rääkinud enam sellest, mida nad hakkavad õpetama, ning asusid ka tegelikult õpetama. Nad istusid Wardide köögis ja tegid nägu, et teevad kodutööd, kuid tegelikult keris Cara end eksistentsiaalsesse kriisi.

„Ja ma ütlesin talle, et ma ei tea ikka veel, mida tahan ülikoolis õppida, rääkimata sellest, kuhu tahaksin minna. Ja tema aina korrutas: „Kell tiksub, Cara", ning see tekitab kohutavat stressi. Kas sina oled juba vanematega rääkinud?"

„Jah, mõne päeva eest," ütles Pip. „Otsustasin Cambridge'i King's College'i kasuks."

„Inglise keel?"

Pip noogutas.

„Sa oled kõige kehvem inimene, kellele oma eluplaanide pärast kurta," turtsatas Cara. „Vean kihla, et sa juba tead, kes sa tahad täiskasvanuks saades olla."

„Muidugi," kinnitas Pip. „Ma tahan olla korraga Louis Theroux ja Heather Brooke ja Michelle Obama."

„Sinu tõhusus solvab mind."

Pipi telefonist kostus vali rongivile.

„Kes see on?" tahtis Cara teada.

„Ainult Ravi Singh," vastas Pip teksti lugedes, „ta uurib, kas mul on midagi uut."

„Ah et me vahetame nüüd sõnumeid?" torkas Cara muiates. „Kas ma peaksin järgmisel nädalal pulmadeks mõne päeva vabaks tegema?"

Pip viskas teda pastakaga. Cara põikas kogenult kõrvale.

„Kas sul on siis Andie Belli kohta midagi uut?" küsis ta.

„Ei," tunnistas Pip. „Mitte midagi uut."

Vale pani sõlme kõhus tugevamini pigistama.

Ant ja Connor ei võtnud ikka veel omaks Pipi magamiskotis olnud kirja autorsust, kui ta oli neilt selle kohta koolis küsinud. Poisid pakkusid, et see võis ehk olla Zach või üks tüdrukutest. Muidugi ei olnud nende eitamine mingi tõend selle kohta, et nemad kirja ei kirjutanud. Kuid Pip pidi arvestama ka teise võimalusega. Mis siis kui? Mis siis, kui see oli tegelikult keegi, kes on seotud Andie Belli juhtumiga ning püüab hirmutada teda projektist loobuma? Keegi, kellel oleks palju kaotada, kui ta jätkab?

Pip ei rääkinud kirjast kellelegi: ei tüdrukutele, ei poistele, kui need küsisid, mis kirjas oli, ei vanematele ega isegi Ravile. Nende mure võiks tema projekti seisata. Ning ta pidi võimalikud lekked kontrolli alla saama. Tal oli vaja hoida saladusi ning ta kavatses õppida selle ala meistrilt preili Andie Bellilt.

„Kus su isa on?" küsis Pip.

„Ta ju astus umbes veerand tunni eest sisse ja ütles, et läheb eratundi."

„Ahjaa," sõnas Pip. Valed ja saladused juhtisid tähelepanu kõrvale. Elliot oli alati käinud kolm korda nädalas eratunde andmas, see oli osa Wardi pere rutiinist, mida Pip hästi teadis.

Närvipinge muutis ta lohakaks. Cara paneb seda varsti tähele, sõbratar tundis teda liiga hästi. Pipil on vaja maha rahuneda, ta oli siin kindlal põhjusel. Närvitsedes jääb ta vahele.

Pip kuulis teisest toast telerihelisid; Naomi vaatas mingit Ameerika filmi, millega oli seotud kõvasti paugutamist summutiga relvadest ning hüüdeid „Pagan võtku!"

Praegu oli täiuslik hetk tegutsemiseks.

„Kuule, kas ma võiksin paariks sekundiks su läpakat laenata?" küsis ta Caralt ja püüdis näolihaseid lõdvestada, et ilme teda ei reedaks. „Ma lihtsalt tahan inglise keeleks üht raamatut otsida."

„Muidugi." Cara lükkas arvuti üle laua. „Ära mu lehti kinni pane."

„Ei pane." Pip pööras arvutit, et Cara kuvarit ei näeks. Ta süda peksis nii, et kõrvus kohises. Veri tõusis nii tugevasti pähe, et kindlasti oli ta näost punane. Ta kummardus, et ennast kuvari taha peita, ja klõpsas juhtpaneeli.

Ta oli olnud öösel kella kolmeni üleval, küsimus „mis siis kui" painas ja ajas une minema. Nii oli ta kamminud internetis, vaadanud viletsalt sõnastatud foorumiküsimusi ja juhtmevaba printeri juhiseid.

Igaüks oleks võinud talle metsa järgneda. See vastas tõele. Kes iganes võinuks teda jälgida, meelitada ta koos sõpradega katusealusest välja, et jätta oma sõnum. Tõsi. Kuid tema huvipakkuvate isikute nimekirjas oli üks nimi, üks inimene, kes oleks täpselt teadnud, kuhu Pip ja Cara telkima lähevad. Naomi. Oli olnud rumal mitte arvestada Naomit selle Naomi tõttu, keda ta enda arvates tundis. Vabalt võis olla ka üks teine Naomi. Säärane, kes võis valetada või siis mitte selle kohta, et ta lahkus Andie surmaööl mõneks ajaks Maxi juurest. Säärane, kes võis olla Sali armunud, kuid ei pruukinud. Säärane, kes võis, kuid ei pruukinud, vihata Andiet niivõrd, et ta tappa.

Pärast tunde visa uurimistööd oli Pip välja selgitanud, et pole mingit võimalust näha, milliseid dokumente on juhtmevaba printer varem printinud. Ja mitte keegi, kellel mõistus peas, ei salvestaks säärast kirja oma arvutis, nii et Naomi arvuti kontrollimisel ei oleks mõtet. Kuid ta saaks teha midagi muud.

Ta klõpsas Cara sülearvutis seadmetele ja printeritele ning valis hiirega Wardi perekonna printeri, millele keegi oli pannud nimeks Freddie Prints Jr. Ta klõpsas valikule Printeri atribuudid ja liikus edasi.

Pip oli joonistega juhendi sammud meelde jätnud. Ta klõpsas kastile Säilita prinditud dokumendid ja oligi valmis. Ta sulges paneeli ja klõpsas uuesti Cara kodutööle.

„Tänan,“ ütles ta arvutit tagasi andes, kindel, et ta süda klopib kuuldavalt nagu rinnale kinnitatud kõlar.

„No problemo.“

Nüüd pidas Cara sülearvuti arvet kõige kohta, mis nende printerist läbi käis. Kui Pip peaks saama veel ühe prinditud sõnumi, saab ta kindlalt välja selgitada, kas see tuli Naomilt või ei.

Köögiuks avanes koos plahvatusega Valges Majas ning föderaalagentidega, kes karjusid „Kaduge siit!“ ja „Päästke ennast!“. Lävel seisis Naomi.

„Taevas küll, Nai,“ pahvatas Cara. „Me töötame, keera heli maha.“

„Vabandust,“ sosistas Naomi, nagu oleks see hüvitanud teleri lärmi. „Tulin lihtsalt juua võtma. Kas kõik on korras,

Pip?" Naomi silmitses teda jahmunult ja alles siis sai Pip aru, et vahib teist.

„Ee... jah. Sa lihtsalt ehmatasid mind," ütles Pip ja ta näole ilmus pisut liiga lai naeratus.

Uurimistöö raport - 13. sissekanne

Üleskirjutus: teine intervjuu Emma Huttoniga

Pip: Tänan, et olid nõus uuesti rääkima. Mul on tõesti ainult
          mõned lisaküsimused.

Emma: Jah, pole hullu.

Pip: Tänan. Kõigepealt, olen Andie kohta küsimusi esitanud
          ja kuulnud kõlakaid, millest tahtsin sinuga rääkida. Et
          Andie võis käia Sali kõrvalt veel kellegagi. Ehk mõne
          vanema mehega? Kas sina kuulsid kunagi midagi
          säärast?

Emma: Kes sulle seda rääkis?

Pip: Vabandust, ta tahtis jääda anonüümseks.

Emma: Kas see oli Chloe Burch?

Pip: Vabandust veel kord. Mul paluti mitte öelda.

Emma: See pidi olema tema, meie olime ainsad, kes teadsid.

Pip: Nii et see on tõsi? Andie käis samal ajal, kui tal oli
          Saliga suhe, mingi vanema mehega?

Emma: Nojah, nii ta rääkis, ta ei öelnud meile kunagi selle
          mehe nime ega midagi.

Pip: Kas sul on aimu, kui kaua see oli kestnud?

Emma: Üldse mitte pikalt enne seda, kui ta kaduma jäi. Minu
          meelest hakkas ta sellest rääkima märtsis. Aga see on
          ainult oletus.

Pip: Ja teil ei olnud aimugi, kes see oli?

Emma: Ei, talle meeldis meid õrritada sellega, et me ei
          teadnud.

Pip: Ja te ei arvanud, et see on piisavalt oluline, et sellest politseile rääkida?

Emma: Ei, sest, ausalt, me ei teadnud midagi rohkemat. Ja mina vist mõtlesin, et Andie oli selle draama tegemiseks välja mõelnud.

Pip: Ja kui juhtus kogu see lugu Saliga, ei tulnud te selle pealegi, et rääkida politseile, et see võis olla motiiv?

Emma: Ei, sest ma olin ju veendunud, et tegelikult seda meest ei olnudki. Ja Andie ei olnud rumal, ta ei oleks Salile sellest mehest rääkinud.

Pip: Aga kui Sal ikkagi teada sai?

Emma: Hmm, ma ei usu. Andie oskas saladusi hoida.

Pip: Okei, lähme minu viimase küsimuse juurde. Mõtlesin, kas sa tead, kas Andiel oli kunagi Naomi Wardiga tüli. Või kas nende vahel oli pingeid?

Emma: Naomi Wardi, Sali sõbraga?

Pip: Jah.

Emma: Ei, minu teada küll mitte.

Pip: Andie ei rääkinud kunagi mingitest pingetest Naomiga ega öelnud tema kohta halvasti?

Emma: Ei. Tegelikult, kui sa sellest rääkima hakkasid, siis Andie vihkas päris kindlasti üht Wardidest, aga see ei olnud Naomi.

Pip: Mida sa sellega mõtled?

Emma: Sa ju tead härra Wardi, ajalooõpetajat? Ma ei tea, kas ta õpetab veel Kiltonis. Aga tõsi, ta ei meeldinud Andiele. Mäletan, et Andie nimetas teda muu hulgas sitapeaks.

Pip: Miks? Millal see oli?

Emma: Ee... ma ei oska täpselt öelda, aga minu meelest tolle aasta ülestõusmispühade paiku. Nii et mitte väga palju enne, kui see kõik juhtus.

Pip: Aga Andie ei käinud ajaloos?

Emma: Ei, asi pidi olema milleski säärases nagu näiteks selles,
           et härra Ward ütles talle, et tema seelik on kooli jaoks
           liiga lühike. Andie vihkas sääraseid asju.
Pip: Selge, see oli kõik, mida ma tahtsin küsida. Veel kord
           suur tänu abi eest, Emma.
Emma: Pole tänu väärt. Head aega.

EI. Lihtsalt ei.

Kõigepealt Naomi, kellele ma ei suuda enam isegi silma
vaadata. Ja nüüd Elliot? Miks annavad küsimused Andie
Belli kohta vastuseid, mis on seotud mulle kõige lähemate
inimestega?

Olgu, see, et Andie ütles enne surma oma sõpradele ühe
õpetaja kohta halvasti, tundub täielik kokkusattumus. Jah. Asi
võib olla täiesti süütu.

Aga – ja see on suur aga – Elliot ütles mulle, et ta vaevalt
tundis Andiet ning et tüdruku viimasel kahel eluaastal ei
puutunud nad üldse kokku. Miks nimetas Andie teda sitapeaks,
kui neil teineteisega mingit pistmist ei olnud? Kas Elliot valetas
ja mis põhjusel?

Oleksin silmakirjalik, kui ma üksnes seepärast, et olen
Elliotiga lähedane, pööraselt ei spekuleeriks, nagu olen varemgi
teinud. Nii et kuigi see teeb mulle füüsiliselt haiget: kas see
süütu vihje võib tegelikult viidata, et Elliot Ward oligi see
Salajane Vanem Mees? Muidugi mõtlesin ma algul, et „salajane
vanem mees" on kusagil kahekümnendates. Ent võib-olla
mu vaist eksis, võib-olla viitab see kellelegi palju vanemale.
Küpsetasin Elliotí viimaseks sünnipäevaks talle tordi, seega tean,
et ta on praegu nelikümmend seitse, mis tähendab, et Andie
kadumise aastal oli ta nelikümmend kaks.

Andie rääkis sõpradele, et võib selle mehe „hävitada". Mina
mõtlesin, et see tähendab, et mees – kes ta ka ei olnud – oli

abielus. Elliot ei olnud abielus, tema naine suri mõne aasta eest. Kuid ta oli Andie koolis õpetaja, usaldusisiku positsioonil. Kui nende vahel olnuks sobimatu suhe, võinuks Ellioti ähvardada vanglakaristus. See läheks kindlasti kellegi „hävitamise" tähenduse alla.

Kas Elliot on sedasorti inimene, kes seda teeks? Ei ole. Ja kas ta on sedasorti mees, keda seitsmeteistaastane kaunis naisõpilane ihaldaks? Minu meelest mitte. Ta ei ole muidugi kole ja temas on teatud hallipäist professorlikkust, aga ... ei.

Ma lihtsalt ei näe seda. Ma ei suuda uskuda, et üldse lasen endal seda mõelda. Kes järgmisena huvipakkuvate isikute nimekirja jõuab? Cara? Ravi? Isa? Mina?

Peaksin end vist lihtsalt kokku võtma ja Elliotilt küsima, et saaksin ka mõne pärisfakti teada. Muidu võin lõpetada sellega, et kahtlustan kõiki oma tuttavaid, kes võisid mingil eluetapil Andiega rääkida. Ja paranoia ei sobi mulle.

Aga kuidas küsida täiskasvanud mehelt, keda oled tundnud sestsaati, kui olid kuuene, miks ta mõrvatud tüdruku kohta valetas?

Huvipakkuvad isikud
Jason Bell
Naomi Ward
Salajane Vanem Mees
Elliot Ward

Kolmteist

Pipi käsi tundus tegutsevat iseseisvalt, lahus peas toimuvast.

Härra Ward rääkis: „Kuid Leninile ei meeldinud Stalini Gruusia-poliitika pärast punaarmee sissetungi 1921. aastal", ning Pipi sõrmed liikusid ja panid kõik kirja, tõmbasid isegi daatumitele jooned alla. Kuid tegelikult ta ei kuulanud.

Tema sisemuses möllas sõda, tema pea kaks poolt naaklesid ja kisklesid omavahel. Kas ta peaks Elliotilt Andie kommentaaride kohta küsima või seaks see uurimise ohtu? Kas on jäme esitada tapetud õpilaste kohta uurivaid küsimusi või on see täiesti andestatav pipism?

Kell helises lõunavahetundi ning Elliot hüüdis üle käuksuvate toolide ja kotilukkude kinnitõmbamise: „Enne järgmist tundi lugege läbi kolmas peatükk. Ja kui tahate olla eriti innukad, võite ka neljandat peatükki trotskida." Ta naeris ise oma nalja üle.

„Kas sa tuled, Pip?" küsis Connor püsti tõustes ja seljakotti õlale visates.

„Ee, jah, otsin teid minuti pärast üles," vastas Pip. „Pean enne härra Wardilt midagi küsima."

„Sa pead härra Wardilt midagi küsima, mis?" Elliot oli neid pealt kuulnud. „Kõlab kurjakuulutavalt. Loodan, et sa ei ole hakanud juba kursusetöö peale mõtlema?"

„Ei, noh, tegelikult olen küll," vastas Pip, „aga ma ei tahtnud selle kohta küsida."

Ta ootas, kuni nad jäid klassi kahekesi.

„Mis on?" Elliot heitis pilgu kellale. „Sul on minu kümme minutit, enne kui hakkan oma *panini*-järtsu pärast paanikasse minema."

„Jah, vabandust," ütles Pip ja üritas oma vaprusevarude järele küünitada, kuid need libisesid sõrmede vahelt. „Ee…"

„Kas kõik on korras?" küsis Elliot ja toetus lauale, käed ja jalad ristis. „Kas muretsed ülikooliavalduse pärast? Võime su avalduse millalgi üle vaadata, kui …"

„Ei, asi ei ole selles." Pip hingas sügavalt sisse ja ajas ülahuule ette. „Kui ma teilt varem küsisin, siis ütlesite, et teil ei olnud Andie kahel viimasel kooliaastal temaga mingit pistmist."

„Tõsi." Elliot pilgutas silmi. „Ta ei võtnud ajalookursust."

„Olgu, aga …" julgus nirises ühekorraga tagasi ja sõnad tormasid üksteise järel välja, „üks Andie sõpradest ütles, vabandust keelekasutuse pärast, et Andie nimetas teid mõni nädal enne kadumajäämist sitapeaks ja kasutas muidki sõnu."

Küsimus „miks" oli tema sõnade taga ilmselge, tal ei olnud vaja seda välja öelda.

„Või nii," sõnas Elliot ja lükkas tumedad juuksed näolt. Ta vaatas Pipi poole ja ohkas. „Noh, ma lootsin, et see ei tule jutuks. Ma ei kujuta ette, mis kasu sellest võiks olla, kui nüüd selle üle juurelda. Aga on näha, et sa oled oma projektiga väga põhjalik."

Pip noogutas, tema pikk vaikimine nõudis vastust.

Elliot niheles. „Mulle on see üsna ebamugav, öelda ebameeldivaid asju õpilase kohta, kes on kaotanud elu." Ta vaatas lahtise klassiukse poole ja läks seda kinni panema. „Ee… ma ei puutunud Andiega koolis kuigi palju kokku, aga Naomi isana muidugi teadsin teda. Ja... selles rollis sain ma Naomi kaudu Andie Belli kohta üht-teist teada."

„Jah?"

„Seda ei saa kuidagi kenasti öelda, aga ... ta oli kiusaja. Ta kiusas nende klassis üht tüdrukut. Mul ei tule selle tüdruku nimi praegu meelde, see oli portugalipärane. Oli mingi intsident, Andie pani internetti mingi video."

Pip oli ühest küljest üllatunud ja teisest küljest üldse mitte. Andie Belli elu labürindis avanes veel üks teerada. Üks kirjutis teise peal ning kunagine Andie vaid piilumas kõigi nende ülestikuste kritselduste vahelt.

„Teadsin piisavalt mõistmaks, et Andiel tuleks selle eest, mida ta oli teinud, pahandusi nii koolis kui ka politseiga," jätkas Elliot. „Ja ma ... minu meelest oli see häbilugu, sest oli esimene nädal pärast lihavõttepühi ning tal olid ees A-taseme eksamid. Eksamid, mis pidid määrama kogu ta tuleviku." Elliot ohkas. „Oleksin teada saades pidanud sellest direktorile rääkima. Kuid koolil on kiusamise ja küberkiusamise suhtes nullsallivus ning ma teadsin, et Andie visataks otsemaid välja. Ei mingeid A-taseme eksameid, ei mingit ülikooli ning ma, noh, ma lihtsalt ei suutnud seda teha. Isegi kui ta oli kiusaja, ei oleks ma suutnud elada teadmisega, et olen etendanud osa ühe õpilase tuleviku hävitamises."

„Mida te siis tegite?" küsis Pip.

„Otsisin ta isa numbri ja helistasin talle esimesel päeval pärast lihavõttevaheaega."

„Te mõtlete Andie kadumise nädala esmaspäeva?"

Elliot noogutas. „Jah, ilmselt küll. Helistasin Jason Bellile, rääkisin kõigest, mida olin teada saanud, ning ütlesin, et ta peab tütrega maha pidama väga tõsise jutuajamise kiusamisest ja selle tagajärgedest. Soovitasin piirata Andie juurdepääsu internetile. Ütlesin, et usaldan loo klaarimise temale, vastasel juhul ei ole mul teist võimalust kui teavitada kooli ja lasta Andie välja visata."

„Ja mida ta ütles?"

„Noh, ta oli tänulik, et andsin ta tütrele teise võimaluse, mida ta ei pruukinud olla ära teeninud. Ning ütles, et tegeleb asjaga ja räägib Andiega. Nüüd oletan, et kui härra Bell Andiega rääkis, mainis ta, et sai info minult. Nii et kui Andie tollel nädalal minu suhtes mahlakaid sõnu kasutas, siis pean ütlema, et see ei üllata mind eriti. Rohkem olen pettunud."

Pip hingas sügavalt sisse ega üritanudki kergendust varjata.

„Mis see veel oli?"

„Mul on lihtsalt hea meel, et te ei valetanud mõnel hullemal põhjusel."

„Minu meelest loed sa liiga palju kriminulle, Pip. Äkki prooviksid mõnd elulugu?" Mees naeratas leebelt.

„Need võivad olla niisama härivad kui ilukirjandus." Pip vaikis. „Te ei ole varem kellelegi ... Andie kiusamisest rääkinud?"

„Muidugi mitte. Pärast kõike, mis juhtus, tundus see mõttetu. Ja tundetu." Mees sügas lõuga. „Ma püüan sellele mitte mõelda, sest siis jõuan liblikatiiva efekti teooriateni. Mis oleks olnud siis, kui oleksin koolis rääkinud ja Andie oleks tol nädalal välja visatud? Kas see oleks tulemust muutnud? Kas tingimusi, mis viisid selleni, et Sal ta tappis, ei oleks olnud? Kas need kaks oleksid veel elus?"

„Sellesse küülikuurgu ei maksaks ronida," arvas Pip. „Ja te ei mäleta kindlasti, kes oli see tüdruk, keda Andie kiusas?"

„Ei, mul on kahju," ütles Elliot. „Naomi ilmselt mäletab, sa võid temalt küsida. Kuigi ma ei tea, mis pistmist on sellel meedia kasutamisega kriminaaluurimises." Elliot vaatas tüdrukut pisut noomivalt.

„Ma ei ole oma lõplikku pealkirja veel otsustanud," naeratas Pip.

„Olgu, ära siis sina oma küülikuauku kuku." Elliot vibutas sõrme. „Ja nüüd ma jooksen, mul on hiigelisu tuunikalasaia järele." Mees naeratas ja ruttas koridori.

Pip tundis end kergemalt, raske kahtlusekoorem kadus samamoodi nagu Elliot hetk tagasi uksest välja. Ning eksliku spekulatsiooni asemel, mis oleks teda rappa juhtinud, oli tal nüüd uus tõeline juhtlõng, mida uurida. Ning nimekirjas üks nimi vähem. See oli hea kaup.

Kuid uus juhtlõng viis ta tagasi Naomi juurde. Ja Pip peab tema silmadesse vaatama, reetmata kahtlust, et nende taga peidab end midagi sünget.

Uurimistöö raport - 15. sissekanne

Üleskirjutus: teine intervjuu Naomi Wardiga

Pip: Okei, salvestab. Nii, su isa rääkis, et ta sai teada, et Andie kiusas üht teie klassi tüdrukut. Küberkiusas. Tema meelest puudutas asi mingit netivideot. Kas sina tead sellest midagi?

Naomi: Jah, nagu ma ütlesin, minu meelest oli Andie üks igavene nuhtlus.

Pip: Kas sa võiksid täpsemalt rääkida?

Naomi: Meie klassis oli üks tüdruk, Natalie da Silva, ta oli samuti kena ja blond. Tegelikult olid nad üsna sarnased. Minu meelest tundis Andie end temast ohustatuna, sest viimase õppeaasta algul hakkas Andie tema kohta kõlakaid levitama ja otsima viise, kuidas teda alandada.

Pip: Kui Sal ja Andie hakkasid käima alles selle aasta detsembris, kuidas sa sellest kõigest teadsid?

Naomi: Me olime Natiga sõbrad. Me olime koos bioloogias.

Pip: Või nii. Ja milliseid kõlakaid Andie lendu lasi?

Naomi: Vastikuid asju, mida suudab välja mõelda vaid teismeline plika. Näiteks et Nati pere on verepilastajad, et Nat vaatab, kuidas inimesed riietusruumis lahti riietuvad ja näpib ennast. Säherdusi asju.

Pip: Ja sinu meelest tegi Andie seda sellepärast, et Nat oli ilus ja Andie tundis end sellest ohustatuna?

Naomi: Ma arvan, et nii ta mõtles. Andie tahtis olla klassi tüdruk, keda kõik poisid ihaldavad. Nat oli konkurent ja Andie pidi ta kõrvaldama.

Pip: Nii et sa teadsid tollal sellest videost?

Naomi: Jah, seda jagati sotsiaalmeedias. Minu meelest võeti see maha alles paar päeva hiljem, kui keegi teatas sobimatust sisust.

Pip: Millal see oli?

Naomi: Lihavõttevaheajal. Jumal tänatud, et see ei olnud kooli ajal, see oleks olnud Nati jaoks veelgi hullem.

Pip: Ja mis see täpsemalt oli?

Naomi: Niipalju kui mina tean, oli Andie koos paari oma koolisõbraga, kelle seas olid ka tema kaks käsilast.

Pip: Chloe Burch ja Emma Hutton?

Naomi: Just, ja veel paar inimest. Sali ega kedagi meist ei olnud. Kambas oli ka üks poiss, Chris Parks, ja kõik teadsid, et ta meeldib Natile. Ma ei tea kõiki üksikasju, aga Andie kas kasutas Chrisi telefoni või ütles talle, mida teha, ja nad saatsid Natile flirtivaid sõnumeid. Ja Nat vastas, sest Chris meeldis talle ja ta arvas, et temaga räägib Chris. Ja siis ütles Andie/ Chris, et Nat saadaks endast *topless*-video, kus oleks ka tema nägu peal, et Chris teaks, et see on tõesti tema.

Pip: Ja Nat tegi seda?

Naomi: Jah. Pisut naiivne, aga ta arvas, et räägib ainult Chrisiga. Ja siis on klipp netis ning Andie ja terve hulk inimesi jagab seda oma profiilidel. Kommentaarid olid jubedad. Ja praktiliselt kõik selles klassis nägid seda, enne kui klipp maha võeti. Nat oli lohutamatu. Ta ei tulnud esimesed kaks päeva pärast vaheaega isegi kooli, sest tundis end nii alandatult.

Pip: Kas Sal teadis, et Andie seda tegi?

Naomi:	Noh, mina mainisin seda talle. Ta muidugi ei kiitnud seda heaks, aga ütles ainult: „See on Andie draama. Ma ei taha selles osaleda." Sal oli mõnes asjas liiga vaoshoitud.
Pip:	Kas Nati ja Andie vahel juhtus veel midagi?
Naomi:	Tegelikult tõesti. Midagi, mis on minu meelest niisama hull, aga sellest ei teadnud peaaegu keegi. Mina võisin olla ainus, kellele Nat sellest rääkis, sest ta nuttis bioloogiatunnis kohe pärast seda, kui see juhtus.
Pip:	Mis see oli?
Naomi:	Sügissemestril tegi kool viimase klassi näidendit. Minu meelest oli see „Salemi nõiad". Pärast prooviesinemisi anti Natile peaosa.
Pip:	Abigail?
Naomi:	Võimalik, ma ei tea. Ja nähtavasti tahtis Andie seda rolli ja oli tõsiselt tige. Pärast osaliste väljakuulutamist ajas Andie Nati nurka ja ütles ...
Pip:	Jah?
Naomi:	Vabandust, ma unustasin kontekstist rääkida. Nati vend Daniel, kes oli meist umbes viis aastat vanem, töötas osalise kohaga kooli majahoidjana, kui me olime umbes viisteist-kuusteist. Ainult lühikest aega, kuni ta tööd otsis.
Pip:	Ja siis?
Naomi:	Nii et Andie ajab Nati nurka ja ütleb, et kui ta vend veel koolis töötas, seksis ta Andiega, kuigi Andie oli tollal alles viisteist. Ja Andie käsib Natil näidendist loobuda, muidu läheb ta politseisse ja ütleb, et Nati vend vägistas ta. Ja Nat loobuski, sest kartis, et Andie võibki seda teha.
Pip:	Kas see oli tõsi? Kas Andiel oli Nati vennaga suhe?
Naomi:	Ma ei tea. Ka Nat ei teadnud kindlalt, sellepärast ta loobuski. Aga ma ei usu, et ta oleks vennalt üldse küsinud.

Pip: Kas sa tead, kus Nat praegu on? Mis sa arvad, kas ma võiksin temaga rääkida?

Naomi: Ma ei pea temaga tegelikult ühendust, aga ma tean, et ta on tagasi kodus vanemate juures. Aga ma olen temast üht-teist kuulnud.

Pip: Mida?

Naomi: Ee... minu meelest oli ta ülikoolis mingis kakluses. Ta vahistati ja sai süüdistuse kehavigastuse tekitamises ja minu meelest oli ta vangis.

Pip: Oh issand.

Naomi: No just.

Pip: Kas sa saaksid mulle tema numbri anda?

Neliteist

„Kas sa lõid end üles selleks, et minu juurde tulla, Seersant?“ Roheliseruudulises flanellsärgis ja teksades Ravi naaldus oma välisukse piida vastu.

„Ei. Ma tulin otse koolist,“ vastas Pip. „Ja mul on sinu abi vaja. Pane midagi jalga,“ ta plaksutas käsi, „sa tuled minuga kaasa.“

„Kas me läheme missioonile?“ küsis Ravi ja taganes, et tõmmata jalga koridoris vedelevad tossud. „Kas ma pean öövaatlusprillid ja tööriistavöö kaasa võtma?“

„Seekord mitte,“ naeratas Pip ja hakkas mööda aiateed tagasi minema, Ravi sulges ukse ja järgnes talle.

„Kuhu me läheme?“

„Ühte majja, kus kasvasid üles kaks võimalikku Andie tapmise kahtlusalust,“ selgitas Pip. „Üks neist vabanes just vanglast „kehavigastusega lõppenud rünnaku eest“. Sina oled mu tagala, kuna me peame rääkima huvipakkuva isikuga, kes võib olla vägivaldne.“

„Tagala?“ kordas Ravi tüdruku kõrvale jõudes.

„Tead küll,“ selgitas Pip, „et keegi kuuleks mu appikarjeid, kui neid peaks vaja minema.“

„Oota, Pip.“ Ravi haaras tüdruku randmest ja sundis ta seisatama. „Ma ei taha, et sa teeksid midagi, mis on päriselt ohtlik. Ka Sal ei oleks seda tahtnud.“

„Ole nüüd.“ Pip kehitas õlgu. „Minu ja minu kodutöö vahele ei tule miski, isegi mitte väike oht. Ja ma esitan sellele tüdrukule lihtsalt väga rahulikult paar küsimust.“

„See on tüdruk?" küsis Ravi. „Siis sobib."

Pip tonksas teda oma seljakotiga vastu käsivart. „Ära arva, et ma ei märganud seda," ütles ta. „Naised võivad olla niisama ohtlikud kui mehed."

„Ai, sain aru," vastas Ravi kätt hõõrudes. „Mis sul kotis on, tellised?"

Kui Ravi lõpetas naermise Pipi jässaka põrnikanäoga auto üle, klõpsas ta turvavöö kinni ning Pip toksis aadressi telefoni. Ta käivitas auto ning jutustas Ravile kõigest, mida oli nende viimasest vestlusest alates teada saanud. Kõigest peale tumeda kogu metsas ja kirjakese magamiskotis. See uurimine oli Ravi jaoks ülioluline, ometi teadis Pip, et poiss käsiks tal lõpetada, kui arvaks, et Pip ennast ohtu seab.

„See Andie oli ikka paras tegelane," sõnas Ravi, kui Pip oli lõpetanud. „Ja ometi oli kõigil nii kerge uskuda, et kolctis oli Sal. Vau, see kõlas sügavalt." Ravi pöördus tüdruku poole. „Kui tahad, võid mind oma projektis tsiteerida."

„Kindlasti, koos reaalusega ja puha," lubas Pip.

„Ravi Singh," venitas noormees, „sügavad filtreerimata mõtted, Pipi põrnikanäoga auto, 2017."

„Meil oli täna tunnipikkune uurimistöö töötuba ääremärkuste kohta," sõnas Pip, pilk teel. „Nagu ma juba ei teaks seda kõike. Ma teadsin juba emaüsas, kuidas teadusviiteid vormistada."

„Milline huvitav supervõime, sa peaksid Marvelile teatama."

Neid katkestas mehaaniline peenutsev hääl Pipi telefonis, mis teatas, et nad jõuavad kohale 500 meetri pärast.

„See peab olema see," ütles Pip. „Naomi ütles, et majal on erksinine uks." Ta osutas käega ja keeras auto kõnnitee äärde.

„Ma helistasin eile Nataliele kaks korda. Esimene kord lõpetas ta kõne, kui olin öelnud sõna „kooliprojekt". Teisel korral ei võtnud ta üldse vastu. Loodame, et ta ikka ukse lahti teeb. Kas tuled?"

„Ma ei ole kindel," ütles Ravi oma näole osutades, „kogu see *mõrvari venna* värk. Kui mind ei ole, võid saada rohkem vastuseid."

„Või nii."

„Kuidas oleks, kui mina seisaksin teerajal?" Ravi osutas betoonplaatidele, mis jagasid majaesise aia kaheks, pöörasid seejärel järsult vasakule ja juhatasid esiukseni. „Sealt ta mind ei näe, aga ma olen valmis appi tormama."

Nad ronisid autost välja ning Ravi andis Pipile tema seljakoti, oiatades seda tõstes tehtult.

Pip noogutas, kui Ravi seisma jäi, ja kõndis siis välisukse juurde. Ta vajutas kaks korda lühidalt uksekella ja näperdas närviliselt oma koolijaki kraed, kui jääklaasi taha ilmus tume kogu.

Uks avanes aeglaselt ja selle vahelt vaatas keegi. Noor naine helevalgete väga lühikeseks lõigatud juuste ja paksude laineri-joontega silmade ümber. Nägu silmade all meenutas võõrikult Andiet: samasugused suured sinised silmad ja täidlased heledad huuled.

„Tere," ütles Pip. „Kas sina oled Nat da Silva?"

„J-jah," vastas naine kõhklevalt.

„Minu nimi on Pip." Pip neelatas. „Mina olin see, kes sulle eile helistas. Ma olen Naomi Wardi sõber, sa ju tundsid teda kooliajal?"

„Jah, Naomi oli sõber. Mis siis? Kas temaga on kõik korras?" Nati ilme muutus murelikuks.

„Ohjaa." Pip naeratas. „Ta on jälle kodus."

„Ma ei teadnud." Nat avas ukse veidi laiemalt. „Jah, peaksin temaga millalgi kokku saama. Nii et ..."

„Vabandust," ütles Pip. Ta mõõtis Nati pilguga ja märkas elektroonilist võru pahkluu ümber. „Nagu ma ütlesin, kui helistasin, teen ma üht kooliprojekti ja mõtlesin, kas tohiksin esitada sulle paar küsimust." Ta vaatas Natile uuesti otsa.

„Mille kohta?" Nat tõmbas võruga jala ukse varju.

„Ee... Andie Belli kohta."

„Ei, tänan." Nat astus tagasi ja tahtis ukse kinni tõmmata, kuid Pip tõkestas ukse kiiresti jalaga. „Palun. Ma tean, et ta tegi sulle jubedaid asju," ütles ta. „Ma saan aru, miks sa ei taha, aga ..."

„See lipakas rikkus mu elu," pahvatas Nat. „Ma ei raiska tema peale enam ainsatki hingetõmmet. Mine eest!"

Sel hetkel kuulsid mõlemad üle betooni libiseva kummitalla heli ja sosinat: „Oh raisk."

Nat tõstis pilgu ja ta silmad läksid suureks. „Sina," ütles ta vaikselt. „Sa oled Sali vend."

See ei olnud küsimus.

Pip pöördus, ta pilk langes Ravile oma selja taga, kes seisis häbelikult ebaühtlase betoonplaadi kõrval, millele ta oli ilmselt komistanud.

„Tere," ütles poiss ja tõstis käe. „Mina olen Ravi."

Ta astus Pipi kõrvale ning samal hetkel laskis Nat ukselingist lahti ja uks vajus jälle rohkem paokile.

„Sal oli alati minu vastu kena," ütles ta, „isegi siis, kui tal ei olnud selleks vajadust. Kui ma temaga viimati rääkisin, pakkus ta, et aitab mind oma lõunapauside ajal politoloogias

143

järele, sest ma olin hädas. Mul on kahju, et sul ei ole enam venda."

„Tänan," ütles Ravi.

„See on kindlasti sullegi raske," jätkas Nat, pilk endiselt teises maailmas, „see, kuidas see linn Andie Belli jumaldab. Kiltoni pühak ja kullake. Ja see pühendus pingil: ta võeti ära liiga vara. Mitte hetkegi liiga vara, peaks seal seisma."

„Ta ei olnud pühak," sõnas Pip leebelt, üritades Nati ukse tagant välja meelitada. Kuid Nat ei vaadanud tema, vaid Ravi poole.

Poiss astus lähemale. „Ta kiusas sind?"

„Päris kindlasti." Nat naeris kibedalt. „Ja ta rikub endiselt mu elu, isegi hauast. Te nägite mu riistvara," ta osutas elektroonilisele jalavõrule. „Sain selle, sest lõin ülikoolis üht ühikanaabrit. Me pidime otsustama, kes missuguse magamistoa saab, see plika hakkas trikitama, täpselt nagu Andie, ja ma läksin endast välja."

„Me teame sellest videost, mille ta sinu kohta netti pani," ütles Pip. „Ta oleks pidanud saama selle eest süüdistuse, sa olid tollal alaealine."

Nat kehitas õlgu. „Vähemalt sai ta tol nädalal mingil moel karistada. Jumalik ettenägelikkus. Tänu Salile."

„Kas sa soovisid tema surma – pärast seda, mida ta sulle tegi?" küsis Ravi.

„Muidugi soovisin," vastas Nat süngelt. „Muidugi tahtsin ma tema surma. Ma jäin kaheks päevaks koolist koju, sest olin nii endast väljas. Ja kui ma kolmapäeval kooli läksin, vahtisid kõik mind ja naersid. Ma nutsin koridoris, Andie läks mööda ja nimetas mind libuks. Olin nii vihane, et jätsin talle kappi kena väikese kirjakese. Olin liiga hirmul, et talle midagi näkku öelda."

Pip heitis pilgu Ravile, nägi poisi pingul lõuajoont ja kortsus kulmu ning sai aru, et temagi oli seda tähele pannud.

„Kirjakese?" küsis Ravi. „Kas see … kas see oli ähvarduskiri?"

„Muidugi oli see ähvarduskiri," naeris Nat. *„Sa loll libu, ma tapan su ära,* midagi taolist. Aga Sal jõudis esimesena."

„Võib-olla mitte," ütles Pip.

Nat pöördus ja vaatas Pipile otsa. Siis pahvatas ta valjult ja sunnitult naerma, nii et Pipi põsele lendas süljeudu.

„Oh, see on liiga hea!" irvitas Nat. „Kas te küsite, kas mina tapsin Andie Belli? Mul oli ju motiiv, kas te arvate seda? Kas te tahate minu kuradima alibit?" Ta naeris õelalt.

Pip ei lausunud sõnagi. Ta suu täitus ebamugavalt süljega, kuid ta ei neelatanud. Ta ei tahtnud üldse liigutada. Ta tundis, kuidas Ravi riivas ta õlga, poisi käsi liikus tema kõrval läbi õhu.

Nat kummardus nende poole. „Mulle ei jäänud Andie Belli tõttu ainsatki sõpra. Mul ei olnud tol reede õhtul kusagil olla. Ma mängisin kodus vanemate ja vennanaisega Scrabble'it ja läksin kell üksteist magama. Vabandust, kui pettumuse valmistasin."

Pipil ei olnud aega neelatada. „Ja kus su vend oli? Kui tema naine oli koos teiega kodus?"

„Nii et tema on ka kahtlusealune?" Nati hääl alanes urinaks. „Järelikult Naomi rääkis. Ta oli tol õhtul pubis, jõi koos oma võmmidest sõpradega."

„Kas ta on politseinik?" küsis Ravi.

„Lõpetas just tol aastal väljaõppe. Nii et jah, kardan, et selles majas mõrvareid ei ole. Nüüd kerige põrgu ja öelge Naomile, et tema võib samuti põrgu kerida."

Nat astus tagasi ja lõi ukse nende ees kinni.

Pip vaatas ukse võnkumist piitade vahel, pilk nii ainitine, et hetkeks tundus talle, nagu väriseksid õhuosakesed paugatusest. Ta vangutas pead ja pöördus Ravi poole.

„Lähme," ütles ta vaikselt.

Autos lubas Pip endale paar aeglast sekundit lihtsalt hingata, et mõttepundar sõnadeks seada.

Ravi leidis esimesena sõnad. „Kas mul tuleb pahandusi, et ma, noh, sõna otseses mõttes ülekuulamisse kukkusin. Kuulsin, et hääled läksid valjemaks ja ..."

„Ei," Pip vaatas poisi poole ja naeratas tahtmatult. „Meil vedas, et sa seda tegid. Nat rääkis ainult sellepärast, et sina seal olid."

Ravi ajas end istmel rohkem sirgu, ta juuksed riivasid auto-lage. „Nii et see tapmisähvardus, millest see ajakirjanik sulle rääkis," ütles ta.

„Selle saatis Nat," lõpetas Pip ja torkas võtme süütesse. Ta keeras auto tänavale, sõitis kümmekond meetrit Da Silvade majast eemale, peatus siis ja võttis telefoni.

„Mida sa teed?"

„Nat ütles, et tema vend on politseinik." Ta vajutas brauseri-äpile ja hakkas otsingusõna kirjutama. „Uurime järele."

See tuli välja esimese vastena. *Thames Valley politsei Daniel da Silva*. Üleriigilise politsei võrgulehe andmetel oli Daniel da Silva kohaliku politseijaoskonna konstaabel, kelle tööpiirkonda kuulus ka Little Kilton. Mehe LinkedIni profiili kiire kontroll näitas, et ta on sellel kohal töötanud alates 2011. aasta lõpust.

„Kuule, ma tunnen teda," ütles Ravi üle Pipi õla kiigates ja torkas sõrme Danieli pildile.

„Jah?"

„Jah. Kui ma hakkasin Sali kohta küsimusi esitama, oli tema see, kes käskis mul lõpetada, ütles, et mu vend oli igasuguse kahtluseta süüdi. Ma ei meeldi talle." Ravi käsi tõusis kuklale ja sõrmed surusid sügavale tumedatesse juustesse. „Eelmisel suvel istusin ühe kohviku ees lauas. See tüüp ..." ta osutas Danieli fotole, „käskis mul edasi minna, ütles, et ma „jõlgun". Naljakas, et tema meelest teised väljas istunud inimesed ei jõlkunud, ainult see tõmmu poiss, kelle vend on mõrvar."

„Põlastusväärne sitapea," ütles Pip. „Ja ta tegi lõpu su küsimustele Sali kohta?"

Ravi noogutas.

„Ta tuli Kiltoni politseisse vahetult enne Andie kadumist." Pip silmitses telefonis Danieli igavesti naeratavat nägu. „Ravi, kui keegi lavastas Sali süüdi ja jättis mulje, et tema surm oli enesetapp, siis oli seda lihtsam teha inimesel, kes oli politsei protseduuridega kursis?"

„Nii see on, Seersant," kinnitas poiss. „Ja siis veel kõlakas, et Andie magas temaga, kui ta oli viisteist, sellega ta ju šantažeeris Nati näidendist loobuma."

„Jah, ja mis siis, kui nad hakkasid hiljem uuesti pihta, kui Daniel oli juba abielus ja Andie lõpuklassis? Tema võibki olla see salajane vanem mees."

„Aga Nat?" küsis Ravi. „Ma natuke nagu tahaksin teda uskuda, kui ta ütleb, et oli tol õhtul koos vanematega kodus, sest oli kõigist sõpradest ilma jäänud. Aga ... on ka tõestatud, et ta võib olla vägivaldne." Ravi kõigutas kätt üles-alla illustreerimaks tema ebastabiilsust. „Ning motiiv on kindlasti olemas. Võib-olla õe-venna taparühm."

„Või Nati ja Naomi taparühm," oigas Pip.

„Nat tundus üsna vihane, et Naomi oli sinuga rääkinud," nõustus Ravi. „Kui mahukas projekt peab olema, kui mitu sõna, Pip?"

„Mitte piisavalt. Kaugeltki mitte."

„Kas me võiksime minna lihtsalt jäätist sööma ja lasta ajul puhata?" Ravi naeratas seda öeldes.

„Jah, arvatavasti peaksime seda tegema."

„Tingimusel, et sa oled küpsisetükkidega jäätise tüdruk. Ravi Singhi tsitaat," ütles poiss dramaatiliselt nähtamatusse mikrofoni. „Parima jäätisemaitse väitekiri, Pipi auto, septemb…"

„Pea suu."

„Olgu."

Uurimistöö raport - 17. sissekanne

Ma ei leia Daniel da Silva kohta midagi. Mitte midagi, mis annaks mulle uusi juhtlõngu. Tema Facebooki profiilist ei saa peaaegu midagi, välja arvatud see, et ta abiellus 2011. aasta septembris.

Ent kui tema oli salajane vanem mees, võis Andie teda kahel viisil hävitada: ta võis rääkida Danieli naisele, et mees petab teda, ning purustada ta abielu, VÕI teha politseile avalduse vägistamise kohta kaks aastat varem. Mõlemad põhinevad hetkel vaid kuuldustel, ent kui need vastavad tõele, oleks Danielil põhjust Andie surma soovida. Andie võis teda šantažeerida, kindlasti oleks ühe Da Silva šantažeerimine olnud tema moodi.

Ka Danieli töö kohta ei ole netis midagi, välja arvatud Stanley Forbesi kolme aasta tagune artikkel autode kokkupõrkest Hogg Hillil, mis toimus Danieli vahetuse ajal.

Ent kui Daniel on meie tapja, siis võis ta minu meelest politseinikuna uurimist kuidagi takistada. Mees seestpoolt. Võib-olla sai ta Bellide maja läbi otsides varastada või rikkuda tõendeid, mis oleksid viinud temani. Või tema õeni?

Märkimist tasub seegi, kuidas Daniel reageeris Ravi küsimustele Sali kohta. Kas ta tõrjus Ravit enesekaitseks?

Olen uuesti läbi vaadanud kõik Andie kadumist puudutanud ajaleheartiklid. Olen vaadanud fotosid politsei otsingutest, kuni on tunne, et mu silmad on kasvatanud pisikesed sügelevad jalad, et peast välja ronida ja pisikeste hirmsate ööliblikatena mu läpaka ekraanile viskuda. Ma ei näe uurimisega seotud politseinike seas Da Silvat.

Kuigi on üks foto, milles ma ei ole kindel. See tehti pühapäeva hommikul. Andie maja ees seisavad politseinikud, üks neist siseneb uksest, selg kaamera poole. Tema pikkus ja juuksevärv sobivad Da Silvaga, kui võrdlen pilti tema fotodega sotsiaalmeedias umbes samal ajal.

See võib olla tema.

Võib olla.

Ta läheb nimekirja.

Uurimistoo raport - 18. sissekanne

See on siin! Ma ei suuda uskuda, et see on tõesti olemas. Thames Valley politsei vastas minu teabenõudele. Nende e-kiri:

Lugupeetud preili Fitz-Amobi

TEABENÕUE, VIITENR 3142/17

Kirjutan seoses teie 19.08.2017 Thames Valley politseile saadetud päringuga järgmise info saamiseks:

Teen kooliprojekti Andrea Belliga seotud uurimisest ning soovin taotleda juurdepääsu järgmistele materjalidele.

1. *Üleskirjutus Salil Singhi ülekuulamisest 21.04.2012.*
2. *Üleskirjutus kõigist võimalikest vestlustest Jason Belliga.*
3. *Bellide majas 21.04.2012 ja 22.04.2012 toimunud läbiotsimiste materjalid.*

Oleksin väga tänulik, kui saaksite mind nende materjalidega aidata.

Tulemus
Taotluse punktid 2 ja 3 jäeti rahuldamata, viidates infovabaduse seaduse paragrahvi 30 lõike 1 punkti a (uurimised) ja paragrahvi

40 lõike 2 (isiklik info) eranditele. Käesoleva e-kirjaga teatame osalisest keeldumisest infovabaduse seaduse (2000) paragrahvi 17 kohaselt. Taotluse punkt 1 on rahuldatud, kuid dokument sisaldab paragrahvi 30 lõike 1 punktide a ja b ning paragrahvi 40 lõike 2 kohaselt kustutatud kohti. Transkriptsioon lisatud.

Põhjendus
Paragrahvi 40 lõige 2 teeb erandi info suhtes, mis sisaldab taotlejast erineva isiku isikuandmeid, ning juhul, kui nende isikuandmete avalikustamine rikuks 1988. aasta andmekaitseseaduse põhimõtteid.

Paragrahvi 30 lõige 1 võimaldab info avaldamise kohustusest erandi materjali suhtes, mida avalik võim on kasutanud teatud uurimisteks või menetlusteks.

Kui vastus teid ei rahulda, on teil õigus esitada infovolinikule kaebus. Juhin teie tähelepanu lisatud dokumendile, kus on kirjas teie edasikaebamisõiguse üksikasjad.

Siiralt teie
Gregory Pannett

Mul on Sali ülekuulamise üleskirjutus! Kõigest muust keelduti. Kuid nende keeldumine kinnitas siiski, et Jason Bell vähemalt kuulati uurimise käigus üle, võib-olla olid ka politseil teatud kahtlused?

Lisatud üleskirjutus:

Salil Singhi salvestatud intervjuu
Aeg: 21.04.2012
Kestus: 11 minutit
Koht: küsitletava elukoht
Läbi viinud Thames Valley jaoskonna töötajad

Politsei: Käesolev intervjuu salvestatakse.

On 21. aprill 2012 ja kell on 15.55. Minu nimi on
kustutatud § 40 (2) ja asun kustutatud § 40 (2)
koos Thames Valley politseijaoskonna töötajatega.
Kohal on ka minu kolleeg kustutatud § 40 (2) .
Kas te võiksite palun öelda oma täisnime?

SS: Oh, muidugi, Salil Singh.

Politsei: Palun öelge oma sünniaeg.

SS: 14. veebruar 1994.

Politsei: Valentinipäevalaps, mis?

SS: Jah.

Politsei: Nii, Salil, kõigepealt katsume sissejuhatava osaga
ühele poole saada. Et sa aru saaksid, see on
vabatahtlik küsitlus ning sa võid iga hetk selle
katkestada või paluda meil lahkuda. Me küsitleme
sind olulise tunnistajana seoses Andrea Belli
kadunud isiku juhtumi uurimisega.

SS: Aga, vabandust, et katkestan, ma ju ütlesin teile,
et ei näinud teda pärast kooli, nii et ma ei näinud
midagi.

Politsei: Jah, vabandust, terminoloogia võib segadusse
ajada. Oluline tunnistaja on isik, kellel on ohvri või
antud juhul võimaliku ohvriga eriline suhe. Ja nagu
me aru saame, oled sa Andrea kallim, jah?

SS: Jah. Keegi ei kutsu teda Andreaks. Ta on Andie.

Politsei: Okei, vabandust. Ja kui kaua te olete Andiega koos
olnud?

SS: Hakkasime käima veidi enne eelmise aasta jõule. Nii
           et umbes neli kuud. Vabandust, te ütlesite, et Andie
           on võimalik ohver. Ma ei saa aru.

Politsei: See on lihtsalt standardprotseduur. Ta on kadunud
           isik, aga kuna ta on alaealine ning see ei ole talle
           omane, ei saa me täielikult välistada, et Andie on
           langenud kuriteo ohvriks. Muidugi loodame, et see ei
           ole nii. Kas sinuga on kõik korras?

SS: Ee, jah, ma olen lihtsalt mures.

Politsei: Arusaadav, Salil. Nii et esimene küsimus? Tahaksin
           sinult küsida, millal sa Andiet viimati nägid?

SS: Koolis, nagu ma ütlesin. Me rääkisime pärast tunde
           parklas, siis läksin koju ja tema läks samuti koju.

Politsei: Ja kas Andie oli sulle kunagi varem, enne tolle reede
           pärastlõunat, mõista andnud, et tahaks kodust
           põgeneda?

SS: Ei, mitte kunagi.

Politsei: Kas ta rääkis sulle kunagi probleemides kodus,
           perega?

SS: Muidugi rääkisime me säärastest asjadest. Mitte
           kunagi midagi tõsist, tavaline teismelisevärk.
           Mõtlesin alati, et Andie ja **kustutatud § 40 (2)** Kuid
           ei olnud mitte midagi hiljutist, mis oleks pannud ta
           tahtma ära joosta, kui te küsite seda. Ei.

Politsei: Kas sa oskad mõelda mõnd põhjust, miks Andie
           oleks võinud tahta kodust lahkuda ja teha nii, et teda
           ei leitaks?

SS: Ee. Ma ei ole kindel, ei usu.

Politsei: Kuidas sa kirjeldaksid oma suhet Andiega?

SS: Mida te silmas peate?

Politsei: Kas see oli seksuaalsuhe?

SS: Ee, jah, mõnes mõttes.

Politsei: Mõnes mõttes?

SS: Ma, me ei olnud tegelikult päris lõpuni läinud.

Politsei: Te ei olnud Andiega seksinud?

SS: Ei.

Politsei: Ja sa ütleksid, et teie suhe on tugev?

SS: Ma ei tea. Mida te silmas peate?

Politsei: Kas te tülitsete tihti?

SS: Ei, ei tülitse. Ma ei ole tülitsejat tüüpi, mistõttu meil on koos okei.

Politsei: Ja kas te tülitsesite Andie kadumisele eelnenud päevil?

SS: Ee, ei. Ei tülitsenud.

Politsei: Täna hommikul █kustutatud § 40 (2)█ võetud kirjalikes tunnistustes väidavad mõlemad, et nägid sind ja Andiet sel nädalal koolis tülitsemas. Neljapäeval ja reedel. █kustutatud § 40 (2)█ väidab, et see oli kõige hullem tüli, mida ta on alates teie suhte algusest näinud. Kas sa tead sellest midagi, Salil? Kas see vastab tõele?

SS: Ee… võib-olla pisut. Andie võib olla tulipea ja vahel on raske mitte reageerida.

Politsei: Ja kas sa oskad mulle öelda, mille pärast te tookord tülitsesite?

SS: Ee, ma ei tea, ma ei tea, kas … Ei, see on eraasi.

Politsei: Nii et sa ei taha sellest mulle rääkida?

SS: Ee… jah, ei. Ma ei taha sellest teile rääkida.

Politsei: Sinu arvates ei pruugi see olla oluline, kuid isegi kõige väiksem pisiasi võib aidata meil teda leida.

SS: Ee… Ei, ma ikkagi ei saa seda öelda.

Politsei: Kindel?

SS: Jah.

Politsei: Olgu, liigume siis edasi. Kas teil oli plaanis Andiega eile õhtul kokku saada?

SS: Ei. Mul olid plaanid oma sõpradega.

Politsei: Sest **kustutatud § 40 (2)** ütles, et kui Andie kella poole üheteistkümne paiku kodust lahkus, eeldas ta, et Andie läheb oma kallimaga kokku saama.

SS: Ei, Andie teadis, et ma olen sõbra juures ja et me ei saa kokku.

Politsei: Kus sa eile õhtul olid?

SS: Oma sõbra **kustutatud § 40 (2)** juures, kas tahate teada kellaaegu?

Politsei: Jah, muidugi.

SS: Ma arvan, et jõudsin sinna kella poole üheksa ajal, isa viis mu ära. Ja ma lahkusin umbes veerand üks ja läksin jalgsi koju, ma pean kella üheks kodus olema, kui ma kellegi juurde ööseks ei jää. Usun, et jõudsin koju veidi enne ühte, võite mu isa käest küsida, ta oli veel üleval.

Politsei: Ja kes veel **kustutatud § 40 (2)** juures olid?

SS: **kustutatud § 40 (2)**
kustutatud § 40 (2)

Politsei: Kas sul oli tol õhtul Andiega mingit kontakti?

SS: Ei, selles mõttes, et ta proovis mulle kella üheksa paiku helistada, aga mul oli tegemist ja ma ei vastanud. Ma võin oma telefoni näidata?

Politsei: **kustutatud § 40 (2)**
Ja kas sul on olnud temaga üldse mingit kontakti pärast seda, kui ta kaduma jäi?

SS: Alates sellest, kui ma täna hommikul teada sain, olen talle umbes miljon korda helistanud. Kõik kõned lähevad häälsõnumitesse. Ma arvan, et ta telefon on välja lülitatud.

Politsei: Okei, ja **kustutatud § 40 (2)** kas sa tahtsid küsida …

Politsei: … Jah. Nii, Salil, ma tean, et sa oled öelnud, et ei tea, aga kus Andie sinu arvates olla võiks?

SS: Ee... Ausalt, Andie ei tee kunagi midagi, mida ta ei taha teha. Ma arvan, et ta võib lihtsalt kusagil aega maha võtta, telefon välja lülitatud, et saaks mõnda aega maailma eirata. Ma loodan, et see on nii.

Politsei: Millest võib Andie tahta aega maha võtta?

SS: Ma ei tea.

Politsei: Ja kus ta võiks sinu meelest aega maha võtta?

SS: Ma ei tea. Andie hoiab paljut enda teada, võib-olla on tal sõpru, kellest me ei tea. Ma ei tea.

Politsei: Olgu, kas on veel midagi, mida tahaksid lisada ja mis võiks aidata meil Andiet leida?

SS: Ee... ei. Ee... kui ma saaksin, tahaksin otsingutes osaleda, kui te neid korraldate.

Politsei: kustutatud § 30 (1) (b) kustutatud § 30 (1) (b) Olgu siis, küsisin kõike, mida me hetkel vajame. Lõpetan intervjuu, kell on 16.06 ja ma panen salvestuse seisma.

Okei, sügav hingetõmme. Lugesin selle kuus korda läbi, isegi valjusti. Ja nüüd on mul kõhus kohutav õõnes tunne, nagu oleksin ühtaegu talumatult näljane ja talumatult toitu täis.

See ei paista Sali seisukohast hea.

Tean, et vahel on raske üleskirjutusest nüansse tabada, kuid Sal põikles täiega kõrvale selle koha pealt, mille üle nad Andiega tülitsesid. Minu meelest ei ole ükski asi nii eraviisiline, et seda ei saaks politseile öelda, kui sellest oleks kasu su kadunud kallima leidmisel.

Kui jutt võis olla sellest, et Andie kohtus kellegi teisega, miks Sal seda lihtsalt politseile ei öelnud? See oleks võinud nad algusest peale võimaliku tegeliku tapja jälile viia.

Aga mis siis, kui Sal varjas midagi hullemat? Midagi, mis oleks andnud talle tõelise motiivi Andie tapmiseks. Me teame, et ta valetab selles intervjuus ka mujal: kui ütleb politseile, mis kell ta Maxi juurest ära läks. Oleks kohutav, kui oleksin käinud kogu selle tee läbi vaid selleks, et teada, et Sal ongi süüdi. Ravi oleks omadega täiesti läbi. Võib-olla ei oleks ma üldse pidanud selle projektiga algust tegema, poleks pidanud üldse Raviga rääkima. Ma pean talle seda üleskirjutust näitama, ütlesin talle alles eile, et vastus peaks nüüd kohe tulema. Aga ma ei tea, kuidas ta sellesse suhtub. Või ... äkki valetan ja ütlen, et midagi pole veel vastatud?

Kas Sal võibki päriselt süüdi olla? Sal tapjana on alati olnud kõige lihtsam tee, aga võib-olla ongi kõigil seda nii kerge uskuda, sest see on tõde?

Aga ei: kiri.

Keegi hoiatas, et lõpetaksin kaevamise.

Jah, see kiri võis olla kellegi meelest tore vemp ning kui kiri oli nali, võib Sal tõesti olla tapja. Ent see ei tundu õige. Kellelgi selles linnas on midagi varjata ja see isik on hirmul, sest ma olen ta tabamiseks õigel teel.

Pean lihtsalt edasi minema, isegi kui mulle kaikaid kodaratesse visatakse.

Huvipakkuvad isikud
Jason Bell
Naomi Ward
Salajane Vanem Mees
Nat da Silva
Daniel da Silva

Viisteist

„Võta mu käsi," ütles Pip, kummardus ja pani sõrmed ümber Joshua käe. Nad ületasid tänava, Joshi kleepuv pihk Pipi paremas ning sikutava Barney jalutusrihm vasakus käes.

Kohviku ette kõnniteele jõudes lasi Pip Joshi käest lahti ja kummardus Barney rihma lauajala külge kinnitama.

„Istu. Tubli poiss," ütles ta ja silitas koera, kes vaatas oma keel väljas naeratusega tema poole.

Pip avas kohviku ukse ja juhtis Joshi sisse.

„Mina olen ka tubli poiss," ütles vend.

„Tubli poiss, Josh," kinnitas Pip, patsutas hajameelselt venna pead ja silmitses võileivariiulit. Ta valis neli eri maitset, isale muidugi Brie juustu ja peekoniga ning juustu ja „ilma vastikute tükkideta" singiga Joshile. Ta viis võileivad kassa juurde.

„Tere, Jackie," naeratas ta raha ulatades.

„Tere, kullake. Suured Amobi lõunasöögiplaanid?"

„Me paneme aiamööblit kokku ja asi kisub pinevaks," vastas Pip. „Tigedate ja näljaste vägede rahustamiseks läheb vaja võileibu."

„Selge pilt," sõnas Jackie. „Kas sa ütleksid emale, et astun järgmisel nädalal õmblusmasinaga läbi?"

„Suur tänu, ütlen." Pip võttis Jackielt paberkoti ja pöördus Joshi poole. „Tule, põnn."

Nad olid peaaegu ukse juures, kui Pip teda silmas, üksi lauas, peod kaasa ostetud kohvitopsi ümber. Pip ei olnud teda aastaid

159

näinud, ta oli arvanud, et tüdruk on endiselt ülikoolis. Ta pidi olema nüüd kakskümmend üks, võib-olla kakskümmend kaks. Ja nüüd oli ta vaid mõne jala kaugusel, ta sõrmeotsad liikusid üle topsil oleva hoiatuse kuuma joogi kohta, ning ta nägi välja rohkem Andie moodi kui kunagi varem.

Ta nägu oli nüüd saledam ja ta oli hakanud juukseid heledamaks värvima, sama värvi, nagu olid olnud ta õel. Kuid tema juuksed olid lühikesed, ei ulatunud õlgadeni, Andie juuksed aga olid olnud vööni. Sarnasus oli suur, kuid Becca Belli näos ei olnud seda võluväge, mis oli olnud õel, tüdrukul, kes oli meenutanud rohkem maali kui pärisinimest.

Pip teadis, et ta ei tohiks seda teha, ta teadis, et see on väär ja tundetu ja kõik need sõnad, mida proua Morgan oli kasutanud oma hoiatustes („Ma lihtsalt kardan, millise suuna sinu projekt võib võtta"). Kuigi Pip lausa tundis, kuidas arukad ja ratsionaalsed osad tema peas koondusid, teadis ta, et tilluke osa Pipist oli juba otsuse teinud. Mõtlematuse kübeke temas, mis saastas kõik teised mõtted.

„Josh," ütles Pip ja ulatas vennale võileivakoti, „kas sa võiksid välja minna ja minutikese Barney juures istuda? Ma tulen kohe."

Josh vaatas paluvalt õe poole.

„Sa võid minu telefoniga mängida," lubas Pip ja õngitses taskust telefoni.

„Jess!" sisistas Josh võidukalt, võttis telefoni ja keris väljudes ukse vastu põrgates mängude lehele.

Pipi süda hakkas protestiks tugevamini lööma. Ta tundis seda kui rahutut kella kurgus, mis tiksus kiiresti kahekaupa löökidega.

„Tere, sa oled Becca, eks?" ütles ta tüdruku juurde astudes ja toetas käed tühja tooli seljatoele.

„Jah. Kas ma tunnen sind?" Becca kissitas uurivalt silmi.

„Ei tunne." Pip üritas manada näole oma kõige soojema naeratuse, kuid see tundus pingul ja ebaloomulik. „Mina olen Pippa. Ma elan siin. Käin viimast aastat Kiltoni gümnaasiumis."

„Oota," sõnas Becca toolil niheledes, „see ei ole võimalik. Sina oled ju see tüdruk, kes teeb minu õe kohta projekti?"

„Mm..." kogeles Pip. „Kust sa tead?"

„Ma ... ee..." Becca vaikis. „Ma nagu käin Stanley Forbesiga. Või siis mitte." Ta kehitas õlgu.

Pip üritas vapustust võltsköhaga varjata. „Või nii. Tore mees."

„Jah." Becca põrnitses kohvitopsi. „Ma lõpetasin ülikooli ja olen Kilton Mailis praktikal."

„Lahe," sõnas Pip. „Tegelikult tahan ka mina ajakirjanikuks saada. Uurivaks ajakirjanikuks."

„Kas sa sellepärast teedki Andie kohta projekti?" Becca vedas endiselt sõrmega mööda topsiserva.

„Jah," noogutas Pip. „Vabanda, et sind niimoodi tülitan, sa võid vabalt öelda, et ma lahkuksin, kui soovid. Ma lihtsalt mõtlesin, kas võiksid vastata paarile küsimusele oma õe kohta."

Becca ajas end toolil sirgu, nii et juuksed kaela ümber lehvisid. Ta köhatas. „Ee... millistele küsimustele?"

Liiga paljudele: need kõik tulvasid korraga kohale ja Pip takerdus. „Oh," ütles ta. „Näiteks, kas te saite Andiega teismelistena vanematelt taskuraha?"

Becca nägu kõverdus muigeks. „Ee... ma ei oodanud, et sa seda küsisid. Aga tegelikult ei saanud. Nad lihtsalt ostsid meile asju, kui me midagi vajasime. Mis siis?"

„Lihtsalt ... täidan lünki," ütles Pip. „Ja kas su õe ja isa vahel oli pingeid?"

Becca vaatas maha. „Ee..." Ta hääl murdus. Ta pigistas topsi käte vahel ja tõusis, tool kriuksus kahhelpõrandat kriipides. „Tegelikult ei ole see vist hea mõte," sõnas ta nina hõõrudes. „Anna andeks. Lihtsalt ..."

„Ei, sina anna andeks," ütles Pip tagasi astudes. „Ma ei oleks pidanud sinuga rääkima tulema."

„Ei, sellest ei ole midagi," kinnitas Becca. „Lihtsalt viimaks on asjad hakanud laabuma. Oleme emaga leidnud uue normaalsuse ja asjad liiguvad paremuse suunas. Ma ei usu, et mineviku üle mõtisklemine ... Andie üle juurdlemine meile hea oleks. Eriti mu emale. Nii et jah." Becca kehitas õlgu. „Tee oma projekti, kui sa seda tahad, kuid mulle meeldiks, kui sa meid sellest välja jätaksid."

„Päris kindlasti," lubas Pip. „Mul on väga kahju."

„Ära muretse." Becca noogutas kõhklevalt, möödus kiirel sammul Pipist ja väljus.

Pip ootas veidi ja järgnes siis talle, tundes äkki tohutut heameelt, et oli võtnud seljast halli T-särgi, sest muidu olnuks tal kindla peale kaenla all hiiglaslikud tumehallid higilaigud.

„Nii," ütles ta ja sidus Barney rihma lauajala ümbert lahti, „lähme nüüd koju."

„Mulle tundub, et sa ei meeldinud sellele daamile," sõnas Josh, pilk endiselt telefoniekraanil tantsivatel multikategelastel. „Kas sa olid ebasõbralik, pipstükk?"

Uurimistöö raport - 19. sissekanne

Tean, ma läksin Beccat küsitleda üritades riskile. See oli väär. Ma lihtsalt ei saanud midagi parata, ta oli sealsamas, minust kahe sammu kaugusel. Viimane inimene, kes oli näinud Andiet elusana, kui tapja muidugi välja arvata.

Tema õde mõrvati, ma ei saa oodata, et ta tahaks sellest rääkida, isegi kui ma püüan tõde välja selgitada. Ja kui proua Morgan sellest teada saab, diskvalifitseeritakse mu projekt. Kuigi ma ei usu, et see mind enam peataks.

Kuid mul on puudu pilk Andie kodusesse ellu ning muidugi jääb katse rääkida tema vanematega väljapoole võimalikkuse või vastuvõetavuse valda.

Olen jälginud Beccat Facebookis viie aasta taha, mõrvaeelsesse aega. Kui välja arvata see, et olen saanud teada, et tema juuksed olid tollal rohkem hiirekarva ja põsed rohkem pruntis, tundub, et tal oli 2012. aastal vaid üks tõeliselt lähedane sõber. Jess Walker. Võib-olla on Jess juhtunust kaugem, Andie suhtes mitte nii emotsionaalne, aga siiski piisavalt lähedane, et saada temalt osa vastuseid, mida ma hädasti vajan.

Jess Walkeri profiil on väga korralik ja informatiivne. Ta õpib praegu Newcastle'i ülikoolis. Kui kerisin viis aastat tagasi (see võttis terve igaviku), olid peaaegu kõik tema fotod koos Becca Belliga, kuni järsku enam ei olnud.

Kurat kurat pagan sitapea perse … saast …

Laikisin kogemata üht tema viie aasta tagust fotot.

Pagan küll. Sellest rohkem ei saaski jälitaja moodi käituda. Tühistasin laikimise, kuid teadet näeb ta ikkagi. Pagan küll, need puutetundliku ekraaniga sülearvuti/tahvli hübriidid on Facebookis luusijale 100% OHT.

Nüüd on niikuinii hilja. Ta saab teada, et toppisin oma nina tema viie aasta tagusesse ellu. Saadan talle sõnumi ja uurin, kas ta on nõus andma mulle telefoniintervjuu.

LOLLID KOHMAKAD PÖIDLAD.

Uurimistöö raport - 20. sissekanne

Üleskirjutus: intervjuu
Jess Walkeriga (Becca Belli sõber)

[Räägime pisut Little Kiltonist, sellest, kuidas kool on pärast tema lahkumist muutunud, kes õpetajatest on endiselt alles jne. Kulub paar minutit, enne kui mul õnnestub vestlus uuesti oma projektile juhtida.]

Pip: Tegelikult tahtsin sinu käest küsida Bellide, mitte ainult Andie kohta. Milline pere nad olid, kuidas nad läbi said. Sääraseid asju.

Jess: Ohh, see on keeruline küsimus. (Tõmbab ninaga.)

Pip: Mis mõttes?

Jess: Ee... ma ei tea, kas düsfunktsionaalne on õige sõna. Inimesed kasutavad seda veidra tunnustusena. Mina mõtlen seda tegelikus tähenduses. Et nad ei olnud päris normaalsed. Selles mõttes, et nad olid piisavalt normaalsed; nad tundusid normaalsed, kui ei veetnud nende juures palju aega nagu mina. Ma märkasin paljusid pisikesi asju, mida ei oleks tähele pannud, kui ei oleks nende elu nii lähedalt näinud.

Pip: Mida sa mõtled sellega, et nad ei olnud päris normaalsed?

Jess: Ma ei tea, kas säärane kirjeldus on õige. Olid lihtsalt mõned asjad, mis ei olnud päris õiged. Peamiselt Jasoni, Becca isaga.

Pip: Mida ta tegi?

Jess: Pigem see, kuidas ta nendega rääkis, tüdrukute ja Dawniga. Kui nägid seda vaid paar korda, siis mõtlesid, et ta püüab lihtsalt vaimukas olla. Aga mina nägin seda tihti, väga tihti, ja minu meelest mõjutas see nende kodust keskkonda päris kindlasti.

Pip: Mis täpselt?

Jess: Vabandust, ma vist tiirutan ringiratast? Seda on üsna raske seletada. Ee. Ta lihtsalt ütles igasuguseid asju, väikseid torkeid nende välimuse ja muu säärase kohta. Täielik vastand sellele, kuidas peaks teismeliste tütardega rääkima. Ta noris nende asjade kallal, mille kohta teadis, et need on tüdrukute nõrgad kohad. Ta ütles Beccale midagi tema kehakaalu kohta ja naeris siis, nagu oleks see nali. Ta ütles Andiele, et see peab enne väljaminemist ennast meikima, et tema nägu toob talle sisse. Kogu aeg säärased naljad. Nagu oleks nende välimus kõige tähtsam asi maailmas. Mäletan, kui olin ükskord nende juures õhtusöögil, oli Andie endast väljas, sest ei saanud pakkumisi neilt ülikoolidelt, kuhu oli kandideerinud, ainult ühelt varuvariandilt, sellelt kohalikult. Ja Jason ütles: „Oh, pole oluline, sina lähed ülikooli niikuinii ainult rikast meest otsima."

Pip: Ei?!

Jess: Ja ta oli samasugune ka oma naisega: ta ütles talle tõeliselt ebamugavaid asju, kui ma seal olin. Nagu et ta näeb vana välja, ta viskas nalja, nagu loeks kortse ta näol. Ütles, et abiellus temaga välimuse pärast ning et naine abiellus temaga raha pärast ja et nüüd täidab vaid üks neist kokkulepet. Selles mõttes, et nad kõik naersid, kui ta nii rääkis, nagu oleks see olnud lihtsalt perekondlik narritamine. Aga ma nägin seda nii palju kordi ja see oli … kõhe. Mulle ei meeldinud seal olla.

Pip: Ja sa arvad, et see mõjus tüdrukutele?

Jess: Oh, Becca ei tahtnud mitte kunagi oma isast rääkida.
          Aga jah, ilmselgelt mõjus see nende enesehinnangule
          rängalt. Andie hakkas tohutult hoolima sellest, milline
          ta välja nägi, mida teised temast arvasid. Alati puhkes
          kohutav kisa, kui vanemad ütlesid, et on aeg välja
          minna, aga Andie ei olnud valmis, ei olnud jõudnud
          ennast veel meikida või soengut teha. Või kui nad ei
          ostnud talle uut huulepulka, mida tal enda sõnul vaja
          oli. Mulle ei mahu pähe, kuidas see tüdruk võis ennast
          inetuks pidada. Beccal tekkisid oma puuduste suhtes
          kinnismõtted, ta lakkas söömast. Kuid see mõjus neile
          erinevalt, Andie muutus valjemaks, Becca vaiksemaks.

Pip: Ja kuidas õed omavahel läbi said?

Jess: Jason mõjutas sedagi. Ta tegi kõigest selles majas
          võistluse. Kui üks tüdrukutest sai millegi tubliga
          hakkama, näiteks sai hea hinde, kasutas Jason seda
          teise alandamiseks.

Pip: Aga millised Becca ja Andie koos olid?

Jess: Nad olid ju teismelised õed, nad tülitsesid nagu
          põrgulised ning mõne minuti pärast oli see unustatud.
          Aga Becca vaatas Andie poole alati alt üles. Nad olid
          vanuselt väga lähedased, neil oli vahet vaid viisteist
          kuud. Andie oli meist koolis aasta eespool. Kui saime
          kuusteist, hakkas Becca minu arust püüdma Andiet
          jäljendada. Minu meelest sellepärast, et Andie mõjus
          alati nii enesekindlalt ja kõik imetlesid teda. Becca
          püüdis tema moodi riietuda. Ta palus, et isa õpetaks
          teda varakult autot juhtima, et ta saaks kohe, kui
          saab seitseteist, teha eksami ning saada auto nagu
          Andie. Ja ta tahtis hakata väljas käima nagu Andie,
          pinnapidudel.

Pip: Sa mõtled neid, mida kutsutakse rajudeks?

Jess: Just. Kuigi neid korraldasid inimesed, kes olid meist
         aasta eespool ja me ei tundnud peaaegu kedagi, veenis
         ta mind ükskord kaasa minema. Minu meelest oli see
         märtsis, nii et üsna enne Andie kadumist. Andie ei
         olnud teda kutsunud, Becca sai lihtsalt teada, kus
         järgmine pidu toimub, ja me ilmusime välja. Läksime
         jalgsi.

Pip: Kuidas pidu oli?

Jess: Võeh, kohutav. Me lihtsalt istusime kogu õhtu nurgas
         ega rääkinud kellegagi. Andie eiras Beccat täielikult,
         minu meelest oli ta vihane, et õde välja ilmus. Jõime
         natuke ja siis kadus Becca täielikult. Ma ei leidnud
         teda kõigi nende purjus teismeliste seast kusagilt ja
         pidin üksi ja napsisena koju kõndima. Olin Becca peale
         tõsiselt vihane. Veelgi vihasem järgmisel päeval, kui
         ta lõpuks telefonile vastas ja ma sain teada, mis oli
         juhtunud.

Pip: Mis oli juhtunud?

Jess: Ta ei rääkinud mulle, aga see oli üsna ilmselge, kui
         ta palus, et läheksin koos temaga SOS-pilli ostma.
         Ma küsisin, aga ta lihtsalt ei öelnud, kellega ta oli
         maganud. Usun, et tal võis olla piinlik. Aga see ajas
         mind tookord närvi. Eriti kuna ta oli pidanud asja
         piisavalt oluliseks, et hüljata mind täielikult peol, kuhu
         ma ei olnud üldse minna tahtnud. Meil oli kõva tüli
         ning ilmselt lõi see meie sõprusse kiilu. Becca hakkas
         koolist puuduma ja paar nädalavahetust ma ei näinud
         teda. Ja siis kadus Andie.

Pip: Kas sa nägid Belle pärast Andie kadumist?

Jess: Käisin paar korda nende juures, aga Becca ei tahtnud
         eriti rääkida. Keegi neist ei tahtnud. Jason ärritus
         veelgi kergemini kui muidu, eriti tol päeval, kui politsei
         teda küsitles. Selgus, et tol ööl, kui Andie kadus ja ta

vanemad olid õhtusöögil, oli Jasoni kontoris käivitunud signalisatsioon. Ta oli sõitnud seda kontrollima, kuid oli juba üsna palju joonud ning oli närvis, kui pidi sellest politseile rääkima. Vähemalt ütles Becca mulle nii. Aga jah, maja oli väga vaikne. Ja veel kuid hiljem, kui eeldati, et Andie on surnud ega tule enam kunagi koju, nõudis Becca ema, et Andie tuba jääks selliseks, nagu oli. Igaks juhuks. See kõik oli kohutavalt kurb.

Pip: Kui te olite märtsis sellel rajul, kas sa nägid, millega Andie tegeles, kellega ta oli?

Jess: Jah. Tead, enne Andie kadumist ma isegi ei teadnud, et Sal on ta kallim, Sal ei käinud kunagi nende juures. Aga ma teadsin, et Andiel on keegi, ning pärast seda raju arvasin, et see on üks teine poiss. Nägin neid peol omavahel sosistamas, nad tundusid üsna lähedased. Mitu korda. Saliga ei näinud ma teda kordagi.

Pip: Kes see oli?

Jess: Ee... üks pikk heledapäine poiss, üsna pikad juuksed ja rääkis snooblikult.

Pip: Max? Kas tema nimi oli Max Hastings?

Jess: Just. Minu meelest küll.

Pip: Sa nägid Maxi ja Andiet peol omavahel?

Jess: Jah, ja nad tundusid üsna sõbralikes suhetes.

Pip: Jess, suur tänu, et sa minuga rääkisid. Sinust oli palju abi.

Jess: Oh, pole tänu väärt. Kuule, Pippa, kas sa tead, kuidas Beccal praegu läheb?

Pip: Tegelikult nägin teda alles hiljuti. Minu meelest läheb tal hästi, ta lõpetas ülikooli ja on Kiltoni ajalehes praktikal. Ta näeb hea välja.

Jess: Tore. Mul on hea meel seda kuulda.

Mul on raskusi sellest jutuajamisest saadud info töötlemisega. See uurimine muudab tooni iga kord, kui heidan pilgu Andie elu järgmise sirmi taha.

Mida rohkem ma kaevan, seda tumedam Jason Bell tundub. Ja nüüd tean, et ta lahkus tol õhtul mõneks ajaks õhtusöögilt. Selle põhjal, mida Jess rääkis, väärkohtles ta oma peret emotsionaalselt. Riiukukk. Šovinist. Abielurikkuja. Pole ime, et Andie säärases mürgises õhkkonnas selliseks muutus. Tundub, et Jason hävitas oma laste enesehinnangu sel määral, et ühest sai samasugune kiusaja nagu ta ise ning teine valis enesevigastamise. Ma tean Andie sõbratari Emma jutust, et Becca oli enne Andie kadumist mitu nädalat haiglas ning et Andie pidi oma kadumise õhtul õe järele vaatama. Tundub, et Jess ei teadnud enesevigastamisest, tema arvas, et Becca tegi koolist lihtsalt poppi.

Nii et Andie ei olnud täiuslik tüdruk ja Bellid ei olnud täiuslik perekond. Perefotod võivad rääkida tuhandeid sõnu, kuid enamik neist on valed.

Valedest rääkides: Max. Max kuradima Hastings. Tsitaat tema intervjuust, kui küsisin, kui hästi ta Andiet tundis: „Jah, vahel me rääkisime. Aga me ei olnud kunagi sõbrad, ma ei tundnud teda eriti. Rohkem tuttav.“

Tuttav, kellega sind nähti peol kudrutamas? Sel määral, et tunnistaja arvas, et SINA olid Andie kallim?

Lisaks veel see: kuigi nad käisid ühes klassis, oli Andiel sünnipäev suvel ning Max oli jätnud leukeemia tõttu aasta vahele JA tema sünnipäev on septembris. Kui seda selle nurga alt vaadata, oli nende vanusevahe peaaegu kaks aastat. Andie vaatevinklist oli Max tehniliselt vanem mees. Kuid kas ta oli salajane vanem mees? Otse Sali selja taga.

Olen Maxi varemgi Facebookis vaadanud, tema profiil on praktiliselt tühi, ainult puhkuse- ja jõulupildid koos vanematega ning sünnipäevaõnnitlused onudelt ja tädidelt. Meenub, et see tundus mulle kummaline, kuid ma ei mõelnud sellele rohkem.

Noh, nüüd mõtlen, Hastings. Ja ma tegin avastuse. Mõnel Naomi fotol netis ei ole Max tägitud Max Hastingsi, vaid Nancy Tangotitsina. Enne mõtlesin, et see on mingi siseringi nali, aga EI, Nancy Tangotits on Maxi tegelik Facebooki profiil. Max Hastingsi profiil on nähtavasti vagur peibutis, mida ta pidas juhuks, kui ülikoolid või võimalikud tööandjad otsustavad tema netitegevust uurida. See on loogiline, isegi mõned mu sõbrad on hakanud ülikoolidesse avalduste esitamise perioodi lähenedes oma profiilinimesid muutma, et neid ei oleks võimalik üles leida.

Tõeline Max Hastings ning kõik tema metsikud purjus fotod ja sõprade postitused on peidetud Nancy nime alla. Nii ma vähemalt eeldan. Tegelikult ei näe ma midagi: Nancy on aktiveerinud kõik privaatsusseaded. Näen vaid neid fotosid ja postitusi, kus on tägitud ka Naomi. See ei anna mulle kuigi palju: pole salapilte Maxist ja Andiest taustal suudlemas, pole ühtki fotot Andie kadumise ööst.

Olen oma õppetunni juba saanud. Kui tabad kellegi mõrvatud tüdruku kohta valetamast, on kõige õigem minna ja küsida, miks.

Huvipakkuvad isikud
Jason Bell
Naomi Ward
Salajane Vanem Mees
Nat da Silva
Daniel da Silva
Max Hastings (Nancy Tangotits)

Kuusteist

Uks oli nüüd teistsugune. Kui ta siin viimati käis, enam kui kuus nädalat tagasi, oli see pruun. Nüüd on uks kaetud jutilise valge värvikorraga, mille alt piilub endiselt välja tume aluskiht.

Pip koputas uuesti, seekord tugevamini, lootes, et seda on kuulda üle sees põriseva tolmuimeja.

Põrin katkes järsult, jättes endast maha pisut suriseva vaikuse. Siis teravad sammud kõval põrandal.

Uks avanes ja Pipi ees seisis hästi riides naine, huuled kirsi-punaseks värvitud.

„Tere," ütles Pip. „Ma olen Maxi sõber, kas ta on kodus?"

„Oi, tere," naeratas naine, paljastades punase pleki ühel ülemisel hambal. Ta astus tagasi, et Pip sisse lasta. „On küll kodus, tule sisse ..."

„Pippa," naeratas Pip sisenedes.

„Pippa. Jah, ta on elutoas. Karjus mu peale, et ma võtan tolmu, sellal kui tema mingit surmamatši mängib. Tundub, et ei saa seda pausile panna."

Maxi ema kõndis koos Pipiga mööda koridori ja astus võlv-kaare alt elutuppa.

Max vedeles ruudulistes pidžaamapükstes ja valges T-särgis diivanil, käed puldi ümber ning vajutas raevukalt X-nuppu.

Ta ema köhatas.

Max tõstis pilgu. „Oh, tere, naljaka perekonnanimega Pippa," ütles ta oma sügaval haritud häälel ning pööras pilgu uuesti mängule. „Mida sina siin teed?"

Pip oleks peaaegu nägu krimpsutanud, kuid surus selle võlts-naeratusega maha. „Oh, ei midagi erilist." Ta kehitas hooletult õlgu. „Tulin lihtsalt küsima, kui hästi sa tegelikult Andie Belli tundsid."

Mäng pandi pausile. Max ajas end sirgu, vaatas Pipi, siis oma ema ja siis uuesti Pipi poole.

„Ee..." ütles Maxi ema, „kas keegi sooviks tassikest teed?"

„Ei soovi." Max tõusis. „Ülakorrusele, Pippa."

Ta astus neist mööda ja läks suurest trepist üles, paljad jalad astmetel põntsumas. Pip järgnes talle, viibates viisakalt poisi emale. Üleval avas Max oma toa ukse ja kutsus Pipi sisse.

Pip kõhkles, üks jalg puhastatud vaiba kohal. Kas ta peaks tõesti Maxiga üksi jääma?

Max nõksas kannatamatult peaga.

Maxi ema on allkorrusel, ta peaks olema väljaspool ohtu. Pip pani jala maha ja astus Maxi tuppa.

„Tänan," ütles poiss ja sulges ukse. „Emal ei ole vaja teada, et ma olen jälle Andiest ja Salist rääkinud. Ta on tõeline verekoer, ei lase kunagi millestki lahti."

„Pitbull," täpsustas Pip. „Pitbullid on need, kes millestki lahti ei lase."

Max istus kastanikarva voodikattele. „Mida iganes. Mida sa tahad?"

„Ma ju ütlesin. Ma tahan teada, kui hästi sa tegelikult Andiet tundsid."

„Ma juba rääkisin," vastas Max, toetus küünarnukkidele ja vaatas üle Pipi õla. „Ma ei tundnud teda kuigi hästi."

„Hmm." Pip nõjatus vastu ust. „Lihtsalt tuttavad, jah? Nii sa ju ütlesid?"

„Ütlesin jah." Max sügas nina. „Kui aus olla, siis mind hakkab su hääletoon pisut ärritama."

„Tore on," sõnas Pip ja saatis Maxi pilku, mis oli liikunud taas tahvlile kaugemas seinas, mis oli täis plakateid, nõeltega kinnitatud kirjakesi ja fotosid. „Ja mulle hakkavad sinu valed üsna põnevad tunduma."

„Mis valed?" imestas Max. „Ma ei tundnud teda kuigi hästi."

„Huvitav," ütles Pip. „Ma rääkisin ühe tunnistajaga, kes käis 2012. aasta märtsis ühel rajul, kus olite ka teie Andiega. Huvitav, sest ta ütles, et nägi teid tol õhtul mitmel korral kahekesi ning talle tundus, et teil oli väga tore."

„Kes seda ütles?" Max heitis vargsi pilgu tahvli poole.

„Ma ei saa oma allikaid avaldada."

„Jeerum." Max naeris oma sügavat kurguhäälset naeru. „Sul on luulud. Tead ikka, et sa ei ole tegelikult politseinik?"

„Sa põikled küsimusest kõrvale," sõnas Pip. „Kas te kohtusite Andiega salaja Sali selja taga?"

Max naeris jälle. „Sal oli mu parim sõber."

„See ei ole vastus." Pip ristas käed rinnal.

„Ei. Ei, ma ei kohtunud Andie Belliga. Nagu ma ütlesin, ma ei tundnud teda kuigi hästi."

„Miks see allikas teid siis koos nägi? Käitumas viisil, mis pani ta arvama, et sina oled Andie kallim?"

Max pööritas küsimuse peale silmi ning Pip heitis samal ajal vargsi pilgu tahvli poole. Paiguti oli kritseldatud märkmeid ja paberitükke mitme kihi paksuselt, nende nurgad olid peidetud ja servad rulli tõmbunud. Kõige kohal olid läikivad fotod Maxist suusatamas ja surfamas, suurema osa tahvlist võttis enda alla „Marukoerte" plakat.

„Ma ei tea," ütles ta. „Kes iganes see oli, ta eksis. Arvatavasti oli ta purjus. Võiks öelda, et mitteusaldusväärne allikas."

„Okei." Pip astus ukse juurest eemale, tegi paar sammu paremale ja siis tagasi, et Max ei saaks aru, et ta liigub tahvlile aina lähemale. „Teeme selle asja selgeks." Ta tegi veel paar sammu, tahvlile aina lähemale ja lähemale. „Sina ütled, et sa ei ole mõnel rajul kunagi Andiega nelja silma all juttu ajanud?"

„Ma ei tea, kas mitte kunagi," ütles Max, „aga asi ei olnud nii, nagu sina mõista annad."

„Olgu-olgu." Pip tõstis pilgu, ta oli nüüd tahvlist vaid poole meetri kaugusel. „Ja miks sa kogu aeg siiapoole vaatad?" Ta keeras kannal ringi ja hakkas tahvlile kinnitatud pabereid lehitsema.

„Kuule, lõpeta!"

Pip kuulis voodi käginat, kui Max ennast jalule ajas. Pipi silmad ja sõrmed liikusid üle töönimekirjade, paberitükkidele kritseldatud firmanimede ja praktikaprogrammide, brošüüride ja vanade fotode väikesest Maxist haiglavoodis.

Paljaste jalgade rasked sammud ta selja taga.

„Need on minu asjad!"

Ja siis märkas Pip väikest valget paberinurka, mis oli topitud „Marukoerte" alla. Ta tõmbas ja rebis paberi välja samal hetkel, kui Max tema käsivarrest haaras. Pip pöördus poisi poole, Maxi sõrmed kaevusid ta randmesse. Mõlemad vaatasid paberit Pipi käes.

Tüdruku suu vajus ammuli.

„Kuradi kurat." Max lasi ta käe lahti ja tõmbas sõrmedega läbi sassis juuste.

„Lihtsalt tuttavad?" küsis Pip vapustatult.

„Kes sa enda meelest oled?" nõudis Max. „Sorid minu asjades."

„Lihtsalt tuttavad?" kordas Pip, tõstes välja prinditud foto Maxi näo ette. Fotol oli Andie. Ta oli ennast ise peeglis pildistanud. Ta seisis punastest ja valgetest kahhelkividest põrandal, ta parem käsi oli üles tõstetud ja hoidis telefoni. Ta suu oli pruntis ja ta vaatas otse paberilt välja: ta oli paljas, ainult mustad püksid jalas.

„Äkki selgitad?" küsis Pip.

„Ei."

„Nii et eelistad kõigepealt politseile selgitada? Saan aru." Pip põrnitses teda ja tegi näo, et hakkab ukse poole minema.

„Ära üle reageeri," ütles Max ja vastas Pipi põrnitsusele oma klaassiniste silmade pilguga. „Sellel ei ole mingit pistmist sellega, mis temaga juhtus."

„Lasen neil seda otsustada."

„Ei, Pippa." Max tõkestas tee ukse juurde. „Kuule, see ei ole tõesti nii, nagu paistab. Andie ei andnud mulle seda pilti. Ma leidsin selle."

„Leidsid? Kust?"

„See lihtsalt vedeles koolis. Ma leidsin selle ja hoidsin alles. Andie ei saanudki sellest teada." Maxi hääles oli paluv noot.

„Sa leidsid Andie alastifoto lihtsalt koolis vedelemas?" Pip ei püüdnudki oma uskumatust varjata.

„Jah, ma vannun, see oli lihtsalt klassi tagaosas ära peidetud."

„Ja sa ei öelnud Andiele ega kellelegi teisele, et selle leidsid?" küsis Pip.

„Ei, ma jätsin selle lihtsalt endale."

„Miks?"

„Ma ei tea." Maxi hääl tõusis. „Sest ta oli kuum ja ma tahtsin. Ja pärast ... siis tundus väär seda ära visata. Mis on? Ära mõista mind hukka. Ta ise tegi selle foto, oli selge, et ta tahtis, et seda nähtaks."

„Sa tahad, et ma usuksin, et sa lihtsalt leidsid alastipildi Andiest, tüdrukust, kellega sind nähti pidudel koos ..."

Max katkestas teda. „Need asjad ei ole üldse omavahel seotud. Ma ei rääkinud Andiega sellepärast, et me oleksime koos olnud, ning mul ei ole see foto sellepärast, et oleksime koos olnud. Me ei olnud koos. Me ei olnud kunagi koos."

„Nii et sa ikkagi rääkisid sellel rajul Andiega omaette?" küsis Pip võidukalt.

Max peitis näo hetkeks käte vahele, ta sõrmeotsad surusid laugudele. „Olgu," ütles ta vaikselt, „kui ma sulle räägin, kas sa jätaksid mind palun rahule? Ja ei mingit politseid?"

„See sõltub."

„Olgu. Ma tundsin Andiet paremini, kui enne ütlesin. Palju paremini. Veel enne seda, kui ta hakkas Saliga käima. Aga ma ei käinud temaga. Ma ostsin temalt."

Pip silmitses Maxi segaduses, üritades tema sõnades selgust saada. „Ostsid ... uimasteid?" küsis ta vaikselt.

Max noogutas. „Ei midagi ülikanget. Ainult kanepit ja mõned tabletid."

„P-püha *pepperoni.* Oota nüüd." Pip tõstis sõrme, et maailma eemale tõrjuda ja anda ajule ruumi mõelda. „Andie Bell äritses uimastitega?"

„Nojah, aga ainult pidudel ning kui käisime klubides ja mujal. Ainult mõnele inimesele. Väiksele grupile. Ta ei olnud

177

päris diiler." Max vaikis. „Ta töötas koos pärisdiileriga, aitas tal õpilastele ligi pääseda. Mõlemal olid kasud sees."

„Sellepärast tal oligi alati nii palju raha," sõnas Pip, pusletükid peas peaaegu kuuldavalt kokku klõpsamas. „Kas ta ise tarvitas?"

„Mitte eriti. Minu meelest tegi ta seda ainult raha pärast. Raha ja võimu pärast, mida see talle andis. Oli näha, et ta nautis seda."

„Kas Sal teadis, et ta uimasteid müüs?"

Max naeris. „Oh ei," ütles ta, „ei-ei-ei. Sal vihkas uimasteid, sellest oleks tulnud suur jama. Andie varjas seda tema eest, ta oli saladustega osav. Minu meelest teadsid vaid need, kes temalt ostsid. Aga minu meelest oli Sal alati veidi naiivne. Mind üllatab, et ta teada ei saanud."

„Kui kaua ta sellega tegeles?" küsis Pip ja tundis, kuidas teda läbib pahaendeline elevusesärin.

„Mõnda aega." Max tõstis pilgu lakke ja pööritas silmi, nagu soriks oma mälestustes. „Minu meelest ostsin ma temalt esimest korda kanepit 2011. aasta algul, kui ta oli alles kuusteist. Umbes sel ajal see arvatavasti algas."

„Ja kes oli Andie diiler? Kust ta uimasteid sai?"

Max kehitas õlgu. „Ma ei tea. Mina teda ei tundnud. Mina ostsin alati ainult Andielt ja ta ei öelnud mulle."

Pip vajus õhust tühjaks. „Sa ei tea midagi? Sa ei ostnud pärast seda, kui Andie tapeti, enam kunagi Kiltonis uimasteid?"

„Ei." Max kehitas uuesti õlgu. „Rohkem ei tea ma midagi."

„Aga kas teised inimesed pidudel tarvitasid endiselt? Kust nemad ostsid?"

„Ma ei tea, Pippa," kordas Max rõhuga. „Ma rääkisin sulle, mida sa tahtsid kuulda. Mine nüüd ära."

Ta astus lähemale ja tõmbas foto Pipi käest. Poisi pöial kattis Andie näo, foto kägardus tema tugevas värisevas haardes. Keset Andie keha tekkis volt ja Max pani foto ära.

Seitseteist

Pip lülitas end jutuajamisest välja ning keskendus kohviku taustahelidele. Toolide kriuksumise bass ning teismeliste poiste hirnumine, nende hääled kõikumas omatahtsi sügavast tenorist piiksuva sopranini. Lõunakandikute sahin mööda lauda, salatipakkide ja supikausside võtmine, krõpsupakkide krabin ja nädalavahetuse kuulujutud. Pip silmas teda enne teisi ja viipas ta nende laua juurde. Ant loivas lähemale, käes kaks võileivapakki.

„Hei," ütles ta, vajus pingile Cara kõrval ja surus hambad esimesse võileiba.

„Kuidas su trenn läks?" küsis Pip.

Ant heitis talle valvsa pilgu, suu pisut paokil, paljastades mälumistöö pudruse tulemuse. „Kenasti," neelatas ta. „Miks sa minu vastu kena oled? Mida sa tahad?"

„Mitte midagi," naeris Pip. „Lihtsalt küsin, kuidas jalgpall läks."

„Ei," torkas Zach vahele, „see oli sinu kohta kaugelt liiga sõbralik. Midagi on teoksil."

„Midagi ei ole teoksil." Pip kehitas õlgu. „Ainult riigivõlg ja maailmamere veetaseme tõus."

„Ilmselt hormoonid," oletas Ant.

Pip keeras nähtamatut käepidet ja näitas poisile keskmist sõrme.

Nad olid tal juba jälil. Pip ootas tervelt viis minutit, kuni teised lobisesid selle zombisarja viimasest osast, mida nad kõik vaatasid, Connor toppis kõrvad kinni ja ümises valjusti, sest tema ei olnud seda veel näinud.

„Ant," tegi Pip uuesti proovi, „sa tead oma sõpra George'i jalgpallist?"

„Jah, ma arvan, et tean oma sõpra George'i jalgpallist," vastas Ant, pidades end ilmselgelt väga vaimukaks.

„Tema on ju selles pundis, kes korraldab pinnapidusid?"

Ant noogutas. „Jah. Tegelikult ongi järgmine pidu vist tema juures. Tema vanemad on pulma-aastapäeva või millegi puhul välismaal."

„Sel nädalavahetusel?"

„Jah."

„Kas sa ..." Pip kummardus ettepoole ja toetas küünarnukid lauale. „Mis sa arvad, kas sul õnnestuks meid kõiki kutsuda?"

Viimane kui ta sõpradest pöördus jahmunult Pipi poole.

„Kes sa oled ja mida sa Pippa Fitz-Amobiga tegid?" küsis Cara.

„Mis on?" Pip tundis, kuidas ta võtab kaitsepositsiooni, pinnale kerkis umbes neli mõttetut fakti, valmis välja prahvatama. „Meil on viimane aasta koolis. Mõtlesin, et oleks lõbus, kui läheksime kõik koos. Praegu on hea võimalus, enne kui kursusetööde tähtajad ja prooviksamid ligi hiilivad."

„Minu meelest kõlab ikkagi kentsakalt." Connor naeratas.

„Kas sa tahad minna pinnapeole?" küsis Ant rõhuga.

„Jah."

„Kõik pekstakse segi, rahvas peksab pihku, oksendab, paneb pildi tasku. Põrandad on rõvedad," ütles Ant. „See ei ole päris sinu koht, Pip."

181

„Kõlab ... kultuurselt," vastas Pip. „Ma tahan ikkagi minna."
„Olgu, sobib." Ant lõi käed kokku. „Me läheme."

Pip astus teel koolist koju Ravi juurest läbi. Ravi pani talle ette tassi musta teega ja ütles, et pole mõtet pisut oodata, kuni see jahtub, sest ta mõtles ette ja valas tee sisse külma vett.

„Okei," sõnas Ravi viimaks, pea pooleldi vangutamas ja noogutamas, kui ta üritas kujutleda Andie Belli – nunnut rõõsa-põsist blondiini – uimastidiilerina. „Nii et sa arvad, et mees, kes teda varustas, võib olla kahtlusalune?"

„Jah," vastas Pip. „Kui sa oled nii kõlvatu, et sahkerdad lastele uimasteid, võid minu meelest olla võimeline ka mõrvaks."

„Jah, saan aru." Ravi noogutas. „Aga kuidas me selle diileri leiame?"

Pip pani kruusi käest ja pööras pilgu poisile. „Ma imbun salaja sisse."

Kaheksateist

„See on pinnapidu, mitte pantomiim," protestis Pip ja püüdis oma nägu Cara haardest lahti rebida. Kuid Cara hoidis kõvasti kinni, see oli kui näokaaperdamine.

„Jah, aga sul veab – sinu nägu kannab lauvärvi välja. Lõpeta vingerdamine, kohe saab valmis."

Pip ohkas ja lasi end lõdvaks, alistudes sunniviisilisele kitkumisele. Ta oli ikka veel mossis, et sõbrad olid sundinud teda vahetama traksidega püksid Laureni kleidi vastu, mis oli nii lühike, et seda võis pidada T-särgiks. Nad olid kõvasti naerda saanud, kui ta seda ütles.

„Tüdrukud!" hüüdis Pipi ema allkorrusel. „Tehke kiiresti. Victor hakkas Laurenile oma tantsusammue ette näitama."

„Jeesus," pomises Pip. „Kas ma olen valmis? Me peame minema ja Laureni ära päästma."

Cara kummardus ja puhus ta näole. „Jah."

„Vaimustav," ütles Pip, haaras õlakoti ja kontrollis uuesti, kas telefon on laetud. „Lähme."

„Tere, mummuke," ütles isa valjusti, kui Pip ja Cara alla jõudsid. „Me otsustasime Laureniga, et mina peaksin ka teie marule tulema."

„Rajule, isa. Ja ainult üle minu surnud ajurakkude."

Victor astus tütre juurde, pani talle käe ümber ja pigistas. „Pisike Pipsy läheb pinnapeole."

„Ma tean," liitus Pipi ema, naeratus lai ja särav. „Alkoholi ja poistega."

„Just." Isa lasi Pipist lahti ja vaatas tema poole, tõsine ilme näol ja sõrm püsti. „Pip, tuletan meelde, et oleksid kasvõi pisut vastutustundetu."

„Teeme nii," ütles Pip, haaras autovõtmed ja suundus välisukse poole. „Me läheme nüüd. Hüvasti, mu tagurlikud ja ebanormaalsed vanemad."

„Hüüvasti," hüüdis Victor dramaatiliselt ja kummardus üle trepikäsipuu lahkuvate teismeliste poole, nagu oleks maja uppuv laev ja tema kangelaslik kapten, kes koos sellega põhja läheb.

Isegi kõnnitee maja ees tuksles muusikast. Nad kõndisid kolmekesi välisukseni ja Pip tõstis rusika, et koputada. Uks vajus sissepoole lahti, avades värava madalate plekiste helide, joobnud lobisemise ja hämara valguse kakofooniasse.

Pip astus ettevaatlikult sisse ja tundis juba esimese hinge-tõmbega viina kopitanud metalset lõhna, mida toonisid higi ja kerge okselehk. Ta märkas võõrustajat, Anti sõpra George'i, kes üritas alla neelata aasta nooremat tüdrukut, silmad pärani ja jõllitamas. Ta vaatas nende poole ja viipas suudlust katkestamata oma partneri selja taha.

Pip ei suutnud säärase tervitusega rahulduda, seepärast eiras seda ja kõndis mööda koridori edasi. Cara ja Lauren olid tema kõrval, Cara pidi üle astuma politoloogia-Paulist, kes oli seina vastas kössis ja norskas vaikselt.

„See näeb välja nagu … kellegi arusaam lõbust," pomises Pip, kui nad astusid avatud elutuppa ja sealsesse teismelisse kaosesse: muusika rütmis väänlevad kehad, ausõna peal tasa-kaalus püsivad õllepudelite tornid, joobnud monoloogid elu mõttest üle toa kajamas, loigud vaibal, varjamatu munade sügamine ja paarid kondensveest tilkuvate seinte vastas.

„Sina olid see, kes kangesti tulla tahtis," tähendas Lauren ja lehvitas paarile sõbratarile, kellega ta käis koos näiteringis.

Pip neelatas. „Jah. Ja oleviku-Pip on alati mineviku-Pipi otsustega rahul."

Ant, Connor ja Zach silmasid neid ja suundusid õõtsuvast rahvasummast läbi manööverdades lähemale.

„Kõik hästi?" küsis Connor ning kallistas Pipi ja teisi kohmakalt. „Te jäite hiljaks."

„Ma tean," vastas Lauren. „Me pidime Pipi ümber riietama."

Pip ei suutnud mõista, kuidas traksipüksid võisid olla piinlikud, samal ajal kui Laureni näiteringi sõprade tõmblevad robotlikud tantsuliigutused olid täiesti vastuvõetavad.

„Kas topse on?" küsis Cara viinapudelit ja limonaadi võttes.

„Jah, ma näitan sulle," ütles Ant ja viis Cara köögi poole.

Kui Cara Pipi joogiga tagasi tuli, võttis Pip vestlusele kaasa naerdes ja noogutades paar kujuteldavat sõõmu. Kui tekkis võimalus, astus ta köögivalamu juurde, valas joogi välja ning täitis topsi veega.

Hiljem, kui Zach pakkus, et valab talle juurde, pidi Pip trikki kordama ning leidis end nurka aetult Joe Kingi poolt, kes istus inglise keele tunnis tema selja taga. Joe ainus nali oli öelda midagi totrat, oodata, kuni ohvri näole ilmub segadus ning teatada siis: „Ära nüüd mulle *kinga* anna."

Nalja kolmandat korda kuulnud, vabandas Pip ning läks ja peitis end nurka, kus ta oli õnneks üksinda. Ta seisis segamatult varjus ja silmitses tuba. Ta vaatas tantsijaid ja innukaid suudlejaid, otsis märke võimalikest müügitehingutest, tablettidest või näomoonutustest. Suurenenud pupillidest. Ükskõik millest, mis võiks juhtida ta Andie diileri juurde.

Möödus tervelt kümme minutit ja Pip ei märganud midagi kahtlast, kui välja arvata see, et üks Stepheni-nimeline poiss lõhkus telekapuldi ja peitis asitõendid lillevaasi. Pipi pilk jälgis poissi, kui see lonkis suure majapidamisruumi suunas, keeras tagaukse poole ja võttis tagataskust sigaretipaki.

Muidugi.

Õues suitsu kimujad oleks pidanud olema tema luuramis-nimekirjas esimesed. Pip suundus läbi möllu, kaitstes end küünarnukkidega kõige hullemate tuikujate ja kõikujate eest.

Väljas oli päris mitu inimest. Paar tumedat varju lonkis ümber batuudi aia kaugemas nurgas. Pisarais Stella Chapman seisis kompostikasti kõrval ja ulus kellegagi telefonis rääkides. Veel kaks tema klassi tüdrukut pidasid kiigel pealtnäha väga tõsist jutuajamist, mida katkestasid käe suule surumised ja ahhetused. Ning Stephen Thompson või Tompson, kelle selja taga istus Pip matemaatikas. Poiss istus aiamüüril, sigaret suus, ja otsis midagi oma arvukatest taskutest.

Pip lonkis tema juurde. „Tsau," ütles ta ja maandus müürile poisi kõrval.

„Hei, Pippa," ütles Stephen ja võttis rääkimiseks suitsu suust. „Mis värk?"

„Ei midagi erilist," vastas Pip. „Tulin lihtsalt välja Mary Jane'i otsima."

„Ma kahjuks ei tea, kes ta on," ütles poiss ja tõmbas viimaks taskust neoonrohelise välgumihkli.

„Mitte kes, vaid mis." Pip pöördus ja vaatas poisile sügavalt silma. „Ma tahan muru."

„Kuidas palun?"

Pip oli uurinud hommikul tund aega slängisõnastikku.

Ta alandas hääle sosinaks ja tegi uuesti proovi. „Tead küll, rohtu, marit, kama, hipisalatit, puru. Sa saad aru küll. *Ganja*'t."

Stephen pahvatas naerma. „Jeerum," kihistas ta, „sa oled täiega täis."

„Seda küll."

Pip üritas teeselda joobnud itsitust, kuid see kukkus välja üsna kaabaklik. „On sul siis? Pisut puru?"

Stepheni naeruhoog lakkas ja ta mõõtis tüdrukut pika pilguga. Eriti pikalt püsisid poisi silmad ta rinnal ja jalgadel. Pipil keeras sees, vastikuse ja piinlikkuse tsüklon. Ta sõimas Stephenit mõttes, kuid ta suu pidi kinni püsima. Ta oli salamissioonil.

„Jah," vastas poiss alahuult hammustades. „Võin meile pläru keerata." Ta tuhnis uuesti taskutes ning võttis välja pisikese rohukotikese ning paki suitsupaberit.

„Jah, palun." Pip noogutas, ta tundis korraga ärevust, elevust ja kerget iiveldust. „Hakka veeretama, veereta seda nagu ... ee... krupjee täringut."

Poiss naeris uuesti ja tõmbas keelega üle paberiserva, üritades hoida Pipiga silmsidet, kuni ta töntsakas roosa keel väljas oli. Pip vaatas mujale. Talle tuli pähe, et ehk oli ta seekord kooliprojektiga liiga kaugele läinud. Võib-olla. Kuid see ei olnud enam lihtsalt projekt. See oli Sali, Ravi pärast. Tõe pärast. Nende pärast saab ta hakkama.

Stephen süütas pläru ja võttis kaks sügavat mahvi, enne kui ulatas suitsu Pipile. Pip võttis suitsu kohmakalt keskmise ja nimetissõrme vahele ning tõstis huulte juurde. Ta pööras järsult nägu, nii et ta juuksed langesid näole, ning teeskles, et teeb paar mahvi.

„Mm, mõnus kraam," sõnas ta suitsu tagasi ulatades. „Võiks öelda, et hiilgav."

„Sa näed täna kena välja," sõnas Stephen, tõmbas mahvi ja ulatas suitsu uuesti Pipile.

Pip üritas suitsu vastu võtta, ilma et ta sõrmed poisi omi puudutaksid. Veel üks teeseldud mahv, kuid lõhn ajas iiveldama ja köha mattis ta järgmise küsimuse.

„Kust ma seda hankida saaksin?" küsis ta pläru tagasi andes. „Võime seda jagada."

„Ei, ma mõtlen, et kellelt sa seda ostad. Et saaksin ise ka osta."

„Ühelt tüübilt linnas." Stephen nihkus kivimüüril Pipile lähemale. „Tema nimi on Howie."

„Ja kus see Howie elab?" küsis Pip suitsu tagasi andes ning samal ajal Stephenist eemale nihkudes.

„Ei tea," vastas Stephen. „Ta ei müü kodust. Mina saan temaga kokku jaama parklas, kaugemas otsas, kus ei ole turvakaameraid."

„Õhtul?" uuris Pip.

„Tavaliselt jah. Ta saadab mulle enne sõnumi."

„Sul on tema number?" Pip torkas käe kotti, et võtta telefon. „Ütled mulle?"

Stephen raputas pead. „Ta saaks vihaseks, kui teaks, et ma niisama tema numbrit jagan. Sul ei ole vaja temaga kohtuda, kui sa midagi tahad, võid lihtsalt mulle maksta ja ma hangin sulle. Ma teen isegi hinnaalandust." Poiss pilgutas silma.

„Ma ostaksin pigem otse," sõnas Pip ja tundis, kuidas ärrituse kuumus mööda kukalt üles ronib.

„Ei saa aidata." Stephen raputas pead, pilk Pipi huultel.

Pip pööras kiiresti pilgu ära, nii et ta pikad tumedad juuksed moodustasid nende vahel kardina. Tema meelehärm oli liiga vali, mattis enda alla kõik teised mõtted. Kas Stephen ei kavatsegi järele anda?

Ja siis surus üks mõttesäde ennast läbi. „Aga kuidas ma sinu kaudu osta saaksin?" küsis ta ja võttis poisi käest pläru. „Sul ei ole isegi mu numbrit."

„See on küll häbilugu," venitas Stephen, hääl nii limane, et see praktiliselt nõrises ta suust. Poiss pistis käe tagataskusse ja võttis telefoni. Ta toksis sõrmega salasõna ekraanile ja ulatas lukust avatud telefoni Pipile. „Pane oma numbrid sisse," ütles ta.

„Olgu," nõustus Pip.

Ta avas telefoniraamatu rakenduse ja nihutas ennast näoga Stepheni poole, et poiss ekraani ei näeks. Siis tippis ta kontaktide otsingusse „How" ning see andis vaid ühe tulemuse. Howie Bowers ja tema number.

Pip uuris numbrijada. Pagan, ta ei suuda tervet rida eales meelde jätta. Uus mõte ärkas võbeledes ellu. Võib-olla saaks ekraani pildistada, ta enda telefoni oli müüril kohe ta kõrval. Kuid Stephen oli sealsamas, vahtis teda ja mälus oma sõrme. Ta pidi poisi tähelepanu kuidagi kõrvale juhtima.

Pip kummardus järsult ettepoole, nii et pläru lendas üle muru. „Vabandust," ütles ta, „mulle tundus, et mingi põrnikas on minu peal."

„Ära muretse, ma toon selle ära." Stephen hüppas müürilt maha.

Pipil oli vaid mõni sekund. Ta haaras oma telefoni, tõmbas kaamera avamiseks vasakule ja tõstis selle Stepheni ekraani kohale.

Ta süda tagus, ja rind pigistas selle ümber ebamugavalt.

Kaamera väreles fookusse ja fookusest välja, raisates väärtuslikku aega.

Pipi sõrm püsis nupu kohal.

Pilt muutus selgeks ja Pip vajutas nupule ning lasi telefoni sülle kukkuda just siis, kui Stephen uuesti tema poole pöördus.

„See põleb veel," sõnas poiss tagasi müürile hüpates ja istudes Pipile kaugelt liiga lähedale.

Pip ulatas talle telefoni. „Ee... vabandust, aga ma tegelikult ei taha ikkagi sulle oma numbrit anda," ütles ta. „Otsustasin, et uimastid ei ole minu teema."

„Ära õrrita," ütles Stephen ja sulges sõrmed oma telefoni ja Pipi käe ümber. Ta kummardus tüdruku poole.

„Ei, suur tänu," ütles Pip tagasi tõmbudes. „Ma lähen vist sisse."

Siis surus Stephen käe Pipi kuklale, tõmbas teda ettepoole ja püüdis ta nägu tabada. Pip põikas kõrvale ja tõukas poisi eemale. Ta lükkas nii tugevasti, et Stephen kaotas tasakaalu ning kukkus meetrikõrguselt aiamüürilt alla märjale rohule.

„Loll libu!" pomises poiss end püsti ajades ja pükse puhtaks pühkides.

„Sa oled degenerandist perversne jäle ahv. Vabandust, ahvid," andis Pip vastu. „Ma ütlesin ei."

Ja siis jõudis see talle kohale. Ta ei teadnud, kuidas või millal see oli juhtunud, kuid pilku tõstes nägi ta, et nad on aias kahekesi.

Hetkeks tulvas hirm üle tüdruku, ta tundis nahal selle kirvendust.

Stephen ronis üle müüri ning Pip pöördus ja kiirustas ukse poole. „Kuule, kõik on kombes, me võime veel pisut juttu ajada," ütles poiss ja haaras Pipi randmest, et teda tagasi tõmmata.

„Lase lahti, Stephen." Pip lausa sülgas need sõnad poisi poole.

„Aga ..."

Pip haaras teise käega poisi randmest ja pigistas, surudes küüned talle nahka. Stephen sisistas ja lasi lahti ning Pip ei kõhelnud. Ta jooksis maja poole, virutas ukse kinni ja keeras enda selja taga lukku.

Sees trügis ta Pärsia vaibaga kaetud tantsupõrandal läbi rahvasumma, saades tõukeid ühelt ja teiselt poolt. Ta pilk liikus otsivalt üle õõtsuvate kehade ja naervate higiste nägude. Otsides Cara näo turvalisust.

Kõigi nende kehade keskel oli lehkav ja palav. Kuid Pip värises, šokikülm pani ta vappuma kuni paljaste põlvedeni välja.

Uurimistöö raport - 22. sissekanne

Täiendus: ootasin täna õhtul neli tundi autos. Jaama parkla kaugemas otsas. Kontrollisin, kaameraid ei ole. Saabus ja lahkus kolm Londoni Marylebone'i jaamast tulijate lainet, isa nende seas. Õnneks ei pannud ta mu autot tähele.

Ma ei näinud kedagi ringi jõlkumas. Mitte kedagi, kes näinuks välja, nagu oleks ta seal, et osta või müüa uimasteid. Mitte et ma tegelikult teaks, kuidas selleks peaks välja nägema; ma ei oleks elu sees arvanud, et Andie Bell oli sedasorti.

Jah, ma tean, et mul õnnestus saada Jõledik Stephenilt Howie Bowersi telefoninumber. Ma võiksin lihtsalt Howiele helistada ja uurida, kas ta oleks valmis vastama paarile küsimusele Andie kohta. Ravi meelest oleksime me pidanud just nii tegema.
Kuid – olgem realistlikud – nii ei saa ma temalt midagi. Ta on narkodiiler. Ta ei kavatse seda telefonis võõrale tunnistada niisama vabalt, nagu räägiks ilmast või tarbijani jõudvate rikkusepudemetega majandusmudelist.

Ei. Ta räägib meiega ainult siis, kui meil on, millega teda mõjutada.

Tulen homme õhtul uuesti jaama. Ravi on tööl, kuid ma võin seda ka üksi teha. Ütlen lihtsalt vanematele, et teen Cara juures inglise keele kursusetööd. Mida rohkem ma valetama pean, seda lihtsamaks see muutub.

Ma pean Howie kätte saama.

Mul on vaja seda mõjutusvahendit.

Mul on vaja ka magada.

Üheksateist

Pip luges telefoni taskulambi kalgis hõbedases valguses ja oli jõudnud kolmeteistkümnenda peatükini, kui märkas tänavalaterna all üksildast kogu. Pip oli oma autos, mis oli pargitud jaama parkla kaugemasse otsa, ning iga pooltundi tähistas Londonisse või Aylesburysse suunduva rongi krigin ja mürin.

Tänavalaternad olid süttinud umbes tunni aja eest, kui päike oli alla vajunud ning Little Kiltonis oli maad võtnud sinakas hämarus. Laternavalgus oli oranžikaskollane ja valgustas ümbrust rahutust tekitava tööstusliku kumaga.

Pip kissitas välja vaadates silmi. Kui kogu laterna alt läbi läks, nägi tüdruk, et see on karvase servaga kapuutsi ja erkoranži voodriga tumerohelises jopes mees. Kapuutsi all oli nägu varjudest moodustunud maski all ning näha oli vaid ninakolmnurk.

Pip lülitas telefoni taskulambi kähku välja ning pani „Suured ootused" kõrvalistmele. Ta lükkas oma istme tagasi, et saaks kössitada autopõrandale, kus teda väljast näha ei oleks, ning pressis lauba ja silmad akna vastu.

Mees kõndis kuni päris parkla piirini ja toetus seal aia vastu, jäädes kahe laterna oranžikate valgussõõride vahele varju. Pip vaatas teda ja hoidis hinge kinni, sest hingeõhk muutis aknaklaasi uduseks ja tõkestas vaatevälja.

Pea maas, võttis mees taskust telefoni. Kui ta selle lukust avas ja ekraan helendama lõi, nägi Pip esimest korda tema nägu: kondine sügavate kortsude ja tumeda hoolitsetud habemetüükaga. Pip ei olnud vanuse hindamises kuigi osav, kuid pakkus, et mees võis ligineda kolmekümnele või olla pisut vanem.

Tõsi, see ei olnud täna õhtul esimene kord, kui ta arvas, et oli Howie Bowersi leidnud. Oli olnud veel kaks meest, keda ta oli peitu pugedes jälginud. Esimene istus otsemaid mõlkis autosse ja sõitis minema. Teine peatus suitsetama, küllalt kauaks, et Pipi süda kiiremini põksuma hakkaks. Kuid siis oli ta sigareti kustutanud, autoukse lahti piiksutanud ja samuti minema sõitnud.

Kuid eelmised mehed ei olnud kuidagi õiged tundnud: mõlemad olid ülikonnas ja korralike mantlitega, ilmselgelt linnast saabunud rongitäie seast. Kuid see mees oli teistsugune. Ta oli teksades ja lühikese jopega ning polnud kahtlust, et ta ootab midagi. Või kedagi.

Mehe pöidlad liikusid telefoniekraanil. Võimalik, et saatis kliendile sõnumit, et ta ootab. Tüüpiline pipism, alati ajast ette jooksmas. Kuid Pipil oli üks kindel viis veendumaks, et see varjus passiv jopega mees on Howie. Ta võttis oma telefoni, hoidis seda madalal, et helendust varjata, ja keeras ekraani oma reie poole. Ta keris kontakte, et leida Howie Bowersi number, ja vajutas kõnenuppu.

Pip vaatas uuesti akna poole, pöial punase kõne lõpetamise nupu kohal, ja ootas. Ta närvid tõmbusid iga poole sekundiga rohkem krussi. Ja siis kuulis ta seda.

Palju valjemini kui oma telefoni helistamisheli.

Mehaaniline part hakkas prääksuma ja heli tuli tolle mehe käte vahelt. Pip vaatas, kuidas mees vajutas midagi telefonil ja tõstis siis telefoni kõrva juurde.

„Halloo?" kostis kauge hääl väljast, seda summutas Pipi aknaklaas.

Murdosa sekundi võrra hiljem rääkis seesama hääl tema telefonis. Howie hääl, see oli tõestatud.

Pip vajutas kõne lõpetamise nuppu ja vaatas, kuidas Howie Bowers võttis telefoni kõrva juurest ning põrnitses seda, paksud, kuid tähelepanuväärsed kulmud vajusid allapoole ja jätsid silmad varju. Mees sõrmitses telefoni ja tõstis selle uuesti kõrva juurde.

„Pagan," sosistas Pip, haaras telefoni ja vajutas hääletuks. Vähem kui sekund hiljem lõi ekraan Howie Bowersi kõnest helendama. Pip vajutas lukustusnuppu ja lasi telefonil hääletult heliseda, süda rinnus pekslemas. See oli napikas, ülinapikas. Temast oli tõesti rumal oma numbrit mitte varjata.

Howie pani telefoni ära ja jäi seisma, käed taskus ja pea maas. Muidugi, isegi kui Pip nüüd teadis, et see mees on Howie Bowers, ei olnud tal kinnitust, et seesama mees oli Andiet uimastitega varustanud. Kindel oli vaid see, et Howie Bowers müüb praegu uimasteid koolis, samale seltskonnale, keda Andie oli oma diilerile tutvustanud. See võis olla kokkusattumus. Howie Bowers ei pruugi olla mees, kellega Andie oli aastate eest koos töötanud. Kuid Kiltoni-suguses väikelinnas ei tasunud kokkusattumusi ülearu usaldada.

Samal hetkel tõstis Howie pea ja noogutas. Ja siis kuulis Pip seda, teravat kontsaklõbinat betoonil, mis muutus lähenedes üha valjemaks. Tüdruk ei söandanud vaadata, kes läheneb, iga samm läbis sähvatusena ta keha. Ja siis jõudis inimene ta vaatevälja.

See oli pikka kasvu mees, kellel oli seljas pikk beež mantel ja jalas mustad viksitud kingad, mille terav kontsaklõbin reetis, et jalavarjud on uued. Mehe juuksed olid tumedad ja lühikeseks pügatud. Kui mees Howie juurde jõudis, pööras ta ringi, et aia vastu toetuda. Kulus mõni hetk silmade pingutamist ja Pip ahhetas.

Ta teadis seda meest. Teadis tema nägu Kilton Maili veebilehe toimetusefotodelt. See oli Stanley Forbes.

Stanley Forbes, Pipi uurimise autsaider, kes oli nüüd kaks korda esile kerkinud. Becca Bell oli öelnud, et natuke nagu kohtub temaga, ja nüüd oli ta siin, kohtumas mehega, kes võis olla Becca õe varustaja.

Kumbki mees ei olnud veel midagi öelnud. Stanley sügas nina ja võttis siis taskust paksu ümbriku. Ta surus paki vastu Howie rinda ja Pip märkas alles nüüd, et ta nägu õhetas ja käed värisesid. Pip tõstis telefoni, kontrollis, kas välk on maha võetud, ja tegi kohtumisest paar pilti.

„See on viimane kord, kas kuuled?" kähvas Stanley, püüdmatagi häält alandada. Pip kuulis ta sõnu läbi aknaklaasi katkendlikult. „Sa ei saa rohkem nõuda, mul ei ole."

Howie rääkis liiga vaikselt ning Pip kuulis vaid lause lõpu ja alguse pominat: „Aga ... räägin."

Stanley sisistas teisele näkku: „Ma ei usu, et sa julged."

Nad põrnitsesid pika pineva hetke teineteist, siis pööras Stanley kannal ringi ning kõndis kiirel sammu minema, mantel selja taga lehvimas.

Kui ta oli läinud, vaatas Howie ümbrikusse ja torkas selle siis jopetaskusse. Pip sai temast veel paar pilti ümbrikuga käes. Kuid Howie ei kavatsenud veel kuhugi minna. Ta seisis aia vastus ja toksis uuesti telefoni. Nagu ootaks kedagi teist.

Mõni minut hiljem nägi Pip kedagi lähenemas. Ta vaatas oma peidupaigas kössitades, kuidas poiss kõndis Howie poole ja tõstis tervituseks käe. Pip tundis ka tema ära: poiss oli koolis temast aasta tagapool ja mängis koos Antiga jalgpalli. Miski Robin.

See kohtumine oli niisama põgus. Robin võttis taskust raha ja andis selle Howiele. Mees luges raha üle ning võttis siis jakitaskust kokkurullitud paberkoti. Pip tegi kiiresti viis pilt, kui Howie koti Robinile ulatas ja raha taskusse pistis.

Pip nägi, kuidas nende suud liikusid, kuid ei kuulnud salasõnu, mida nad vahetasid. Howie naeratas ja patsutas poissi seljale. Robin toppis koti seljakotti, hakkas läbi parkla tagasi minema ning hüüdis Pipi auto tagant möödudes: „Hiljem näeme", nii lähedalt, et tüdruk võpatas.

Pip keris ukse varju tõmbudes tehtud fotosid: Howie nägu oli neist vähemalt kolmel selgelt nähtav. Ja Pip teadis poisi nime, kellele oli tabanud Howie uimasteid müümas. See oli mõjutusvahendi õpikunäide, kui keegi oli kunagi kirjutanud õpiku selle kohta, kuidas narkodiilerilt välja pressida.

Pip tardus. Keegi kõndis otse tema auto taga, liikus lohisevate sammudega ja lasi vilet. Pip ootas kakskümmend sekundit ja vaatas siis üles. Howie oli läinud, kõndis tagasi jaama poole.

Sel hetkel ei suutnud Pip otsustada, mida teha. Howie oli jalgsi, Pip ei saanud talle autoga järgneda. Kuid ta ei tahtnud kohe üldse lahkuda oma väikese põrnikanäolise auto turvalisusest, et järgneda kurjategijale ilma Volkswageni tugevdatud kilbita.

Hirm hakkas Pipi kõhus lahti rulluma ja keerles ta ajus koos üheainsa mõttega: Andie Bell läks pimedas üksipäini välja ega tulnudki tagasi. Pip surus selle mõtte maha, hingas sügavalt, et hirmu tõrjuda, ronis autost välja ning sulges ukse nii vaikselt kui suutis. Ta pidi selle mehe kohta teada saama nii palju kui võimalik. Tema võib olla see, kes Andiet varustas, see, kes ta tegelikult tappis.

Howie oli temast umbes nelikümmend sammu eespool. Mees oli kapuutsi peast võtnud ja selle oranži voodrit oli pimedas lihtne märgata. Pip hoidis korralikku vahemaad, ta süda lõi iga sammu vahel neli korda.

Jaama ees asuvat hästi valgustatud ringristmikku läbides tõmbus Pip tagasi ja suurendas vahemaad. Ta ei tahtnud mehele liialt kannule jõuda. Ta järgnes Howiele, kui mees keeras paremale mäest alla ja möödus linna minisupermarketist. Howie läks üle tänava ja keeras vasakule peatänavale, mis oli kooli ja Ravi kodu suhtes linna teises otsas.

Pip püsis mehel kannul kuni Wyvil Roadi ja üle raudtee viiva sillani. Teisel pool silda keeras Howie tänavalt väikesele teerajale, mis viis üle muruplatsi ja läbi kolletava heki.

Pip ootas, kuni Howie jõudis veidi kaugemale, enne kui mehele mööda teerada järgnes ning väiksele ja pimedale elumajadega tänavale jõudis. Ta kõndis, pilk oranži karvaäärisega kapuutsil umbes viisteist meetrit eespool. Pimedus oli lihtsaim maskeering, see muutis tuttava võõraks ja kummaliseks. Alles ühest tänavasildist möödudes sai Pip aru, mis tänaval nad on.

Romer Close.

Ta süda reageeris, nüüd peksis see sammude vahel kuus korda. Romer Close, sama tänav, kust Andie Belli kadumise järel leiti tema mahajäetud auto.

Pip nägi Howiet eespool kõrvale põikamas ning sööstis puu taha peitu, vaadates, kuidas mees suundus väikese majakese juurde, võttis taskust võtmed ja astus sisse. Kui uks kinni langes, tuli Pip peidust välja ning ligines Howie majale. Romer Close number kakskümmend üheksa.

See oli madal beežidest tellistest ja sammaldunud kiltkivikatusega paarismaja. Mõlemad esikülje aknad olid kaetud paksude ruloodega, vasakpoolset läbistasid nüüd, kui Howie majas tule põlema pani, kollased triibud. Välisukse kõrval oli väike kruusatatud plats, kus seisis luitunud kastanpruuni tooni auto.

Pip põrnitses autot. Seekord tuli äratundmine silmapilkselt. Tüdruku suu vajus lahti ja maomahl tõusis kurku, täites suu autos söödud võileiva pooleldi seeditud maitsega.

„Oh issand," sosistas ta.

Pip taganes auto juurest ja võttis telefoni. Ta sirvis viimaseid kõnesid ja valis Ravi numbri.

„Palun ütle, et su vahetus on lõppenud," ütles ta, kui poiss vastas.

„Jõudsin just koju. Mis siis?"

„Mul on vaja, et sa otsekohe Romer Close'i tuleksid."

Kakskümmend

Pip teadis oma mõrvakaardi järgi, et Ravil kulub oma kodust Romer Close'ile kõndimiseks umbes kaheksateist minutit. Poiss jõudis neli minutit kiiremini ja jooksis, kui Pip teda silmas.

„Mis lahti?" küsis Ravi pisut hingetult ja lükkas juuksed näolt kõrvale.

„Paljud asjad," vastas Pip vaikselt. „Ma ei tea täpselt, kust alustada, nii et hakkan lihtsalt pihta."

„Sa ajad mind täiega närvi." Ravi pilk libises otsivalt üle Pipi näo.

„See ajab mind ennast ka närvi." Pip vaikis, et sügavalt sisse hingata ja kujundlik magu hingetorust tagasi alla suruda. „Okei, sa tead, et ma otsisin peolt saadud juhtlõnga järgi seda narkodiilerit. Ta oli täna seal, müüs parklas, ning ma järgnesin talle koju. Ta elab siin, Ravi. Samal tänaval, kust leiti Andie auto."

Ravi pilk liikus mööda pimedat tänavat. „Aga kuidas sa üldse tead, et just see tüüp oli Andie varustaja?"

„Ma ei teadnudki kindlalt," vastas Pip. „Nüüd tean. Aga oota, ma pean sulle enne veel midagi rääkima ja ma ei taha, et sa vihane oleksid."

„Miks ma peaksin vihane olema?" Ravi vaatas Pipi poole ja ta pehme nägu muutus silmade ümbruses karmimaks.

„Ee... sest ma valetasin sulle," vastas Pip Ravi poole vaatamata ja oma jalgu põrnitsedes. „Ma rääkisin sulle, et Sali ülekuulamise materjalid ei ole veel kohale jõudnud. Need jõudsid enam kui kahe nädala eest."

„Kuidas?" küsis Ravi vaikselt. Ta nägu varjutas ilmne haavumine, mis tõmbas ta nina ja lauba kipra.

„Anna andeks," ütles Pip. „Aga kui see kohale jõudis ja ma selle läbi lugesin, siis mõtlesin, et sul oleks parem seda mitte näha."

„Miks?"

Pip neelatas. „Sest see tundus Salile tõeliselt kehv. Ta põikles politsei küsimustest kõrvale ja ütles siis otse, et ei taha öelda, miks nad Andiega tol neljapäeval ja reedel tülitsesid. Tundus, nagu tahaks ta oma motiivi varjata. Ja ma kartsin, et äkki ta tõesti tappiski Andie ja ma ei tahtnud sind endast välja viia." Pip riskis ja vaatas Ravile otsa. Poisi silmad olid nukrad ja pinevil.

„Sa arvad pärast seda kõike, et Sal on süüdi?"

„Ei, ei arva. Ma lihtsalt kahtlesin mõnda aega ja kartsin, kuidas see võiks sulle mõjuda. See ei olnud minust õige, anna andeks. Mul ei olnud selleks õigust. Aga minust oli ka väär üldse Salis kahelda."

Ravi vaikis, silmitses teda ja sügas kukalt. „Olgu," ütles ta. „Pole hullu, ma saan aru, miks sa seda tegid. Mis siis lahti?"

„Ma sain just aru, miks Sal oli ülekuulamisel nii kummaline ja põiklev ning miks nad Andiega tülitsesid. Tule." Ta viipas poisile, et see talle järgneks, ning kõndis tagasi Howie maja juurde.

„See on selle narkodiileri maja," ütles ta. „Vaata tema autot, Ravi."

Ta jälgis Ravi ilmet, kui poisi pilk üle auto libises. Tuule-klaasilt kapotile ning ühelt esitulelt teisele. Kuni ta silmad jõudsid numbrimärgini ja jäid sellele püsima. Sellele ja tagasi ja siis jälle sellele.

„Ohh,“ pomises Ravi.

Pip noogutas. „Tõesti ohh.“

„Tegelikult on see minu meelest „püha *pepperoni*“ hetk.“

Mõlema pilk langes uuesti numbrimärgile: R009 KKJ.

„Sal kirjutas selle numbri oma telefonimärkmikku,“ ütles Pip. „Kolmapäeval, kaheksateistkümnendal märtsil umbes kell kolmveerand kaheksa õhtul. Ta pidi midagi kahtlustama, võib-olla oli ta kuulnud koolis jutte või midagi. Nii järgnes ta tol õhtul Andiele ja pidi nägema teda koos Howie ja selle autoga. Ja seda, mida Andie tegi.“

„Sellepärast nad tülitsesidki enne Andie kadumist,“ lisas Ravi. „Sal vihkas uimasteid. Vihkas.“

„Ja kui politsei temalt nende tüli kohta küsis,“ jätkas Pip, „ei põigelnud ta oma motiivi varjamiseks. Ta kaitses Andiet. Ta ei arvanud, et Andie on surnud. Ta arvas, et Andie on elus ja tuleb tagasi, ning ei tahtnud tekitada talle politseiga probleeme ning rääkida, et ta müüb uimasteid. Ja see viimane sõnum, mille Sal Andiele reede õhtul saatis?“

„Ma ei räägi sinuga, enne kui oled lõpetanud,“ tsiteeris Ravi.

„Tead mis?“ Pip naeratas. „Su vend ei ole kunagi tundunud süütum kui praegu.“

„Tänan.“ Ka Ravi naeratas. „Tead, ma ei ole kunagi ühelegi tüdrukule midagi säärast öelnud, aga ... mul on hea meel, et sa äkki nagu välk selgest taevast mu uksele koputasid.“

„Mäletan nagu ähmaselt, et sa käskisid mul minema minna,“ sõnas Pip.

„Noh, tundub, et sinust on raske lahti saada.“

„Seda küll.“ Pip vaatas maha. „Kas oled valmis koos minuga pisut koputama?“

„Oota. Ei. Mida?" Ravi vaatas kohkunult tüdrukule otsa.

„Ole nüüd," sõnas Pip Howie ukse poole minnes, „saad ometi viimaks pisut möllu."

„Siin on liiga palju vihjeid. Oota, Pip," ütles Ravi talle järele joostes. „Mida sa teed? Ta ju ei räägi meiega."

„Küll ta räägib," kinnitas Pip ja vibutas pea kohal telefoni. „Mul on mõjutusvahend."

„Milline mõjutusvahend?" Ravi jõudis talle ukse juures järele.

Pip pöördus ja naeratas poisile, silmad kissis. Siis võttis ta Ravil käest. Enne kui poiss jõudis käe lahti tõmmata, koputas Pip kolm korda uksele.

Ravi silmad läksid suureks ja ta tõstis vaikiva laitusega sõrme.

Nad kuulsid seest lohisevaid samme ja köhatust. Mõni hetk hiljem tõmmati uks ropsuga lahti.

Howie seisis silmi pilgutades lävel. Ta oli jope ära võtnud ning oli paljajalu, seljas sinine määrdunud T-särk. Mees lõhnas liisunud suitsu ja rõskete hallitanud riiete järele.

„Tere, Howie Bowers," ütles Pip. „Palun, kas me tohime pisut uimasteid osta?"

„Kes kurat teie olete?"

„Mina kurat olen see, kes tegi täna õhtul need kenad fotod," ütles Pip, keris Howie fotod ette ja näitas telefoni mehele. Ta tõmbas pöidlaga, et mees näeks kõiki pilte. „Huvitaval kombel ma tunnen seda poissi, kellele sa uimasteid müüsid. Tema nimi on Robin. Ei tea, mis juhtuks, kui helistaksin kohe praegu tema vanematele ja ütleksin, et nad poja seljakoti läbi otsiksid. Huvitav, kas nad leiavad sealt väikese maiustustekoti. Ja ei tea, kui kaua siis läheks, enne kui politsei siin uksele koputaks, eriti kui helistan ja neid pisut aitan."

Ta lasi Howiel seda kõike seedida. Mehe pilk liikus telefoni, Ravi ja Pipi vahet.

Howie mühatas. „Mida sa tahad?"

„Ma tahan, et sa kutsuksid meid sisse ja vastaksid paarile küsimusele," ütles Pip. „See on kõik ja me ei lähe politseisse."

„Mille kohta?" küsis Howie küünega hambaid torkides.

„Andie Belli kohta."

Howie näole ilmus kehvasti teeseldud segadus.

„Tead küll, see tüdruk, keda sa varustasid uimastitega ja kes neid koolis müüs. Seesama tüdruk, kes viie aasta eest tapeti. Mäletad?" küsis Pip. „Kui sina ei mäleta, siis politsei mäletab kindlasti."

„Okei," ütles Howie, astus üle kilekotihunniku tagasi ja tõmbas ukse lahti. „Te võite sisse tulla."

„Suurepärane," sõnas Pip ja vaatas üle õla Ravi poole. „Mõjutusvahend," sosistas ta vaid huuli liigutades ning pööritas silmi. Ent kui ta hakkas majja astuma, tõmbas Ravi ta oma selja taha ja sisenes esimesena. Ta põrnitses Howiet, kuni mees tõmbus ukselt tagasi ja kõndis mööda pisikest koridori edasi. Pip järgnes Ravile ja sulges enda järel ukse.

„Siitkaudu," poetas Howie tusaselt ja kadus elutuppa. Mees vajus räbaldunud tugitooli, mille käetoel ootas teda avatud õllepurk. Ravi astus diivani juurde, lükkas riide-hunniku eest ja istus Howie vastu, selg sirge ja nii serva peale kui võimalik. Pip istus poisi kõrvale ja ristas käed rinnal. Howie osutas õllepurgiga Ravi poole. „Sina oled selle poisi vend, kes ta tappis."

„Väidetavalt," ütlesid Pip ja Ravi korraga. Pinge toas hõljus nende kolme vahel nagu nähtamatud kleepuvad kombitsad, mis liikusid silmsidet järgides ühelt teisele. „Sa saad aru, et me läheme nende fotodega politseisse, kui sa ei vasta meie küsimustele Andie kohta?" ütles Pip ja silmitses õllepurki, mis polnud Howiel pärast kojujõudmist arvatavasti esimene.

„Jah, kullake." Howie naeris vilinal. „Sa tegid selle täiesti selgeks."

„Tore," ütles Pip. „Mu küsimused on ka kenad ja selged. Millal Andie sinuga tööle hakkas ja kuidas see juhtus?"

„Ma ei mäleta." Howie rüüpas suure sõõmu. „Võib-olla 2011. aasta algul. Ja ta ise tuli minu juurde. Mina ei tea muud, kui et see tragi plika kõndis parklas minu juurde ja ütles, et saaks mulle rohkem kliente, kui ma osa tulust temale annaksin. Ütles, et ta tahab teenida, ja mina ütlesin, et mul on samad huvid. Ma ei tea, kust ta teada sai, et ma müün."

„Nii et sa olid nõus, kui ta pakkus, et aitab sul müüa."

„Loomulikult. Ta oli paljutõotav ja suhtles noorema seltskonnaga, lastega, kellele ma eriti ligi ei pääsenud. Me mõlemad võitsime sellest."

„Ja mis siis sai?" küsis Ravi.

Howie külm pilk peatus Ravil ja Pip tundis, kuidas poisi käsivarred, mis tema omadega peaaegu kokku puutusid, pingule tõmbusid. „Me saime kokku ja ma tegin selgeks mõned põhireeglid, näiteks see, et kaup ja raha peavad olema peidetud, et nimede asemel tuleb kasutada salasõnu. Küsisin, milline kraam võiks tema koolis huvi pakkuda. Andsin talle äriasjade ajamiseks telefoni ja see oligi enam-vähem kõik. Saatsin ta suurde laia maailma." Howie muigas, ta nägu ja habemetüügas mõjusid ärritavalt sümmeetriliselt.

„Andiel oli teine telefon?" küsis Pip.

„Loomulikult. Ta ei saanud ju teha tehinguid telefoniga, mille eest maksid ta vanemad. Ostsin talle sularaha eest kõnekaardiga telefoni. Tegelikult kaks. Teise ostsin siis, kui esimese krediit otsa sai. Selle andsin talle vaid paar kuud enne seda, kui ta tapeti."

„Kus Andie uimasteid enne müümist hoidis?" küsis Ravi.

„See oli osa põhireeglitest." Howie naaldus tugitooli seljatoele ja rääkis oma õllepurki. „Ütlesin, et ta ei jõua oma väikese äriga kuhugi, kui tal ei ole kohta, kuhu kraami peita, ning teist telefoni, ilma et ta vanemad haisu ninna ei saaks. Ta kinnitas, et tal on täpselt sobiv koht, millest keegi teine ei tea."

„Kus see oli?" käis Ravi peale. Poiss sügas oma lõuga.

„Ee... minu meelest oli see lahtine põrandalaud tema garderoobis. Ta ütles, et ta vanematel ei ole sellest aimugi ja et ta peidab alati oma asju seal."

„Nii et telefon on ilmselt ikka veel Andie magamistuppa peidetud?" küsis Pip.

„Ma ei tea. Kui see ei olnud tal kaasas, kui ta ..." Howie kurgust kostis kurisev hääl ja ta tõmbas sõrmega üle kõri.

Pip vaatas enne järgmist küsimust Ravi poole. Poiss oli hambad kokku surunud ja ta lõualihas oli pingul, ta keskendus, et mitte Howielt silmi pöörata. Nagu oleks arvanud, et suudab oma pilguga meest paigal hoida.

„Okei," ütles Pip. „Milliseid uimasteid Andie pinnapidudel müüs?"

Howie kägardas tühja õllepurgi kokku ja viskas põrandale. „Alustas lihtsalt kanepiga," vastas ta. „Lõpuks müüs ta erinevat kraami."

„Ta küsis, mida Andie müüs," sekkus Ravi. „Loe üles."

„Jah, okei." Howie tundus ärrituvat, ta ajas end istudes sirgu ja nokkis särgilt mingit pruuni plekki. „Ta müüs kanepit, vahel MDMA-d, mefedrooni, ketamiini. Tal oli paar regulaarset rohüpnooli ostjat."

„Rohüpnool?" kordas Pip ega suutnud vapustust varjata. „Sa mõtled *roofie*'t? Andie müüs koolipidudel *roofie*'t?"

„Jah. Aga need on ka tšillimiseks, mitte ainult seda, mida enamik inimesi arvab?"

„Kas sa tead, kes Andielt rohüpnooli ostsid?"

„Ee... minu meelest ütles Andie, et üks peen poiss. Ma ei tea." Howie raputas pead.

„Peen poiss?" Pipi pähe ilmus otsemaid pilt: nurgeline nägu, irvitav muie, heledad salkus juuksed. „Kas see peen poiss oli heleda peaga?"

Howie vaatas talle tühjal pilgul otsa ja kehitas õlgu.

„Vasta või me läheme politseisse," ütles Ravi.

„Jah, see võis olla see blond tüüp."

Pip köhatas kurgu puhtaks, et anda endale mõtlemiseks lisaaega. „Olgu," sõnas ta. „Kui tihti te Andiega kohtusite?"

„Nagu vaja oli, kui tal oli vaja tellimusi täita või mulle raha tuua. Ütleksin, et arvatavasti umbes kord nädalas, vahel tihemini, vahel harvem."

„Kus te kohtusite?" küsis Ravi.

„Kas jaamas või vahel tuli ta siia."

„Kas te ..." Pip peatus. „Kas sul oli Andiega romantiline suhe?"

Howie turtsatas. „Ta ajas end äkki sirgu ja laksas midagi oma kõrva juures. „Kurat, ei olnud," nähvas ta ja naeris, mis ei varjanud täielikult punaste laikudena ta kaelale kerkivat ärritust.

„Oled kindel?"

„Jah, kindel." Katse ärritust varjata heideti kõrvale.

„Miks sa siis kaitsepositsiooni võtsid?" uuris Pip.

„Muidugi olen ma kaitsepositsioonil, mul on majas kaks põngerjat, kes norivad asjade üle, mis juhtusid aastaid tagasi, ning ähvardavad võmmidega." Howie andis jalaga maas lebavale käkras õllepurgile, mis lendas üle toa ja kukkus kolinal vastu rulood otse Pipi pea taga.

Ravi hüppas diivanilt püsti ja astus Pipi ette.

„Mida sa kavatsed ette võtta?" irvitas Howie ja ajas end tuikudes jalule. „Sa oled kuradima naljanumber, mees."

„Olgu, rahunege maha," ütles Pip samuti püsti tõustes. „Me oleme peaaegu lõpetanud, sa pead lihtsalt ausalt vastama. Kas sul oli seksuaalsuhe …"

„Ei, ma ju juba ütlesin." Õhetus jõudis mehe näoni, piilus habemejoone alt välja.

„Kas sa tahtsid temaga seksuaalsuhet?"

„Ei." Howie karjus juba. „Minul temaga ja temal minuga oli lihtsalt töösuhe, on selge? Midagi keerulisemat selles ei olnud."

„Kus sa olid tol öösel, kui ta tapeti?" nõudis Ravi.

„Vajusin sellel diivanil purjuspäi ära."

„Kas sa tead, kes ta tappis?" küsis Pip.

„Jah, tema vend." Howie osutas agressiivselt Ravile. „Kas selles asi ongi, sa tahad tõestada, et sinu mõrvarisaastast vend oli süütu?"

Pip nägi, kuidas Ravi kangestus ja silmitses oma rusikasse tõmbunud nukke. Kuid siis tabas ta tüdruku pilgu, sundis end lõdvestuma ja torkas käed taskusse.

„Selge, me oleme valmis," ütles Pip ja pani käe Ravi käsivarrele. „Lähme."

„Ei, mina küll nii ei arva." Howie sööstis kahe hiigelhüppega ukse poole ja tõkestas nende tee.

„Vabandust, Howard," sõnas Pip ja tundis, kuidas närvilisus muutub hirmuks.

„Ei-ei," naeris mees pead raputades. „Ma ei saa teil minna lasta."

Ravi astus mehe juurde. „Liiguta ennast."

„Ma tegin, mida sa tahtsid," ütles Howie Pipi poole pöördudes. „Nüüd pead sa mu fotod kustutama."

Pip lõtvus pisut. „Okei," nõustus ta. „Jah, see on õiglane." Ta tõstis oma telefoni ja näitas seda Howiele, kustutades viimse kui parklas tehtud foto, kuni jõudis pildini Barneyst ja Joshist, kes magasid koos koeraasemel. „Tehtud."

Howie astus kõrvale ja lasi nad mööda.

Pip tõmbas ukse lahti ning kui nad Raviga välja karge ööõhu kätte astusid, avas Howie viimast korda suu. „Kui sa käid ringi ja esitad ohtlikke küsimusi, tüdruk, siis leiad ka ohtlikke vastuseid."

Ravi lõi ukse nende selja taga kinni. Ta ootas, kuni neid lahutas majast vähemalt kakskümmend sammu, ja ütles siis: „Noh, see oli vahva, suur tänu kutsumast minu esimesele väljapressimisele."

„Pole tänu väärt," vastas Pip. „See oli ka minul esimene kord. Aga see oli vaeva väärt, me saime teada, et Andiel oli teine telefon, Howie tunded tema suhtes olid komplitseeritud ning Max Hastingsile maitses rohüpnool." Ta tõstis oma telefoni ja klõpsas pildiäpile. „Taastan need fotod juhuks, kui meil on vaja veel kunagi Howiet pitsitada."

„Hiilgav," pomises Ravi. „Ma ei jõua ära oodata. Võib-olla saan siis lisada oma CV-sse erioskusena ka väljapressimise."

„Kas sa tead, et sa kasutad kaitsemehhanismina nalja, kui oled endast väljas?" Pip naeratas poisile ja lasi ta enda ees läbi hekiaugu.

„Jah, ning sina muutud kamandavaks ja peeneks."

Ravi silmitses tüdrukut pikalt ning Pip katkestas esimesena vaikuse. Nad puhkesid naerma ega saanud siis enam pidama. Adrenaliini kadumine muutus hüsteeriaks. Pip vajus poisi vastu, pühkis pisaraid ja püüdis naeruhoogude vahel õhku ahmida. Ravi koperdas, nägu krimpsus ning naeris nii pööraselt, et pidi kummarduma ja kõhtu kinni hoidma.

Nad naersid, kuni Pipi põsed olid valusad ning kõhus tuikas. Kuid naerujärgsed ohked ajasid nad uuesti naerma.

Uurimistöö raport - 23. sissekanne

Peaksin tõesti keskenduma ülikoolidele avalduste kirjutamisele, mul on enne Cambridge'i tähtaja kukkumist kandideerimisessee lõpetamiseks umbes nädal. Praegu on mul sisseastumiskomisjoni ees signaalitamise ja sabasulgede lehvitamisega lihtsalt väike paus.

Nii et Howie Bowersil ei ole Andie kadumise ööks alibit. Oma sõnade järgi oli ta kodus ja „purjuspäi ära kukkunud". Ta ei saa seda kuidagi kinnitada, nii et see võib olla täielik väljamõeldis. Ta on vanem mees ja Andie oleks võinud ta hävitada, andes ta narkoäri eest politseile üles. Tema ja Andie suhe oli kriminaalne ning tema kaitsepositsiooni järgi otsustades võis sellel olla seksuaalne alatoon. Ja Andie auto – auto, mille pagasiruumis veeti politsei arvates tema laipa – leiti Howie tänavalt.

Ma tean, et Maxil on Andie kadumise ööks alibi, sama alibi, mida Sal palus oma sõpradelt enda jaoks. Aga las ma nüüd mõtlen natuke valjusti. Andie rööviti kella 22.40 ja 00.45 vahel. On võimalik, et Max võis tegutseda selle ajavahemiku ülemisel piiril. Tema vanemad olid ära, Jake ja Sal olid tema juurest lahkunud ning Millie ja Naomi läksid „veidi enne poolt kahtteist" tühja tuppa magama. Max võis sel ajal majast lahkuda, ilma et keegi oleks teadnud. Võib-olla oleks ka Naomi seda teha saanud. Või koos?

Maxil on alastifoto mõrvaohvrist, kellega tal ei olnud enda väitel kunagi romantilist suhet. Ta on tehniliselt vanem mees. Ta oli seotud Andie uimastiäriga ning ostis temalt regulaarselt *roofie*'t. Peen vana Max Hastings ei tundu enam nii vooruslik. Võib-olla peaksin uurima seda rohüpnooli juhtlõnga ja vaatama, kas on veel tõendeid selle kohta, mida hakkan kahtlustama. (Kuidas ma saaksin seda mitte teha? Jeerum, ta ju ostis *roofie*'t!)

Kuigi nad mõlemad tunduvad ühtmoodi kahtlased, ei saanud tegemist olla Maxi/Howie meeskonnatööga. Max ostis Kiltonis uimasteid ainult Andie kaudu ning Howie teadis Maxist ja tema ostuharjumustest vaid ebamääraselt tänu Andiele.

Kuid minu meelest tähtsaim juhtlõng, mille me Howielt saime, on Andie teine kõnekaardiga telefon. See on *prioriteet number üks*. Selles telefonis on tõenäoliselt info kõigi inimeste kohta, kellele ta uimasteid müüs. Võib-olla kinnitus selle kohta, millised suhted tal Howiega olid. Ning kui Howie ei olnud Salajane Vanem Mees, siis võib-olla kasutas Andie oma teist telefoni selle mehega ühenduse pidamiseks, et seda salajas hoida. Politsei sai pärast Sali surnukeha leidmist enda kätte Andie peamise telefoni, kui selles olnuks tõendeid salasuhte kohta, oleks politsei seda uurinud.

Kui me selle telefoni leiame, leiame võib-olla Andie salajase vanema mehe, või ka Andie tapja ja see kõik lõpeb. Hetkel on Salajase Vanema Mehe kohale kolm võimalikku kandidaati: Max, Howie või Daniel da Silva (HPI nimekirjas kursiivis). Kui kõnekaardiga telefon kinnitab üht neist, on meil minu arvates piisavalt infot, et pöörduda politseisse.

Või on see keegi, keda me ei ole veel leidnud, keegi, kes ootab oma aega ning valmistub peaosaks selles projektis. Võib-olla keegi Stanley Forbesi sugune? Ma tean, et tema ja Andie vahel puudub otsene seos, seepärast ta HPI-nimekirja ei pääse. Ent kas ei tundu pisut kummaline, et ajakirjanik, kes kirjutas teravaid artikleid Andie „mõrvarkallimast sõbra" kohta, käib nüüd Andie väikeõega ning ma nägin teda andmas raha samale narkodiilerile, kes varustas Andiet? Või on need kokkusattumused? Ma ei usalda kokkusattumusi.

<u>Huvipakkuvad isikud</u>
Jason Bell
Naomi Ward
Salajane Vanem Mees
Nat da Silva
Daniel da Silva
Max Hastings
Howie Bowers

Kakskümmend üks

„Barney-Barney-Barney sulps," laulis Pip, koera mõlemad esikä-
pad peos, kui nad ümber söögilaua tantsisid. Siis jäi ema vana CD
kriimu tõttu ketrama, öeldes neile „asu teele, Ja-Ja-Ja-Ja-Ja ..."

„Jube heli." Pipi ema Leanne astus ahjukartulite nõuga sisse
ja asetas selle lauale kuumaalusele. „Pane järgmisele, Pip," ütles
ta uuesti toast lahkudes.

Pip lasi Barney maha ja vajutas CD-mängija nuppu; see oli
viimane jäänuk kahekümnendast sajandist, millest ema ei olnud
valmis loobuma puutetundlike ekraanide ja Bluetoothi kõlarite
kasuks. Oli ka põhjust, isegi seda oli valus vaadata, kuidas ta
telekapulti kasutas.

„Kas lõikasid lahti, Vic?" hüüdis Leanne ja sisenes uuesti,
käes kauss auravate herneste ja spargelkapsaga, millel sulas
tilluke võitükk.

„Kana on lõigutud, mu kaunis daam," kõlas vastus.

„Josh! Söök on valmis!" hüüdis Leanne.

Pip läks isale appi taldrikuid ja ahjukana tooma, Josh poetas
end nende järel sisse.

„Kas kodutöö on tehtud, kullake?" küsis ema Joshilt, kui
kõik istusid laua ääres oma kohtadele. Barney koht oli põrandal
Pipi kõrval, ta oli kaasvandenõulane tüdruku missioonis lasta
väikestel lihatükkidel maha kukkuda, kui vanemad tema poole
ei vaadanud.

Pip istus ja küünitas kartulikausi järele, enne kui isa oleks temast
ette jõudnud. Victor oli samasugune kartulisõber nagu Pip.

215

„Joshua, kas ulataksid isale kastet?"

Kui taldrikud olid täis kuhjatud ja kõik olid söömist alustanud, pöördus Leanne Pipi poole, kahvel tütart sihtimas.

„Millal su sisseastumisavalduse tähtaeg on?"

„Viieteistkümnendal," vastas Pip. „Ma katsun paari päeva pärast ära saata. Parem pisut varem."

„Kas sa oled esseele piisavalt aega pühendanud? Tundub, et sa ei tegele hetkel millegi muu kui selle uurimistööga."

„Millal ma varem ei ole kõigega hakkama saanud?" küsis Pip ja torkas kahvli otsa iseäranis ülekasvanud spargel-kapsakönti, brokolimaailma *Sequoiadendron giganteum*'i. „Kui ma peaksin kunagi tähtaja üle laskma, siis sellepärast, et käes on maailmalõpp."

„Okei, kui tahad, võime isaga pärast õhtusööki selle läbi lugeda?"

„Jah, ma prindin selle välja."

Pipi telefoni rongivile hakkas üürgama, nii et Barney võpatas ja ema kortsutas kulmu.

„Ei mingeid telefone laua ääres," sõnas Leanne.

„Vabandust," ütles Pip. „Ma panen selle hääletuks."

See võis vabalt tähendada algust mõnele Cara pikale rida-realt saadetud monoloogile, mis muudab Pipi telefoni põrgu-jaamaks, kus kõik rongid üritavad üksteisest üle pasundada. Või ehk on see Ravi. Pip pani telefoni sülle ja vaatas ekraani, et heli hääletule panna.

Ta tundis, kuidas veri ta näost ära valgub. Kuumus liikus mööda selga alla ja koondus kõhtu, kus see lõi vahutama ja surus sööki tagasi üles. Kurk tõmbus sööstlaskumisel külma hirmuhigisse kramplikult kokku.

„Pip?"

„Ee... ma ... mul tuli äkki hirmus vetsukas," ütles Pip, hüppas, telefon peos, toolilt püsti ja oleks peaaegu koerale otsa komistanud.

Ta sööstis toast välja ja üle koridori. Paksud villased sokid libisesid lakitud tammeparketil ja ta kukkus, maandudes ühele küünarnukile.

„Pippa?" kostis Victori hääl.

„Kõik on korras," hüüdis Pip end püsti ajades. „Lihtsalt libisesin."

Pip sulges enda järel tualettruumi ukse ja keeras selle lukku. Ta lõi potikaane kinni ja istus värisedes sellele. Telefoni kahe käega hoides avas ta selle ja klõpsas sõnumile.

Loll mõrd. Jäta see sinnapaika, kuni veel saad.
Tundmatu.

Uurimistöö raport - 24. sissekanne

Ma ei saa und.

Kool algab viie tunni pärast ja ma ei saa und. Ükski osa minust ei arva enam, et see võiks olla nali. Kirjake mu magamiskotis, see sõnum. See on päris. Pärast telkimist olen oma uurimistöös kõik lekked kinni toppinud; ainsad inimesed, kes teavad, mida olen avastanud, on Ravi ja need, keda olen küsitlenud.

Ometi teab keegi, et ma olen jõudmas lähedale, ning on hakanud paanitsema. Keegi, kes järgnes mulle metsa. Keegi, kellel on mu number.

Püüdsin sõnumiga vastata, viljatu katse *kes sa oled?* küsimusega. Vastuseks tuli veateade. Ma ei saanud sõnumit ära saata. Uurisin asja: on võrgulehti ja rakendusi, mida saab kasutada sõnumite anonüümseks muutmiseks, nii et ma ei saa vastata ega välja uurida, kes selle saatis.

Nimi on sobiv. Tundmatu.

Kas Tundmatu on isik, kes tappis Andie Belli? Kas ta tahab panna mind mõtlema, et võib minuga sama teha?

Ma ei saa politseisse minna. Mul ei ole veel piisavalt tõendeid. Mul on ainult ütlused inimestelt, kes teadsid Andie salaelude eri tahke. Mul on seitse huvipakkuvat isikut, kuid ei ole veel peamist kahtlusalust. Little Kiltonis on liiga palju inimesi, kellel oli Andie tapmiseks motiiv.

Ma vajan kindlat tõendit.

Mul on vaja seda kõnekaardiga telefoni.

Ja alles siis jätan selle sinnapaika, Tundmatu. Alles siis, kui tõde on selgunud ja sina luku taga.

Kakskümmend kaks

„Miks me siin oleme?" küsis Ravi Pipi märgates.

„Tss," sisistas Pip, haaras poisi mantlivarrukast ja tõmbas ta enda juurde puu taha. Ta pistis pea tüve varjust välja ning vaatas teisel pool tänavat asuvat maja.

„Kas sa ei peaks koolis olema?" küsis Ravi.

„Võtsin haiguspäeva, selge?" vastas Pip. „Ära tekita minus sellepärast halvemat tunnet, kui mul niigi on."

„Kas sa ei ole kunagi varem haiguspäeva võtnud?"

„Ma olen üldse koolist ainult neli päeva puudunud. Kogu kooliaja jooksul. Ja see oli tuulerõugete pärast," vastas tüdruk vaikselt, pilk suurel majal. Selle vanade telliste toon varieerus helekollasest punakaspruunini ning neid kattev luuderohi ronis üles sakilise katuseharjani, millel oli kolm kõrget korstnat. Suur valge garaažiuks tühja sissesõidutee lõpus peegeldas neile vastu sügishommiku päikest. See oli tänava viimane maja, enne kui tee ronis ülesmäge kiriku poole.

„Mida me siin teeme?" küsis Ravi ja pistis pea välja teiselt poolt puutüve, et Pipi nägu näha.

„Ma jõudsin siia veidi pärast kaheksat," vuristas Pip, peatudes vaevalt hingamiseks. „Becca lahkus umbes kahekümne minuti eest, ta on Kilton Maili kontoris praktikal. Dawn lahkus just siis, kui kohale jõudsin. Mu ema sõnul töötab ta osalise koormusega ühe heategevusorganisatsiooni peakontoris Wycombe'is. Praegu on kell veerand kümme, ta peaks veel mõnda aega ära olema. Ja maja ees signalisatsiooni ei ole."

Pipi viimased sõnad mattusid haigutusse. Ta ei olnud öösel peaaegu üldse maganud, aina ärkas ja põrnitses Tundmatu sõnumit, kuni sõnad olid laugude alla sööbinud ja kummitasid teda iga kord, kui ta silmad sulges.

„Pip," ütles Ravi tüdruku tähelepanu püüdes. „Veel kord, miks me siin oleme?" Ta silmad olid juba kõnekalt pärani. „Palun ütle, et mitte sellepärast, mida ma arvan."

„Et sisse murda," vastas Pip. „Me peame selle kõnekaardiga telefoni üles leidma."

Ravi oigas. „Kuidas ma teadsin, et sa seda ütled?"

„See on päris asitõend, Ravi. Tõeline füüsiline asitõend. Tõend, et ta müüs koos Howiega uimasteid. Võib-olla selgub sealt, kes oli see salajane vanem mees, kellega Andie kohtus. Kui me telefoni üles leiame, võime helistada politseisse ja anda anonüümse vihje ning võib-olla avavad nad uurimise uuesti ja leiavadki mõrvari."

„Okei, aga üks kiire tähelepanek," sõnas Ravi sõrme püsti tõstes. „Sa palud minul, kõigi poolt Andie Belli mõrvariks peetava inimese vennal, Bellide majja sisse murda? Rääkimata sellest, millises jamas ma oleksin nagu iga tõmmu poiss, kes murrab sisse valge perekonna majja."

„Kurat, Ravi," ütles Pip ja astus puu taga sammu tagasi, süda kurgus. „Mul on nii kahju, ma ei mõelnud."

Ta ei olnud tõesti mõelnud, ta oli nii veendunud, et tõde lihtsalt ootab neid selles majas, et ei olnud üldse arvestanud, millisesse olukorda see Ravi seaks. Muidugi ei saa poiss koos temaga sisse murda, see linn kohtles teda niigi kui kurjategijat – mis siis veel saaks, kui nad tabataks?

Alates sellest, kui Pip oli väike tüdruk, oli isa talle alati rääkinud nende erisugustest maailmakogemustest, selgitanud, kui midagi juhtus: kui keegi hakkas kaupluses isal silma peal hoidma, kui keegi küsis, miks ta on üksipäini koos valge lapsega, kui keegi eeldas, et ta on oma büroo turvamees, mitte partner. Pip kasvas üles täis otsustavust mitte olla pime selle ega oma nähtamatu eelise suhtes, mille pärast tal ei olnud kunagi olnud tarvis võidelda.

Kuid täna hommikul oli ta olnud pime. Ta oli enda peale vihane, ta kõhus kees vastik orkaan.

„Mul on nii kahju," sõnas ta uuesti. „Ma olin loll. Ma tean, et sa ei saa riskida samamoodi nagu mina. Ma lähen üksi. Võib-olla saaksid siia jääda ja valvata?"

„Ei," vastas Ravi mõtlikult ja surus sõrmed läbi juuste. „Kui meil õnnestub tänu sellele Sali nimi puhtaks pesta, siis pean ma kaasa tulema. See on riski väärt. See on liiga oluline. Ma pean seda endiselt mõtlematuks ja kardan hullusti, aga ..." Ravi peatus ja naeratas tüdrukule, „me oleme lõppude lõpuks kuriteokaaslased. See tähendab, partnerid, mis ka ei juhtuks."

„Oled kindel?" Pip niheles ja seljakoti rihm vajus ta küünraõndlasse.

„Kindel," vastas poiss, sirutas käe ja kohendas rihma.

„Selge." Pip pöördus tühja maja silmitsema. „Ja kui see peaks lohutust pakkuma, siis minu plaan ei näe ette vahele jäämist."

„Milline su plaan siis on?" küsis Ravi. „Aken sisse lüüa?"

Pip vaatas jahmunult poisi poole. „Mitte mingil juhul. Ma kavatsesin kasutada võtit. Me elame Kiltonis, kõigil on kusagil väljas varuvõti."

„Või nii ... selge. Lähme ja teeme sihtmärgi kindlaks, Seersant." Ravi piidles tüdrukut pingsalt ja tegi kätega rea keerulisi sõjaväeviipeid. Pip rehmas käega, et ta lõpetaks.

Pip läks esimesena, ta kõndis kiirel sammul üle tänava ja eesaia. Jumal tänatud, et Bellid elasid vaikse tänava lõpus, näha ei olnud kedagi. Ta jõudis ukseni ja pöördus vaatama, kuidas Ravi, pea maas, üle muru tema poole sööstab.

Esmalt vaatasid nad uksemati alla, kus Pipi pere oma tagavaravõtit hoidis. Kuid neil ei olnud õnne. Ravi küünitas kobama uksepiida kohalt. Ta käsi jäi tühjaks, sõrmedel tolmu- ja nõekiht.

„Okei, vaata sina toda põõsast. Mina kontrollin seda."

Ka kummagi põõsa all ei olnud võtit, seda ei olnud ka laternate juures ega salanaela otsas luuderohu varjus.

„Seal kindlasti mitte," sõnas Ravi, osutades kroomitud tuulekellale ukse kõrvale. Ta pistis käe metalltorude vahelt läbi ja kiristas hambaid, kui kaks toru heledalt kokku kolksusid.

„Ravi," sosistas Pip ärevalt, „mida sa ..."

Poiss võttis midagi kellatorude keskel asuvalt väikselt puu-aluselt ja näitas seda Pipile. Võti, mille külge oli kinnitatud tükike vana Blue-Tacki nakkemassi.

„Ahhaa," kuulutas Ravi, „õpilasest saab meister. Sina võid olla seersant, aga mina olen peainspektor."

„Pea suu, Singh."

Pip võttis koti õlalt ja pani maha. Ta soris selles ning leidis otsitava kohe, ta sõrmed puudutasid siledat kummi. Ta võttis otsitu kotist välja.

„Miks – ma ei taha isegi küsida," naeris Ravi pead vangutades, kui Pip erkkollased kummikindad kätte tõmbas.

„Ma kavatsen sooritada kuriteo," ütles tüdruk. „Ma ei taha sõrmejälgi jätta. Mul on sinu jaoks ka kindad."

Ta sirutas oma helendavkollase peopesa ja Ravi pani sellesse võtme. Siis kummardus Pip uuesti kotis sorima ja võttis välja lillad lillemustriga sõrmikud.

„Mis need on?" küsis Ravi.

„Ema aiatöökindad. Mul ei olnud sissemurdmise plaanimiseks just palju aega, saad aru?"

„On näha," pomises poiss.

„Need on suuremad. Pane kätte."

„Tõelised mehed kannavadki sisse murdes lillemustrit," sõnas Ravi, pani kindad kätte ja lõi käed kokku.

Ta noogutas, et on valmis.

Pip viskas koti õlale ja astus ukse juurde. Ta hingas sügavalt sisse ja hoidis korraks hinge kinni. Võtit hoidvat kätt teisega toetades torkas ta võtme lukuauku ja keeras.

Kakskümmend kolm

Päikesevalgus järgnes neile sisse, murdes pika hõõguva triibuna koridori kahhelpõrandale. Kui nad üle läve astusid, tekitasid nende varjud valgusvihus ühe pikaks venitatud kahest peast ning käte-jalgade sasipuntrast koosneva silueti.

Ravi sulges ukse ja nad liikusid aeglaselt mööda koridori edasi. Pip käis tahtmatult kikivarvul, kuigi teadis, et kedagi ei ole kodus. Ta oli näinud seda maja palju kordi, pildistatuna eri nurkade alt, väljas sagimas helkurvestidega politseinikud. Kuid kõik fotod olid väljast. Seest oli ta näinud maja vaid killukestena, kui välisuks oli lahti ja fotograaf klõpsas hetke igavikku.

Piir välise ja sisemuse vahel tundus siin oluline.

Pip tajus, et ka Ravi tunneb seda – selle järgi, kuidas poiss hinge kinni hoidis. Õhus oli mingi raskus. Vaikusse püütud saladused, mis hõljusid ringi kui nähtamatud tolmuhelbemed. Pip ei tahtnud liiga valjult mõeldagi, et seda mitte häirida. See vaikne koht, koht, kus nähti viimati elusana Andie Belli, kes oli siis vaid paar kuud vanem kui Pip praegu. Maja ise oli osa mõistatusest, osa Kiltoni ajaloost.

Nad liikusid koos trepi poole, heitsid pilgu uhkesse elutuppa paremal ning hiigelsuurde *vintage*-stiilis kööki vasakul, kus olid pardimunasinised kapid ja suur puit-plaadiga töösaareke.

Ja siis nad kuulsid seda. Vaikne mütsatus ülakorrusel.

Pip tardus paigale, Ravi haaras tema kinnastatud käe.

Veel üks mütsatus, seekord lähemal, otse nende pea kohal.

Pip vaatas tagasi ukse poole: kas nad jõuaksid õigel ajal välja?

Mütsatused muutusid ägedaks kolinaks ja mõni hetk hiljem ilmus trepiotsale must kass.

„Püha püss," pomises Ravi Pipi käest lahti lastes, ta kergendus oli kui õhupahvak, mis vaikust lainena läbistas.

Pip lasi kuuldavale äreva naerupahvaka, ta käed hakkasid kummikinnastes higistama. Kass tormas trepist alla, peatudes poolel teel, et nende suunas näuguda. Sündinud koerainimene Pip ei teadnud, kuidas reageerida. „Tere, kass," sosistas ta, kui kass trepist alla jõudis ja tema juurde hiilis. Loom hõõrus end Pipi säärte vastu ja volksas tema jalgade vahelt läbi.

„Pip, mulle ei meeldi kassid," ütles Ravi ebamugavust tundes ja vaatas vastikusega, kuidas kass oma karvast kolpa ta pahkluude vastu surub. Pip kummardus ja patsutas kassi kinnastatud käega. Loom tuli tagasi tema juurde ja hakkas nurruma.

„Tule," ütles Pip Ravile.

Jalad kassist vabastanud, suundus Pip trepi poole. Kui ta trepist üles läks, Ravi kannul, näugatas kass, jooksis neile järele ja keris end poisi jalgade ümber.

„Pip ..." Ravi hääl oli närviline, kui ta üritas loomale mitte peale astuda. Pip kõssitas kassi minema ning loom sörkis tagasi trepist alla ja kööki. „Ma ei kartnud," lisas Ravi mitte just kuigi veenvalt.

Kindas käsi trepikäsipuul, ronis Pip trepist üles ning oleks peaaegu maha lükanud trepi ülemises otsas käsipuu postile jäetud märkmiku ja mälupulga. Kummaline koht nende hoidmiseks.

Kui mõlemad olid ülakorrusel, uuris Pip mademele avanevaid uksi. Tagumine magamistuba ei saanud olla Andie oma: lilleline voodikate oli kortsus, oli näha, et voodis oli magatud ning toanurgas toolil olid sokid. Samuti ei saanud Andie tuba olla eesmine magamistuba, kus põrandal oli hommikumantel ning öökapil veeklaas.

Ravi märkas seda esimesena. Ta koputas Pipile kergelt käsivarrele ja osutas. Üleval oli vaid üks suletud uks. Nad läksid selle juurde. Pip võttis kuldsest uksenupust ja lükkas ukse lahti.

Kohe oli selge, et see oli Andie tuba.

Kõik tundus lavastatud ja seiskunud. Kuigi toas olid kõik teismelise tüdruku toa rekvisiidid – fotod Andiest Emma ja Chloe vahel, kõik sõrmedega V-märki tegemas, pilt Andiest ja Sallyst kahel pool suhkruvatti, ning vana pruun mängukaru voodil karvase kuumaveepudeli kõrval, üleajav meigikarp kirjutuslaual –, ei tundunud tuba päris tõeline. Paik, mis on maetud viis aastat kestnud leina.

Pip astus pehmel koorekarva vaibal esimese sammu.

Ta pilk libises helelilladelt seintelt puitmööblile. Kõik oli puhas, vaibal olid värsked tolmuimejajäljed. Oli näha, et Dawn Bell koristab endiselt surnud tütre tuba ja hoiab seda sellisena, nagu see oli, kui Andie viimast korda kodust lahkus. Tal ei olnud enam tütart, kuid tal oli endiselt koht, kus Andie oli maganud, ärganud, riietunud, kus ta oli kriisanud ja karjunud ja uksi paugutanud, kus ema oli talle head ööd sosistanud ja tule kustutanud. Vähemalt kujutles Pip nii, andes tühjale toale elu, mida siin võidi kunagi elada. See tuba ootas igavesti kedagi, kes ei tule enam kunagi tagasi, samal ajal kui selle suletud ukse taga liikus maailm edasi.

Pip vaatas Ravi poole ja mõistis poisi ilme järgi, et Singhide kodus on täpselt samasugune tuba.

Ja kuigi Pipil oli tekkinud tunne, nagu oleks ta Andiet tundnud, seda, kes on maetud kõigi saladuste alla, muutis see tuba Andie tema jaoks esimest korda reaalseks inimeseks. Kui nad Raviga koos garderoobi juurde astusid, lubas Pip vaikselt toale, et ta leiab tõe. Mitte ainult Sali, vaid ka Andie jaoks.

Tõe, mis võis olla vabalt siiasamasse peidetud.

„Valmis?" sosistas Ravi.

Pip noogutas.

Ravi avas garderoobi, mis oli tuubil täis riidepuudel rippuvaid kleite ja kampsuneid. Ühes otsas rippus Andie Kiltoni huma- nitaargümnaasiumi vorm, mida seelikud ja topid vastu seina pressisid, riiete vahele ei saanud suruda isegi mõnesentimeetrist avaust.

Kummikinnastega pusserdades võttis Pip teksataskust tele- foni ja lülitas taskulambi sisse. Ta laskus põlvili, Ravi tema kõrval, ja nad roomasid riiete alla, taskulamp vanu põranda- laudu valgustamas. Nad asusid põrandalaudade kallale, tõmbasid sõrmedega üle äärte ja püüdsid neid nurkadest lahti kangutada.

Ravi leidis õige laua. See oli tagumise seina vastas vasakul.

Ta surus üht nurka ning laua teine pool kerkis üles. Pip aitas laua lahti tõmmata ja tõstis selle selja taha. Pip ja Ravi kummardusid tüdruku telefoni valguses tumedasse avausse vaatama.

„Ei."

Pip laskis taskulambi alla, et olla täiesti kindel, ja suunas valguse igasse nurka. Näha oli vaid tolmukihti, mis nüüd nende hingetõmmetes keeristena üles kerkis.

See oli tühi! Ei telefoni. Ei raha. Ei uimasteid. Mitte midagi.

„See ei ole õige koht,“ sõnas Ravi.

Pettumus oli füüsiline tunne, see uuristas Pipi kõhtu ja tegi ruumi hirmule.

„Ma tõesti arvasin, et see on siin,“ ütles Ravi.

Ka Pip oli seda arvanud. Ta oli arvanud, et telefoniekraan valgustab nende jaoks mõrvari nime ja ülejäänu teeb politsei. Ta oli arvanud, et on nüüd Tundmatu eest kaitstud. See kõik pidanuks olema lõppenud, mõtles ta, kurgus pigistamas nagu enne nuttu.

Pip libistas põrandalaua tagasi kohale ja nihkus Ravi kannul tollhaaval garderoobist välja, ta juuksed takerdusid pika kleidi tõmbluku külge. Tüdruk ajas end püsti, sulges uksed ja pöördus Ravi poole.

„Kus see telefon siis olla võiks?“ küsis poiss.

„Võib-olla oli see Andiel kaasas,“ pakkus Pip, „ja nüüd on see koos temaga maetud või hävitas selle tapja.“

„Või,“ sõnas Ravi, uurides asju Andie kirjutuslaual. „Või teadis keegi, kuhu see oli peidetud, ning võttis selle pärast tema kadumist ära, teades, et see juhiks politsei temani.“

„Või see,“ nõustus Pip. „Aga see ei aita meid.“

Ta astus kirjutuslaua juurde Ravi kõrvale. Meigikarbi peal oli juuksehari, mille harjaste ümber oli ikka veel pikki blonde juuksekarvu. Harja kõrval silmas Pip Kiltoni gümnaasiumi 2011/2012. õppeaasta kalendermärkmikku, mis oli peaaegu täpselt samasugune nagu tema enda oma sel aastal. Andie oli kaunistanud oma märkmiku tiitellehe kile alla joonistatud südamete ja tähtede ning supermodellide väikeste piltidega.

Pip lehitses märkmikku. Päevad olid täis kritseldusi kodutööde ja kursusetööde kohta. Novembris ja detsembris olid märgitud ülikoolide lahtiste uste päevad. Nädal enne jõule oli meeldetuletus: *osta Salile jõulukink?*. Pinnapidude ajad ja kohad, koolitööde tähtajad, inimeste sünnipäevad. Ja kummalisel kombel juhuslikud tähed, mille kõrvale olid kritseldatud kellaajad.

„Kuule!" Pip tõstis märkmiku Ravi poole. „Vaata neid veidraid nimetähti. Mida need sinu meelest tähendavad?"

Ravi vaatas hetke, toetades lõua aiakindas käele. Siis tõmbusid ta silmad tumedamaks ja kulmud pingule. Ta ütles: „Kas sa mäletad, mida Howie Bowers ütles? Et ta käskis Andiel kasutada nimede asemel koode?"

„Võib-olla need ongi tema koodid," lõpetas Pip Ravi eest lause ja liikus kummikindas sõrmega üle tähtede. „Me peaksime need dokumenteerima."

Ta pani märkmiku lauale ja võttis telefoni. Ravi aitas tal ühe kinda käest tõmmata ja ta valis telefonil kaamera. Ravi keeras lehed tagasi 2012. aasta veebruarini ja Pip pildistas kõiki topeltlehekülgi kuni selle aprillinädalani kohe pärast lihavõtteid, kui Andie viimaseks sissekandeks reedel oli: *Hakka prantsuse keelt kordama*. Kokku üksteist fotot.

„Nii," ütles Pip, pani telefoni taskusse ja tõmbas kinda uuesti kätte. „Me ..."

Nende all paugatas välisuks.

Ravi keeras järsult pead, hirm kogunes ta pupillidesse.

Pip lasi märkmikul käest kukkuda. Ta viipas peaga garde-roobi poole. „Lähme sinna," sosistas ta.

Ta avas uksed ja ronis sisse ning vaatas otsivalt Ravi poole. Poiss oli kummuti juures põlvili. Pip nihkus kõrvale, et talle ruumi teha. Kuid Ravi ei liigutanud end. Miks ta ei liigu?

Pip sirutas käe, haaras poisist ja tõmbas ta enda kõrvale garderoobi tagaseina vastu. Sel hetkel ärkas Ravi uuesti ellu. Ta võttis ustest ja tõmbas need vaikselt kinni.

Nad kuulsid koridoris teravate kontsade klõbinat. Kas see oli Dawn Bell, kes jõudis juba töölt tagasi?

„Tere, Monty." Hääl kandus läbi maja. See oli Becca.

Pip tundis, kuidas Ravi tema kõrval väriseb, seda oli tunda kuni tüdruku luudeni välja. Ta võttis poisi käe, kummikindad kriuksusid, kui ta seda hoidis.

Siis kuulsid nad Beccat trepil, iga sammuga valjemini, kassi tilisev kaelarihm tema taga.

„Ahh, siia ma need jätsingi," ütles Becca ning sammud peatusid trepimademel.

Pip pigistas Ravi kätt ja lootis, et poiss tunneb, kui kahju tal on. Lootis, et Ravi teab, et kui ta saaks, võtaks ta kogu süü enda peale.

„Monty, kas sa käisid siin?" Becca hääl tuli lähemale.

Ravi sulges silmad.

„Sa ju tead, et sa ei tohi sellesse tuppa minna."

Pip surus näo vastu poisi õlga.

Nüüd oli Becca nende juures toas. Nad kuulsid tema hingamist, keele naksutamist. Jälle sammud, mida paks vaip summutas. Ja siis Andie magamistoa ukse kinnilangemise heli.

Nüüd oli Becca hääl summutatud, kui ta hüüdis: „Head aega, Monty!"

Ravi avas aeglaselt silmad ja pigistas Pipi kätt, ta paanikas hingamine sasis tüdruku juukseid.

Välisuks langes mürtsuga kinni.

Uurimistöö raport - 25. sissekanne

Noh, arvasin, et vajan umbes kuus tassi kohvi, et ülejäänud päeva
ärkvel püsida. Selgub, et napikas Beccaga mõjus niisama hästi.
Ravi ei olnud ikka veel päris tema ise selleks ajaks, kui pidi tööle
minema. Ma ei suuda uskuda, kui lähedal me vahelejäämisele
olime. Ja telefoni ei olnudki seal ... kuid päris asjatu ei pruukinud
see siiski olla.

Saatsin fotod Andie märkmikust oma meilile, et saaksin
neid sülearvuti ekraanil suuremana vaadata. Olen iga fotot
mitukümmend korda uurinud ja mul on tunne, et siit võib üht-
teist välja kooruda.

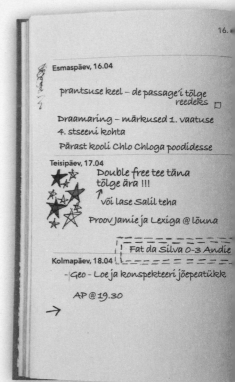

See on nädal pärast lihavõttevaheaega, Andie kadumise nädal. Ainuüksi sellel leheküljel on üsna palju tähelepanuväärset. Ma ei saa eirata seda Fat da Silva 0–3 Andie seisu kommentaari. See oli kohe pärast seda, kui Andie oli postitanud netti Nati alastivideo. Ja ma tean Natilt, et ta läks tagasi kooli alles kolmapäeval, 18. aprillil ning Andie nimetas teda koridoris lipakaks, mis tõi kaasa tapmisähvarduse Andie kapis.

Kuid võib arvata, et Andie hooples kolme võiduga, mille oli saanud Nati üle oma väärakates koolimängudes. Kui *topless*-video oli üks värav ning Nati šantažeerimine loobuma „Salemi nõidadest" teine? Mis oli kolmas asi, mida Andie Nat da Silvale tegi ja mille üle ta siin rõõmustab? Kas see võis olla miski, mis Nati lõplikult endast välja viis ja temast tapja tegi?

Teine oluline sissekanne sellel leheküljel on kolmapäev, 18. aprill. Andie kirjutas: AP @ 19.30.

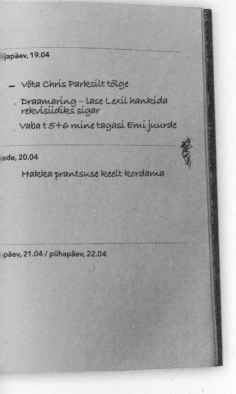

japäev, 19.04

— Võta Chris Parksilt tõlge

. Draamaring – lase Lexil hankida rekvisiidiks sigar

. Vaba t 5+6 mine tagasi Emi juurde

ede, 20.04

Hakka prantsuse keelt kordama

päev, 21.04 / pühapäev, 22.04

Kui Ravil on õigus ja Andie paneb asju kirja koodiga, siis usun, et selle siin ma just lahendasin. See on nii lihtne.

AP – autoparkla. Nagu raudteejaama parkla. Ma arvan, et Andie kirjutas endale meeldetuletuse, et tal on sel õhtul Howiega parklas kokkusaamine. Tegelikult ma tean, et ta kohtus tol õhtul Howiega, sest Sal kirjutas samal kolmapäeval kell 19.42 oma telefoni Howie autonumbri.

Meie fotodel on veel palju AP-sid koos kellaajaga. Usun, et võin üsna kindlalt öelda, et need viitavad Andie narkoärile Howiega ning et ta kuulas Howie juhtnööre kasutada koodi, et oma tegemisi uudishimulike silmade eest varjata. Kuid nagu kõik teismelised, kippus ta asju unustama (eriti oma päevakava), nii kirjutas ta kohtumised ühte kohta, mida ta igas tunnis vähemalt korra vaatas. Täiuslik mäluabi.

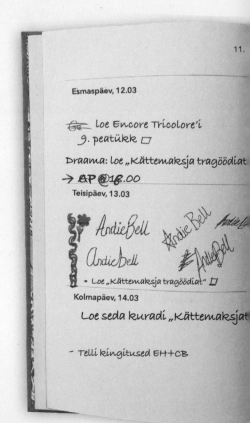

Ja nüüd, kui ma olen enda meelest Andie koodi murdnud, on märkmikus veel mõned kellaaegadega nimetähed.

Sellel märtsi keskpaiga nädalal kirjutas Andie neljapäeva, 15. märtsi kohta: IV @ 8.

Sellega olen ma kimpus. Kui koodi muster on sama, siis IV = I... V...

Kui IV viitab nagu AP kohale, pole mul aimugi, mis see on. Ma ei suuda välja mõelda ühtegi nende algustähtedega kohta, mis asuks Kiltonis. Aga kui IV viitab kellegi nimele? See esineb pildistatud lehekülgedel vaid kolm korda.

Üks sarnane sissekanne kordub hoopis sagedamini: HK @ 6. Kuid 17. märtsi sissekandes on Andie kirjutanud selle alla ka „enne pinnap". „Pinnap" tähendab eeldatavalt pinnapidu.

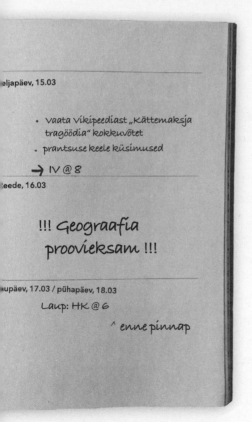

eljapäev, 15.03

- vaata Vikipeediast „Kättemaksja tragöödia" kokkuvõtet
- prantsuse keele küsimused

→ IV @ 8

eede, 16.03

!!! Geograafia proovieksam !!!

upäev, 17.03 / pühapäev, 18.03

Laup: HK @ 6

^ enne pinnap

Esmaspäev, 5.03

• vali draamaeksamiks „Kättemaksja tragöödia" või „Maccy Bee"

hiljem Sali juurde

Teisipäev, 6.03

• vaata YouTube'ist „Macbethi"

• Ptk 6 prantsuse keele õpikust

Kolmapäev, 7.03

Geograafia – reedeks essee kava ☑

→ AP @ 18.30

Nii et võib-olla tähendab HK lihtsalt Howie kodu ja Andie käis uimastite järel, et need peole kaasa võtta.

Mulle hakkas silma ka üks varasem märtsikuu lehekülg. Need neljapäeva, 8. märtsi kohale kritseldatud ja siis üle soditud numbrid on telefoninumber. Seitse numbrit, mis algavad 07-ga, see peab olema telefoninumber. Mõtlen valjusti: miks oleks Andie pidanud telefoninumbri kalendermärkmikku kirjutama? Muidugi oli märkmik tal peaaegu kogu aeg kaasas, nii koolis kui ka pärast kooli, täpselt nagu minu oma on mul kogu aeg kotis. Aga kui ta sai kelleltki uue telefoninumbri, miks ta seda kohe telefoni ei pannud? Kui ta muidugi ei tahtnudki seda numbrit oma päristelefoni panna. Võib-olla kirjutas ta selle üles, sest tal ei olnud kõnekaardiga telefoni kaasas ja just sinna tahtis ta selle numbri sisestada. Kas see võib olla Salajase Vanema Mehe number? Või Howie uus number? Või uus klient, kes tahtis

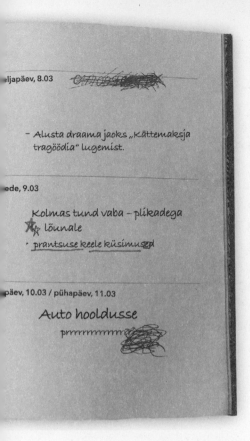

– Alusta draama jaoks „Kättemaksja tragöödia" lugemist.

ede, 9.03

Kolmas tund vaba – plikadega
★ lõunale
• prantsuse keele küsimused

päev, 10.03 / pühapäev, 11.03

Auto hooldusse

prrrrrrrrrrrr

Andielt uimasteid osta? Ning kui Andie oli numbri oma teise telefoni salvestanud, sodis ta selle jälgede peitmiseks maha.

Olen seda kritseldust vahtinud tubli pool tundi. Mulle tundub, et esimesed kaheksa numbrit on 07700900. Võimalik, et viimased kaks numbrit on hoopis kaks kaheksat, kuid minu meelest tuleb see lihtsalt ülesodimisest. Ja viimase kolme numbriga läheb keeruliseks. Tagant kolmas tundub nagu 7 või 9, tal on jalg all ja üleval on kõverik. Olen üsna kindel, et eelviimane on 7 või 1 pika sirgjoone järgi. Ja viimane number on kaarega, järelikult on see kas 6, 0 või 8.

See jätab meile kaksteist võimalikku kombinatsiooni:
07700900776 07700900976 07700900716 07700900916
07700900770 07700900970 07700900710 07700900910
07700900778 07700900978 07700900718 07700900918

Proovisin esimese tulba läbi helistada. Iga kord sain sama automaatvastuse: *Kahjuks on valitud number tundmatu. Palun lõpetage kõne ja proovige uuesti.*

Teises tulbas vastas vanem naine Manchesterist, kes ei olnud Little Kiltonis kunagi käinud ega sellest isegi kuulnud. Üks number oli tundmatu ja teine ei olnud enam kasutuses. Kolmas tulp andis kaks tundmatut numbrit ja teenusepakkuja kõneposti. Viimasest kolmest numbrist sain tulemuseks tugeva Newcastle'i hääldusega Garrett Smithi nimelise katlahooldaja kõneposti, ühe, mis ei olnud enam kasutuses ning viimane läks otse operaatori kõneposti.

Selle numbri jahtimine on mõttetu. Ma ei saa viimasest kolmest numbrist täpselt aru, number on rohkem kui viis aastat vana ja tõenäoliselt ei ole see enam kasutusel. Proovin uuesti numbreid, mis läksid operaatori kõneposti, juhuks kui midagi peaks muutuma. Kuid tegelikult on mul vaja a) end korralikult välja magada ja b) lõpetada Cambridge'i avaldus.

Huvipakkuvad isikud
Jason Bell
Naomi Ward
Salajane Vanem Mees
Nat da Silva
Daniel da Silva
Max Hastings
Howie Bowers

Uurimistöö raport - 26. sissekanne

Cambridge'i avaldus täna hommikul ära saadetud. Ja kool registreeris mind 2. novembriks Cambridge'i inglise kirjanduse eksami eelvestlusele. Täna hakkasin vabadel tundidel oma kirjanduse esseesid läbi vaatama, et neid vastuvõtukomisjonidele saata. Mu Toni Morrisoni essee meeldib mulle, selle ma saadan. Aga ükski teine ei ole piisavalt hea. Pean kirjutama uue, arvan, et Margaret Atwoodist.

Peaksin sellega nüüd tõesti pihta hakkama, kuid tunnen, kuidas mind kistakse tagasi Andie Belli maailma, selle asemel et tühi leht ette võtta, klõpsan oma UT dokumendile. Olen Andie kalendermärkmikku nii palju kordi lugenud, et suudan tema tegemised veebruarist aprillini peaaegu peast ette lugeda.

Üks on ilmselge: Andie Bell lükkas kodutöid edasi.

Veel kaks asja on üsna selged, kui toetuda eeldustele: AP viitab Andie uimastiäri kohtumistele Howiega jaama parklas ning HK viitab Howie kodule.

IV on endiselt mõistatus. Seda esineb kokku vaid kolm korda: neljapäeval, 15. märtsil kell 20.00, reedel, 23. märtsil kell 21.00 ning neljapäeval, 29. märtsil kell 21.00.

Erinevalt AP-st ja HK-st, mida esineb igasugustel kellaaegadel, on IV üks kord kell kaheksa ja kaks korda kell üheksa.

Ka Ravi on selle kallal pusinud. Ta saatis mulle äsja meili nimekirjaga võimalikest inimestest/kohtadest, millele IV võib tema meelest viidata. Ta laiendas otsingut Kiltonist väljapoole, uuris ka naaberlinnu ja külasid. Oleksin pidanud ise selle peale tulema.

Tema nimekiri:
Imperial Vault, Amershami ööklubi
hotell Ivy House Little Chalfontis
Ida Vaughan, 90-aastane, elab Cheshamis
The Four Cafe Wendoveris (IV = neli Rooma numbritega)

Okei, võtan Google'i appi.
Imperial Vaulti veebilehe kohaselt avati klubi 2010. aastal.
Asukoha järgi kaardil tundub, et see asub keset ei miskit, ööklubi
ja parkla betoonruut keset suurt roheliste rohupikslite välja.
Igal kolmapäeval ja reedel on õpilaste õhtud ning regulaarselt
korraldatakse sääraseid üritusi nagu „daamide õhtu". Klubi
kuulub Rob Hewitti nimelisele mehele. Võimalik, et Andie käis
seal uimasteid müümas. Võime minna ja pilgu peale heita, küsida,
kas saaksime rääkida omanikuga.

Ivy House'i hotellil ei ole oma veebilehte, küll on aga leht
TripAdvisoris, ainult kaks ja pool tärni. See on väike B&B pereäri
nelja toaga kohe Chalfonti jaama kõrval. Väheste fotode järgi
tundub see vanamoeline ja hubane, kuid asub „otse elava
liiklusega tänava ääres ja kui tahad magada, on müra kõva",
nagu kirjutab Carmel672. Ja Trevor59 ei olnud nendega üldse
rahul: nad broneerisid tema toa topelt ja ta pidi otsima uue
majutuse. T9Jones kirjutab, et „pere oli kena", kuid et vannituba
oli „kulunud ja räpane – vanni ümbrus oli soppa täis". Ta postitas
oma sõnade kinnituseks isegi paar fotot.

KURAT.

Oh issand, oh issand, oh issand. Olen hüüdnud valjusti „oh
issand" vähemalt kolmkümmend sekundit, kuid sellest ei piisa;
see tuleb ka üles kirjutada. Oh issand.

Ja Ravi ei võta oma neetud telefoni!

Mu sõrmed ei suuda ajuga sammu pidada. T9Jones postitas
vannist eri nurga alt kaks lähivaadet. Ja siis on tal kogu vannitoa
täiskaader. Vanni kõrval on seinal täispikkuses peegel, selles

on näha T9Jonesi ja tema telefoni välgu peegeldust. Näha on ka ülejäänud vannituba, alates ümmarguste punktvalgustitega kreemikast laest kuni kahhelpõrandani. *Punavalge kahhelpõrandani.*

Ma söön oma karvase rebasepeamütsi ära, kui ma eksin, AGA ma olen peaaegu kindel, et see on sama kahhelpõrand, mis oli Max Hastingsi magamistoas „Marukoerte" plakati taha kinnitatud ähmasel fotol. Alasti Andie, kui mustad püksid välja arvata, prunditab peegli poole huuli, sellesama peegli poole Little Chalfonti Ivy House'i hotellis.

Kui mul on õigus, käis Andie kolme nädala jooksul selles hotellis vähemalt kolm korda. Kellega ta seal kohtus? Maxiga? Salajase Vanema Mehega?

Tundub, et ma sõidan homme pärast kooli Little Chalfonti.

Kakskümmend neli

Mõni hetk summutatud kriginat, kui rong liikuma hakkas ja kiirust kogus. Rong rappus, Pipi sulepea vääratas ja tõmbas juti üle essee sissejuhatuse lehekülje. Pip ohkas, rebis lehe märkmikust välja ning kortsutas palliks. See ei olnud niikuinii hea. Ta torkas palli seljakotti ja pani sulepea uuesti valmis.

Ta oli rongis teel Little Chalfonti. Ravi pidi tulema otse töölt ja temaga seal kokku saama, nii arvas Pip, et võiks üksteist minutit kestvat sõitu hästi ära kasutada ja kirjutada tüki Margaret Atwoodi essee mustandist. Kuid sõnu üle lugedes ei tundunud miski õige. Pip teadis, mida ta öelda tahtis, iga mõte oli täiuslikult moodustatud ja vormitud, kuid sõnad muutusid teel peast sõrmedeni ähmasteks ja segasteks. Tema mõtted olid Andie Belli kõrvalrajal ummikus.

Salvestatud hääl kõlarites teatas, et järgmine peatus on Chalfont ning Pip tõstis tänulikult pilgu õhemaks muutuvalt A4 plokilt ja torkas selle seljakotti. Rong aeglustas kiirust ja peatus terava mehaanilise ohkega. Pip ronis platvormile ja sisestas turvaväravas pileti.

Ravi ootas teda väljas.

„Seersant," ütles poiss ja lükkas tumedad juuksed silmadelt. „Ma loon just meie kuritegevuse vastase võitluse teemalugu. Seni on mul rahulikud keelpillid ja paaniflööt, kui olen mina, ja siis tuled sina raskete Darth Vaderit meenutavate trompetitega."

„Miks mina olen trompetid?" küsis Pip.

„Sest sa trambid kõndides, vabanda, et mina olen see, kes seda sulle ütleb."

Pip võttis telefoni ja toksis kaardirakendusse Ivy House'i aadressi. Marsruut ilmus ekraanile ja nad kõndisid juhiste järgi kolmeminutise tee, Pipi sinine ümmargune avatar kaasa libisemas.

Kui sinine ring põrkas kokku punase sihtkohatäpiga, tõstis Pip pilgu. Sissesõidutee juures oli väike puust silt, millel seisis tuhmunud nikerdatud tähtedega Ivy House Hotel. Munakividega sissesõidutee oli kallakul ja viis punastest tellistest maja juurde, mida kattis peaaegu üleni luuderohi. Rohelisi lehti oli nii tihedalt, et maja tundus vaikse tuule käes värelevat.

Ukse poole suundudes krudisesid nende sammud teel. Pip märkas pargitud autot, mis tähendas, et keegi peab olema majas. Loodetavasti omanikud, mitte külaline.

Ta surus sõrme külmale metallist uksekellale ja lasi sellel pikalt heliseda.

Nad kuulsid majas vaikset häält, aeglaseid lohisevaid samme, siis tõmmati uks sissepoole, nii et luuderohi ukse ümber värisema lõi. Nende ees seisis naeratades kohevate hallide juuste, paksuklaasiliste prillide ja väga enneaegselt jõulumustriga kampsunis eakas naine.

„Tere, kullakesed," ütles naine. „Ma ei teadnudki, et me kedagi ootame. Mis nime all te toa kinni panite?" küsis ta neid sisse kutsudes ja ust sulgedes.

Nad astusid hämaralt valgustatud ruudukujulisse halli, kus vasakul oli diivan ja kohvilaud ning kaugemas seinas valge trepp.

„Oh, vabandust," sõnas Pip naise poole pöördudes, „me ei ole tegelikult tuba kinni pannud."

„Või nii, noh, siis teil veab, et meil on üht-teist saadaval ja ..."

„Vabandust," katkestas Pip ja vaatas kohmetult Ravi poole, „ma mõtlesin seda, et me ei kavatse siin ööbida. Me otsime ... meil on mõned küsimused hotelli omanikele. Kas te ..."

„Jah, hotell kuulub mulle," naeratas naine ja vaatas häirivalt mingit punkti Pipi näost vasakul. „Pidasin seda kakskümmend aastat koos oma Davidiga, kuigi enamiku asjade eest kandis hoolt tema. Sestsaati kui David paari aasta eest suri, on olnud raske. Aga mu pojapojad on alati siin, aitavad mul hakkama saada, sõidutavad mind ringi. Mu pojapoeg Henry on praegugi üleval ja koristab tube."

„Nii et viis aastat tagasi pidasite hotelli koos oma abikaasaga?" küsis Ravi. Naine noogutas ja ta pilk liikus poisile.

„Väga kena," sõnas ta vaikselt ja poetas siis Pipile, „õnnelik tüdruk."

„Ei, me ei ole ..." ütles Pip Ravi poole vaadates. Ta soovis, et ei oleks seda öelnud. Vanaproua uitava pilgu alt väljas, kehitas Ravi elevuses õlgu ja osutas oma näole, sosistades „väga kena".

„Kas tahaksite istet võtta?" küsis naine ja osutas rohelise sametiga kaetud diivanile akna all. „Mina küll tahaksin." Ta astus lohiseval sammul nahast tugitooli juurde diivani vastas.

Pip läks diivani juurde, astudes möödudes meelega Ravile jala peale. Ta istus, põlved vanaproua poole, ja Ravi vajus tema kõrvale, näol endiselt tobe muie.

„Kus mu ..." alustas naine ning patsutas kampsunit ja püksi-taskuid, näol mõttelage ilme.

„Ee... nii," sõnas Pip, püüdes naise tähelepanu uuesti endale tõmmata. „Kas te säilitate infot inimeste kohta, kes on siin peatunud?"

„Seda kõike tehakse ... eee... nüüd selle, eee... arvutiga, jah?" vastas naine. „Vahel telefonis. Broneeringutega tegeles alati David, nüüd teeb seda minu eest Henry."

„Kuidas te siis broneeringutes järge pidasite?" küsis Pip, oletades juba, et ei saa vastust.

„Seda tegi minu David. Printis nädalaks paberile välja." Naine kehitas õlgu ja vaatas aknast välja.

„Kas teil on viie aasta tagused broneeringute lehed veel alles?" uuris Ravi.

„Ei-ei. Me oleksime paberitesse uppunud."

„Aga kas need on teil arvutis alles?" küsis Pip.

„Oh ei. Me viskasime Davidi arvuti pärast tema surma ära. See oli väga aeglane väike asjandus, nagu mina," vastas naine. „Nüüd tegeleb kõigi broneeringutega Henry."

„Kas ma tohin teilt midagi küsida?" ütles Pip, avas seljakoti ja võttis välja kokku murtud printeripaberi tüki. Ta silus seda ja ulatas naisele. „Kas te tunnete seda tüdrukut? Kas ta on kunagi siin peatunud?"

Naine vaatas Andie fotot, mida oli kasutatud enamikus artiklites. Ta tõstis paberi üsna näo juurde, sirutas siis eemale ning tõstis uuesti lähemale.

„Jah," noogutas ta, silmitsedes kordamööda Pippi, Ravit ja Andiet. „Ma tean teda. Ta on siin käinud."

Pipi nahk kirvendas närvilisest elevusest.

245

„Te mäletate, et see tüdruk peatus viie aasta eest teie juures?" küsis ta. „Kas te mäletate meest, kellega ta koos oli? Milline ta välja nägi?"

Naise nägu muutus ilmetuks, ta vahtis Pippi ning ta silmad liikusid paremale ja vasakule, iga suunamuutust tähistas silmapilgutus.

„Ei," sõnas ta ebakindlalt. „Ei, see ei olnud viie aasta eest. Ma nägin seda tüdrukut. Ta on siin olnud."

„2012. aastal?" ergutas Pip.

„Ei-ei." Naise pilk peatus kusagil Pipi kõrva taga. „See oli alles mõne nädala eest. Ta oli siin, ma mäletan."

Pipi süda vajus saja meetri võrra tagasi rinda. „See ei ole võimalik," ütles ta. „See tüdruk on viis aastat surnud."

„Aga ..." Naine raputas pead ja kortsud ta silmade ümber tõmbusid kokku, „aga ma mäletan. Ta oli siin. Ta on siin olnud."

„Viie aasta eest?" käis Ravi peale.

„Ei," vastas naine ja ta hääle tekkis viha. „Ma ju ometi mäletan? Ma ei ..."

„Vanaema?" hüüdis mehehääl ülakorruselt.

Rasked saapad tümpsust trepist alla ja vaatevälja ilmus heledapäine mees.

„Tere?" ütles ta Pipi ja Ravi poole vaadates. Ta astus lähemale ja sirutas käe. „Mina olen Henry Hill."

Ravi tõusis ja surus kätt. „Mina olen Ravi ja see on Pip."

„Kas me saame kuidagi aidata?" küsis mees ja heitis mureliku pilgu vanaema poole.

„Me esitasime teie vanaemale lihtsalt paar küsimust kellegi kohta, kes peatus siin viie aasta eest," selgitas Ravi.

Pip heitis pilgu vanale naisele ja märkas, et see nutab. Pisarad voolasid mööda ta paberõhukest nahka alla ning kukkusid lõualt Andie fotole.

Ka pojapoeg oli seda ilmselt märganud. Ta astus vanaema juurde, pigistas ta õlga ja võttis ta värisevast haardest paberi.

„Vanaema," ütles ta, „äkki lähed paned kannu tulele ja teed meile teed? Ära muretse, mina aitan neid inimesi siin."

Ta aitas naise toolilt püsti ja juhtis ta hallist vasakule jääva ukseni, ulatades möödudes Andie foto Pipile. Ravi ja Pip vaatasid teineteisele otsa, pilgus küsimused, kuni Henry mõni hetk hiljem tagasi tuli ja sulges köögiukse, et summutada veekannu heli.

„Vabandust," naeratas ta nukralt. „Ta ärritub, kui satub segadusse. Alzheimer on … asi on läinud üsna hulluks. Tegelikult ma lihtsalt koristan siin, et maja müüki panna. Ta unustab selle pidevalt ära."

„Vabandust," ütles Pip. „Me oleksime pidanud aru saama. Me ei tahtnud teda endast välja viia."

„Ei, ma tean, et te ei tahtnud," kinnitas mees. „Äkki saan mina aidata?"

„Me küsisime selle tüdruku kohta." Pip ulatas paberi. „Selle kohta, kas ta peatus siin viie aasta eest."

„Ja mida vanaema ütles?"

„Ta arvas, et on näinud teda hiljuti, vaid mõne nädala eest," neelatas Pip. „Aga see tüdruk suri 2012. aastal."

„Seda juhtub nüüd üsna tihti," sõnas mees neile kordamööda otsa vaadates. „Tal läheb segamini, millal miski juhtus. Vahel arvab ta, et mu vanaisa on veel elus. Arvatavasti ta lihtsalt tundis teie tüdruku ära viie aasta tagusest ajast, kui ta teie teada siin oli."

„Jah," nõustus Pip. „Ilmselt küll. "

„Kahju, et mina ei saa rohkem aidata. Ma ei oska öelda, kes siin viie aasta eest peatus, me ei ole vanu andmeid alles hoidnud. Ent kui vanaema ta ära tundis, siis annab see teile ilmselt vastuse? "

Pip noogutas. „Jah. Vabandust, et me ta endast välja ajasime. "

„Kas temaga saab kõik kombe?" küsis Ravi.

„Kõik saab korda," kinnitas Henry leebelt. „Tass teed mõjub hästi. "

Kui nad Kiltoni raudteejaamast välja astusid, hakkas juba hämarduma, kell ligines kuuele ja päike vajus läände.

Pipi pea oli kui tsentrifuug, mis pillutas muutuvaid tükikesi Andie kohta, eraldas need ja pani teistsugustes kombinatsioonides uuesti kokku.

„Kui järele mõelda," ütles ta, „siis võime minu meelest tõestatuks lugeda, et Andie peatus Ivy House'i hotellis." Tema arvates olid vannitoa kahhelkivid ja vanaproua tunnistus, mis küll ajaga eksis, selle kohta piisavad tõendid. Kuid see teadmine lõi mõned tükid lahti ja paigutas uutesse kohtadesse.

Nad keerasid paremale parklasse ja suundusid Pipi auto poole selle kaugemas otsas, arutades teel oma mõtteid ja teooriaid.

„Kui Andie sellesse hotelli läks," sõnas Ravi, „siis pidi see olema sellepärast, et seal kohtus ta Salajase Vanema Mehega ning mõlemad püüdsid mitte vahele jääda. "

Pip noogutas nõustuvalt. „See tähendab, et kes Salajane Vanem Mees ka ei olnud, ei saanud ta Andiet enda juurde kutsuda. Ja kõige tõenäolisem põhjus on see, et ta elas koos pere või naisega. "

See muutis asju.

Pip jätkas. „Daniel da Silva elas 2012. aastal koos oma värske abikaasaga ja Max Hastings elas koos vanematega, kes tundsid Sali hästi. Mõlemal olnuks vaja salasuhteks Andiega kodust eemal olla. Ning ei maksa unustada, Maxil on Andiest alastifoto, mis on pildistatud Ivy House'is ning mille ta väidetavalt „leidis“,“ lisas Pip sõrmedega jutumärke tehes.

„Jah,“ nõustus Ravi, „aga Howie Bowers elas tollal üksinda. Kui Andie kohtus salaja temaga, ei oleks neil olnud vaja hotelli minna.“

„Seda mõtlesin mina ka,“ nõustus Pip. „Mis tähendab, et võime nüüd Howie kui Salajase Vanema Mehe kandidaadi välistada. Kuigi see ei tähenda, et ta ei või ikkagi mõrvar olla.“

„Tõsi,“ kinnitas Ravi, „kuid vähemalt lööb see pildi veidi selgemaks. See ei olnud Howie, kellega Andie märtsis Sali selja taga kohtus, ning see ei olnud Howie, kelle hävitamisest ta rääkis.“

Nad arutasid terve tee auto juurde. Pip sobras taskus ja piiksutas võtit. Ta avas juhiistme ja viskas seljakoti autosse, end kõrvalistmele sättinud Ravi võttis selle sülle. Ent kui Pip hakkas autosse ronima, tõstis ta pilgu ja märkas üht meest neist paarikümne meetri kaugusel vastu aeda nõjatumas, seljas roheline oranži voodriga jope. Howie Bowers, karvase äärega kapuuts sügaval nägu varjamas, noogutas mehele enda kõrval. Mehele, kes vehkis metsikult kätega ja rääkis midagi vaikselt ja vihaselt.

Peenes villases mantlis heledate salkus juustega mehele.

Max Hastings.

Veri kadus Pipi näost. Ta vajus istmele.

„Mis on, Seersant?"

Pip osutas aknast tara poole, mille juures mehed seisid. „Vaata."

Max Hastings, kes oli talle jälle valetanud, öeldes, et ei ole pärast Andie kadumist kunagi Kiltonis uimasteid ostnud ning et tal ei ole aimugi, kes oli Andie diiler. Ja siin ta oli, karjus sellesama diileri peale, kuigi sõnad vahemaa tõttu kaotsi läksid.

„Ohh," pomises Ravi.

Pip käivitas mootori ja tagurdas, sõitis minema, enne kui Max või Howie oleksid neid märganud, enne kui ta käed liiga hullusti värisema hakkasid.

Max ja Howie tundsid teineteist hästi.

Veel üks tektooniline nihe Andie Belli maailmas.

Uurimistöö raport - 27. sissekanne

Max Hastings. Kui huvipakkuvate isikute nimekirjas tuleks keegi rasvases kirjas märkida, siis on see tema. Jason Bellilt on peamise kahtlusaluse tiitel ära võetud ja tema kohale on asunud Max. Ta on nüüd Andiega seotud küsimustes kaks korda valetanud. Sa ei valeta, kui sul ei ole midagi varjata.

Võtame kokku: ta on vanem mees, tal on Andiest alastifoto, mis on tehtud hotellis, kus ta võis vabalt 2012. aasta märtsis tüdrukuga kohtuda, ta oli nii Sali kui ka Andiega lähedane, ta ostis Andielt regulaarselt rohüpnooli ning ta paistab Howie Bowersit üsna hästi tundvat.

See avab ka võimaluse veel üheks paariks, kes võisid teha Andie mõrvas koostööd: Max ja Howie.

Minu meelest on aeg rohüpnooli lõng üles korjata ja seda järgida. Ükski normaalne üheksateistaastane ei osta ju koolipidudeks *roofie*'t, mis? Just see seob segast Max/Howie/Andie kolmnurka.

Saadan mõnele 2012. aastal Kiltonis koolis käinule sõnumi ja proovin heita valgust sellele, mis pinnapidudel toimus. Ja kui selgub, et see, mida ma kahtlustan, vastab tõele, kas võis siis Maxil ja rohüpnoolil olla võtmeroll selles, mis Andiega tol õhtul juhtus? Nagu puuduvad kaardid „Cluedo" mängulaual.

Huvipakkuvad isikud
Jason Bell
Naomi Ward
Salajane Vanem Mees
Nat da Silva
Daniel da Silva
Max Hastings
Howie Bowers

Uurimistöö raport - 28. sissekanne

Emma Hutton vastas mu sõnumile, kui olin koolis. Ta kirjutas nii:

*Jah, võib-olla. Mäletan, et tüdrukud rääkisid, et nende meelest
oli nende jookidesse midagi sokutatud. Kuid tõtt-öelda jõid kõik
ennast neil pidudel üsna täis, nii et arvatavasti ütlesid nad
seda ainult sellepärast, et ei osanud piiri pidada või soovisid
tähelepanu. Minu jooki ei pandud kunagi midagi.*

Chloe Burch vastas neljakümne minuti eest, kui vaatasin koos
Joshiga „Sõrmuse vennaskonda“:

*Ei usu. Mina sääraseid jutte ei kuulnud. Aga tüdrukud ju ütlevad
seda vahel, kui nad on liiga palju joonud.*

Eile õhtul saatsin sõnumi paarile inimesele, kes olid tägitud koos
Naomiga 2012. aasta pinnapidude fotodel ning kelle profiilil
oli meiliaadress. Valetasin pisut, ütlesin, et olen BBC reporter
Poppy, sest mõtlesin, et see õhutab neid rääkima. Tähendab, kui
neil on midagi öelda. Vastas ainult üks.

Hea Laura Hands

Olen ajakirjanik, kes töötab BBC jaoks sõltumatu uudislooga, mis räägib alaealiste pinnapidudest ja uimastipruukimisest. Mu senises uurimistöös selgus, et sa osalesid 2012. aastal Kiltoni piirkonnas pidudel, mida kutsuti „rajudeks". Kas sa võiksid kommenteerida, kas kuulsid kunagi jutte või nägid ise, et tüdrukutele oleks neil pidudel jookide sisse midagi sokutatud?

Oleksin väga tänulik, kui annaksite selle teema kohta teavet, ja võite olla kindel, et kõik teie pakutavad kommentaarid muudetakse anonüümseks ja neid käsitletakse võimalikult diskreetselt.

Täname teid teie aja eest.

Lugupidamisega
Poppy Firth-Adams

21.22 (2 minutit tagasi)
From: handslauraj116@yahoo.com
Saaja: pfa20@gmail.com

Tere, Poppy

Pole probleemi, aitan rõõmuga.

Tegelikult mäletan tõesti, et räägiti, et jookidesse sokutati midagi. Muidugi jõid kõik neil pidudel üleliia, nii et kindlalt ei saa midagi öelda.

Kuid mul oli sõber, kelle nimi oli Natalie da Silva, kes arvas, et ühel peol pandi tema joogi sisse midagi. Ta ütles, et ei mäletanud kogu õhtust midagi ja jõi ainult ühe klaasi. Kui ma õigesti mäletan, siis oli see 2012. aasta algul.

Mul võib tema telefoninumber veel alles olla, kui tahad temaga ühendust võtta.

Edu sulle looga. Kas võiksid mulle teada anda, kui see eetrisse jõuab? Oleks huvitav seda näha.

Parimate soovidega
Laura

Uurimistöö raport - 29. sissekanne

Täna hommikul, kui olin Joshi jalgpallimatšil, tuli veel kaks
vastust. Esimene ütles, et ei tea asjast midagi ega taha
kommenteerida. Teine oli järgmine:

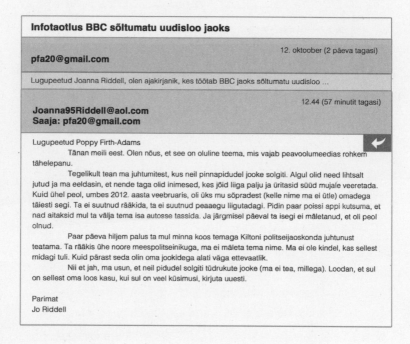

Infotaotlus BBC sõltumatu uudisloo jaoks

pfa20@gmail.com

12. oktoober (2 päeva tagasi)

Lugupeetud Joanna Riddell, olen ajakirjanik, kes töötab BBC jaoks sõltumatu uudisloo ...

Joanna95Riddell@aol.com
Saaja: pfa20@gmail.com

12.44 (57 minutit tagasi)

Lugupeetud Poppy Firth-Adams

    Tänan meili eest. Olen nõus, et see on oluline teema, mis vajab peavoolumeedias rohkem tähelepanu.

    Tegelikult tean ma juhtumitest, kus neil pinnapidudel jooke solgiti. Algul olid need lihtsalt jutud ja ma eeldasin, et nende taga olid inimesed, kes jõid liiga palju ja üritasid süüd mujale veeretada. Kuid ühel peol, umbes 2012. aasta veebruaris, oli üks mu sõpradest (kelle nime ma ei ütle) omadega täiesti segi. Ta ei suutnud rääkida, ta ei suutnud peaaegu liigutadagi. Pidin paar poissi appi kutsuma, et nad aitaksid mul ta välja tema isa autosse tassida. Ja järgmisel päeval ta isegi ei mäletanud, et oli peol olnud.

    Paar päeva hiljem palus ta mul minna koos temaga Kiltoni politseijaoskonda juhtunust teatama. Ta rääkis ühe noore meespolitseinikuga, ma ei mäleta tema nime. Ma ei ole kindel, kas sellest midagi tuli. Kuid pärast seda olin oma jookidega alati väga ettevaatlik.

    Nii et jah, ma usun, et neil pidudel solgiti tüdrukute jooke (ma ei tea, millega). Loodan, et sul on sellest oma loos kasu, kui sul on veel küsimusi, kirjuta uuesti.

Parimat
Jo Riddell

Asi läheb aina keerulisemaks.

Võin vist eeldada, et 2012. aasta pinnapidudel pandi
jookidesse midagi, kuid peoliste seas ei olnud see kuigi laialt
teada. Nii et Max ostis Andielt rohüpnooli ja tüdrukute jooke

solgiti pidudel, mida ta korraldas. Ei pea olema geenius, et kaks ja kaks kokku panna.

Ja mitte ainult seda, Nat da Silva võis vabalt olla üks tüdrukutest, kelle joogi sisse ta midagi pani. Kas see võib olla Andie mõrva juures oluline? Ja kas Natiga juhtus midagi tol ööl, kui teda ta enda arvates uimastati? Ma ei saa temalt küsida: nimetaksin teda *erakordselt vaenulikuks tunnistajaks.*

Ja viimaks, kõige krooniks ütles Joanna Riddell, et tema sõber arvas, et teda uimastati ja teatas sellest Kiltoni politseile. „Noorele" meespolitseinikule. Noh, ma olen asja uurinud ning 2012. aastal oli ainus noor meespolitseinik (just, KILL-KÕLL) Daniel da Silva. Temast vanuselt järgmine meespolitseinik oli 2012. aastal neljakümne ühe aastane. Joanna ütles, et avaldusest ei tulnud midagi. Kas põhjus oli vaid see, et see anonüümne tüdruk teatas politseile pärast seda, kui ta veres oleks uimastijälgi alles olnud? Või oli Daniel kuidagi seotud ... püüdis midagi kinni mätsida? Ja miks?

Tundub, et olen just komistanud veel ühele seosele huvipakkuvate isikute, Max Hastingsi ja kahe Da Silva vahel. Helistan hiljem Ravile ning me võime korraldada ajurünnaku küsimuses, mida see võimalik kolmnurk võiks tähendada. Kuid praegu pean keskenduma Maxile. Ta on küllalt valetanud ja nüüd on mul tõesti põhjust uskuda, et ta solkis pidudel tüdrukute jooke ja kohtus Sali selja taga Andiega Ivy House'i hotellis.

Kui peaksin projekti praegu peatama ja kellelegi näpuga näitama, siis näitaksin Maxile. Ta on kahtlusalune number üks.

Kuid ma ei saa lihtsalt minna ja temaga sellest kõigest rääkida; ka tema on vaenulik tunnistaja ning nüüd pealegi säärane, kes võib olla olnud vägivaldne. Ta ei räägi, kui mul ei ole mõjutusvahendit. Niisiis pean selle otsima ainsal viisil, mida oskan: tõsise küberjälitamise teel.

Pean leidma võimaluse pääseda ligi tema Facebooki profiilile ning jahtima teda kõigis postitustes ja kõigil fotodel, otsima ükskõik mida, mis seoks teda Andie või Ivy House'i või tüdrukute uimastamisega. Midagi, mida saaksin kasutada, et panna ta rääkima, või veelgi parem, millega otse politseisse minna.

Ma pean pääsema mööda Nancy Tangotitsi (ehk Maxi) privaatsusseadetest.

Kakskümmend viis

Pip pani noa ja kahvli liialdatud täpsusega tseremoniaalselt taldrikule.

„Kas ma tohin nüüd lauast lahkuda?" Ta vaatas ema poole, kelle kulm oli kortsus.

„Ma ei saa aru, millest säärane rutt," ütles ema.

„Ma olen oma uurimistööga poole peal ja tahan enne voodisse minemist sihtmärkidele pihta saada."

„Lippa siis, mummuke," naeratas isa ja sirutas käe, et ülejäänud toit Pipi taldrikult enda omale tõsta.

„Vic!" Ema põrnitsus oli nüüd suunatud isale, Pip tõusis ja lükkas tooli laua alla.

„Oh, kullake, mõned inimesed peavad muretsema selle pärast, et nende lapsed tormavad poole õhtusöögi pealt silmamunadesse heroiini süstima. Ole tänulik, et asi on Pipi koolitöös."

„Mis on heroiin?" küsis Josh, kui Pip toast lahkus.

Ta võttis kaks astet korraga, jättes oma varju trepijalamil lamavale Barneyle. Koer vaatas segaduses, pea viltu, kuidas Pip läheb sellesse koertele keelatud paika.

Pipil oli olnud õhtusöögil aega Nancy Tangotitsi kohta kõik läbi mõelda ja nüüd oli tal idee.

Ta sulges oma toa ukse, võttis telefoni ja valis numbri.

„Halloo, *muchacha*," siristas Cara.

„Tere," vastas Pip. „Kas oled ametis Downtoni nautimisega või on sul paar minutit, et aidata mind mu salategemistes?"

„Salategemisteks olen ma alati olemas. Mida vaja?"

„Kas Naomi on kodus?"

„Ei, Londonis. Mis siis?" Cara häälde hiilis kahtlus.

„Okei, vannud, et see jääb saladusse?"

„Muidugi. Mis lahti?"

Pip alustas. „Ma olen kuulnud jutte kunagistest pidudest, mis võisid anda mulle mu uurimistöö jaoks ühe juhtlõnga. Aga mul on vaja tõendit ja siin tulevadki mängu salategemised." Ta lootis, et esitas oma loo õigesti, jättes välja Maxi nime ja püüdes seda mitte esitada ülearu tähtsana, et Cara ei hakkaks õe pärast muretsema, kuid jättes sisse piisavalt lünki, et tema uudishimu äratada.

„Oo, millised jutud?" küsis Cara.

Pip tundis sõpra väga hästi. „Esialgu veel mitte midagi olulist. Aga mul on vaja vanu peofotosid vaadata."

„Selge, lase tulla."

„Max Hastingsi Facebooki profiil on petukaup, tead küll, tööandjate ja ülikoolide tarvis. Tema tegelik profiil on valenime ja tõsiselt rangete privaatsusseadetega. Ma näen ainult neid asju, millel on tägitud ka Naomi."

„Ja sa tahad Naomi nime all sisse logida, et Maxi vanu fotosid vaadata?"

„Bingo," ütles Pip voodile istudes ja võttis sülearvuti.

„Seda saan ma teha," trillerdas Cara hääl. „Tehniliselt me ei nuhi Naomi järele nagu tol korral, kui ma lihtsalt pidin teadma, kas see punapäine Benedict Cumberbatchi teisik on tema uus kallim. Nii et tehniliselt ei riku ma reegleid, *issi*. Pealegi, Nai peaks õppima, et vahetevahel tuleb oma salasõna muuta, tal on üks ja sama salasõna kõige jaoks."

„Kas sa pääsed tema sülearvutisse?" küsis Pip.

„Teen seda just praegu lahti.“

Paus, mida täitsid klahviklõbin ja hiire klõpsamine. Pip nägi silme ees Carat selle naeruväärselt hiiglasliku juuksekrunniga, mida ta alati kandis, kui oli pidžaamas. Mis oli Cara puhul nii tihti kui vähegi võimalik.

„Nii, ta on endiselt sisse logitud. Ma olen sees.“

„Kas sa saad turvasätetesse minna?“ küsis Pip.

„Mhm.“

„Võta sisselogimisteadete kõrval olevas kastis linnuke maha, et ta ei saaks teada, et login teisest arvutist sisse.“

„Tehtud.“

„Okei,“ sõnas Pip, „see oli kogu häkkimine, mida mul sinult vaja oli.“

„Häbilugu,“ ütles Cara, „see oli palju põnevam kui minu uurimistöö.“

„Sa ei oleks pidanud valima oma uurimistöö teemaks hallitust.“

Cara ütles Naomi meiliaadressi ja Pip toksis selle Facebooki sisselogimislehele.

„Tema salasõna on Isobel0610,“ ütles Cara.

„Suurepärane.“ Pip toksis selle sisse. „Tänan, semu. Vabalt.“

„Sain aru. Aga kui Naomi teada saab, annan su otsemaid üles.“

„Selge,“ kinnitas Pip.

„Olgu, Plops, isa kisab. Räägi siis, kui leiad midagi huvitavat.“

„Teeme nii,“ lubas Pip, kuigi teadis, et ei saa seda teha.

Ta pani telefoni käest, kummardus arvuti kohale ja vajutas Facebooki sisselogimisnuppu.

Pilku kiiresti üle Naomi uudistevoo lastes märkas ta, et see oli nagu ta enda omagi täis tobedusi tegevaid kasse, retseptivideoid ning grammatiliselt vigaseid motivatsioonitsitaate loojangupiltide kohal.

Pip toksis otsinguribale Nancy Tangotits ja klõpsas Maxi profiilil. Keerlev laadimisring kadus ja ette tuli lehekülg, ajajoon täis erksaid värve ja naerunägusid.

Pipil ei läinud kaua, et mõista, miks Maxil oli kaks profiili. Mingil juhul ei oleks ta tahtnud, et vanemad näeksid, millega ta kodust ära olles tegeleb. Temast oli palju fotosid klubides ja baarides, heledad juuksed higisele laubale kleepumas, lõug pingul ning silmad pahupidi ja fokuseerimata. Käed tüdrukute piha ümber, keel kaamera poole, maha loksunud jookidest pritsmed särkidel. Ja need olid ajajoonel vaid viimased.

Pip klõpsas Maxi fotodele ja alustas pikka kerimist 2012. aasta poole. Umbes iga kaheksakümne pildi järel pidi ta ootama laadimist, mis viiks ta kaugemale Nancy Tangotitsi minevikku. Kogupilt oli üsna ühesugune: klubid, baarid, klaasistunud pilgud. Maxi öistest tegemistest tuli lühike paus fotodega suusareisilt, mil Max seisis lumes, seljas vaid Borati *mankini*.

Kerimine võttis nii kaua aega, et Pip sättis telefoni toe najale ning vajutas tegelike kuritegude taskuhäälingu osale, mis tal pooleli oli. Viimaks jõudis ta 2012. aastasse ning suundus tagasi jaanuarikuusse, et pilte põhjalikumalt uurida.

Enamik fotosid oli Maxist koos teiste inimestega, esiplaanil naeratamas, või seltskonnast, kes naeris, kui Max tegi midagi tobedat. Tema peamised kaasstaarid olid Naomi, Jake, Millie ja Sal. Pip peatus pikemalt fotol Salist, kes naeratas säravalt kaamerasse, samal ajal kui Max tema põske limpsis. Ta pilk liikus kahe purjus ja rõõmsa poisi vahel, otsides pikslitest jälge võimalike traagiliste saladuste kohta nende vahel.

Eriti põhjalikult uuris Pip fotosid, kus oli palju inimesi, otsis taustal Andie nägu, otsis midagi kahtlast Maxi käes, olukordi, kus ta võinuks passida mõne tüdruku joogiklaasi ligiduses. Ta klõpsas edasi-tagasi nii paljude peofotode vahet, et ta väsinud ja kuvari valgest valgusest kuivaks tõmbunud silmade ees mõjusid need liikuvate piltidena. Kuni ta jõudis tolle õhtu fotode juurde ning kõik muutus taas teravaks ja staatiliseks.

Pip kummardus ettepoole.

Andie kadumise õhtust oli Max teinud ja üles laadinud kümme fotot. Pip tundis kohe ära kõigi riided ning Maxi kodu diivanid. Kui lisada Naomi kolm ja Millie kuus pilti, oli tollest õhtust kokku üheksateist fotot, üheksateist võtet Andie Belli elu viimastest tundidest.

Pip värises ja tõmbas teki üle jalgade. Fotod olid üsna samasugused nagu need, mille olid teinud Millie ja Naomi: Max ja Jake pultidega kuhugi vahtimas, Millie ja Jake poseerimas, näole kantud naljakad filtrid, taustal oma telefoni vahtiv Naomi, kes ei pane foto jaoks poseerimist tähelegi. Neli parimat sõpra ilma viiendata. Sal on väidetavalt kedagi mõrvamas, selle asemel et koos teistega lollitada.

Ja siis märkas Pip seda. Kui tal olid vaid Millie ja Naomi fotod, oli see lihtsalt kokkusattumus, kuid nüüd Maxi pilte vaadates sai sellest muster. Kõik kolm olid laadinud selle õhtu fotod üles esmaspäeval, 23. märtsil kella poole kümne ja kümne vahel. Kas polnud pisut kummaline, et keset kogu Andie kadumise hullust olid nad kõik otsustanud postitada need fotod peaaegu täpselt ühel ajal? Ja miks neid pilte üldse üles laadida?

Naomi ütles, et nad olid esmaspäeva õhtul otsustanud politseile Sali alibi kohta tõtt rääkida: kas nende fotode üleslaadimine oli selle otsuse esimene samm? Et Sali puudumist enam mitte varjata?

Pip pani kirja paar märkust üleslaadimise kokkusattumuse kohta, klõpsas siis salvestusnuppu ja pani arvuti kinni. Ta seadis end magamaminekuks valmis, lonkis vannitoast tagasi, hambahari suus, ning kritseldas ümisedes valmis homsete tegemiste nimekirja. *Lõpeta Margaret Atwoodi essee* oli kolm korda alla tõmmatud.

Voodis luges Pip kolm lõiku käsilolevast raamatust, enne kui väsimus hakkas sõnu segi ajama, muutes need peas imelikuks ja tundmatuks. Ta suutis vaevalt tule kustutada, enne kui uni temast võitu sai.

Pip ajas end turtsatuse ja jalatõmblusega voodis istukile. Ta toetus vastu peatsit ja hõõrus silmi, kuni täiesti üles ärkas. Ta vajutas telefoninuppu ja ekraanivalgus pimestas silmi. Kell oli 4.47.

Mis oli teda üles ajanud? Kas rebase kiljumine väljas? Unenägu?

Miski liigahtas Pipi keeleotsal ja ajus. Ebamäärane mõte: liiga ebemeline, oraline ja muutlik, et seda sõnadesse panna, äsja ärganu arusaamise ulatusest eemal. Kuid Pip teadis, kuhu see teda tõmbab.

Ta lipsas kiiresti voodist välja. Jahe tuba näpistas paljast nahka ja muutis hingeõhu lummutisteks. Ta haaras laualt süle-arvuti ja läks tagasi voodisse, mässides end sooja saamiseks teki sisse. Arvutit avades pimestas teda taas hõbedane valgus. Ta avas silmi kissitades Facebooki, kus oli ikka veel Naomi nime all sisse logitud, ning loovis tagasi Nancy Tangotitsi ja tolle õhtu fotode juurde.

Pip vaatas kõik korraga läbi ja liikus siis pisut aeglasemalt tagasi. Ta peatus eelviimase foto juures. Sellel olid kõik neli sõpra. Naomi istus, selg kaamera poole, ja vaatas maha. Kuigi ta oli taustal, oli näha, kuidas telefon ta käes helendas ja ekraanil olid väikesed valged numbrid. Foto keskmes olid Max, Millie ja Jake, kes seisid diivani lähemas otsas, naeratava Millie käed poiste õlgadel. Maxil oli endiselt pult käes ning Jake'i parem külg ei olnud pildile mahtunud.

Pip võbistas end, kuid see ei olnud külmast.

Kaamera pidi olema naervatest sõpradest vähemalt pooleteise meetri kaugusel, et kõiki pildile saada.

Ja öö hauavaikuses sosistas Pip: „Kes pildistab?"

Kakskümmend kuus

See oli Sal.

Pidi olema.

Külmast hoolimata oli Pipi keha kui möllava vere, kuumuse ning südame kiire pekslemise kanal.

Ta liikus mehaaniliselt, pea triivimas mõttelainetes, mis üksteisest arusaamatult üle karjusid. Kuid ta käed teadsid kuidagi, mida teha. Mõni minut hiljem oli ta arvutisse laadinud Photoshopi prooviversiooni. Ta salvestas Maxi foto ja avas faili programmis. Siidise iiri hääldusega mehe netiõpetusi järgides suurendas ta fotot ja siis teravustas seda.

Pipi kehast hoovasid vaheldumisi üle kuumad ja külmad lained. Ta naaldus seljatoele ja ahhetas.

Selles ei olnud mingit kahtlust. Väikesed numbrid Naomi telefoni ekraanil näitasid 00.09.

Nad ütlesid, et Sal lahkus pool üksteist, kuid seal nad olid, kõik neli sõpra üheksa minutit pärast südaööd, ühel pildil, ja keegi neist ei saanud olla pildistaja.

Maxi vanemad olid ära ja kedagi teist seal ei olnud, nii olid nad ise öelnud. Nad olid viiekesi, kuni Sal pool üksteist lahkus, et minna oma kallimat tapma.

Ja siinsamas, otse Pipi silme ees oli tõend, et see oli vale. Pärast südaööd oli majas ka viies inimene. Ja kes see muu oleks saanud olla, kui mitte Sal?

Pip keris suurendatud foto ülemise servani. Kaugema seina ääres seisva diivani taga oli aken. Ja selle keskmisel tahvlil oli telefonikaamera välgu sähvatus. Akna taga laiuvas pimeduses ei olnud telefoni hoidja kogu võimalik eristada. Kuid kohe erkvalgete viirgude taga oli õrn sinise peegelduse kuma, mis oli nähtav vaid ümbritseva musta taustal. Täpselt niisama sinine nagu pusa, mida Sal tol õhtul kandis ja mida Ravi endiselt vahel kannab. Pipi kõhus jõnksatas, kui ta mõtles Ravi peale ja kujutles poisi ilmet, kui ta seda fotot näeb.

Ta tegi suurendatud fotost dokumendi ja kärpis seda, nii et ühel lehel oli ainult Naomi telefoniga ning teisel peegeldus aknal. Ta saatis algse salvestatud foto ja mõlemad leheküljed oma kirjutuslaual olevasse printerisse. Ta vaatas voodist, kuidas printer kõik leheküljed välja sülitas ja sealjuures nagu ikka vaikselt auruvedurina popsus. Pip sulges hetkeks silmad, kuulatades vaikset tuhmi heli.

„Pips, kas ma tohin sisse tulla ja tolmuimejaga võtta?"

Pip lõi silmad lahti. Ta ajas end oma lössis asendist sirgu, keha parem pool puusast kaelani tuikas.

„Sa oled ikka veel voodis?" küsis ema ust avades. „Kell on pool kaks, laiskvorst. Mina arvasin, et sa oled ammu üleval."

„Ei... ma," ütles Pip, kurk kuiv ja kriipiv, „olin lihtsalt väsinud, ma ei tunne end eriti hästi. Kas sa võiksid enne Joshi toas tolmu võtta?"

Ema seisatas ja silmitses tütart, soojas pilgus mure. „Ega sa ei ole üle töötanud, Pip?" küsis ta. „Me rääkisime sellest."

„Ei ole."

Ema sulges ukse ja Pip ronis voodist välja, nii et oleks peaaegu arvuti ümber lükanud.

Ta seadis end valmis, tõmbas traksidega püksid tumerohelisele kampsunile ja mässas harjaga, et seda juustest läbi saada.

Ta võttis kolme foto väljatrükid, pani need kilekaante vahele ja torkas seljakotti. Siis keris ta telefonis viimaste kõnede nimekirjas ja valis numbri.

„Ravi?"

„Mis lahti, Seersant?"

„Saame kümne minuti pärast sinu maja juures kokku. Ma ootan autos."

„Selge. Mis täna menüüs, jälle väljapressimine? Lisandiks sissemurd ..."

„Asi on tõsine. Ole kümne minuti pärast kohal."

Kõrvalistmel istuv Ravi, pea peaaegu autolage puutumas, põrnitses ammuli sui prinditud fotosid oma käes.

Kulus tükk aega, enne kui ta midagi ütles. Nad istusid vaikides ja Pip vaatas, kuidas Ravi tõmbas sõrmega üle hägusa sinise peegelduse tagaaknal.

„Sal ei valetanudki politseile," sõnas poiss viimaks.

„Ei valetanud," vastas Pip. „Mina arvan, et ta lahkus Maxi juurest kaksteist viisteist, täpselt nagu ta algul ütles. Tema sõbrad olid need, kes valetasid. Ma ei tea, miks, aga nad valetasid tol teisipäeval ja võtsid temalt alibi."

„See tähendab, et ta on süütu, Pip." Ravi suured pruunid silmad olid ainiti Pipi omadel.

„Seda me kavatsemegi kontrollida, tule."

Pip avas autoukse ja astus välja. Ta oli Ravi peale võtnud ja sõitnud siis kohe siia, parkinud Wyvil Roadi lähedale muruplatsi servale, ohutuled peal. Ravi sulges ukse ja järgnes Pipile, kes hakkas mööda teed edasi minema.

„Kuidas me seda kontrollime?"

„Me peame olema kindlad, Ravi, enne kui saame seda tõena võtta," ütles Pip tempot Ravi omaga sobitades. „Ning ainus viis, kuidas kindel olla, on korraldada Andie Belli mõrva taaslavastus. Vaadata Sali uut Maxi juurest lahkumise kellaaega arvestades, kas tal oleks ikkagi jätkunud aega, et Andie tappa, või ei."

Nad keerasid vasakule Tudor Lane'ile ja rühkisid kogu tee kuni Max Hastingsi suure majani, kus see kõik oli viis ja pool aastat tagasi alguse saanud.

Pip võttis telefoni välja.

„Me peaksime andma kujuteldavale süüdistusele võimaluse," ütles Pip. „Ütleme, et Sal lahkus Maxi juurest kohe pärast selle foto tegemist, kümme minutit pärast südaööd. Mis kell Sal su isa sõnul koju jõudis?"

„Umbes kaksteist viiskümmend," vastas poiss.

„Olgu. Mööname mõningast valesti mäletamist ja ütleme, et pigem kaksteist viiskümmend viis. Mis tähendab, et Salil oli uksest ukseni jõudmiseks aega nelikümmend viis minutit. Me peame liikuma kiiresti, Ravi, kasutama minimaalset võimalikku aega, mis võis kuluda Andie tapmiseks ja tema laibast vabanemiseks."

„Normaalsed teismelised istuvad pühapäeval kodus ja vaatavad telekat," tähendas Ravi.

„Õigus. Ma käivitan stopperi … nüüd."

Pip keeras kannal ringi ja marssis tuldud teed tagasi, Ravi kõrval. Tüdruku sammud olid midagi kiire kõnni ja aeglase sörgi vahepealset. Kaheksa minutit ja nelikümmend seitse sekundit hiljem jõudsid nad Pipi auto juurde ja tüdruku süda peksis juba. See oli õige koht.

„Nii." Pip keeras süütevõtit ja pööras uuesti tänavale. „Siin on Andie auto ja ta on Sali kinni pidanud. Kiirema autosse-istumise aja huvides ütleme, et tema sõitis. Nüüd läheme esimesse vaiksesse kohta, kus mõrv võis teoreetiliselt aset leida."

Pip ei olnud kuigi kaua sõitnud, kui Ravi osutas käega.

„Seal," ütles poiss, „see on vaikne ja eraldatud. Keera sinna."

Pip keeras väiksele kruusateele kõrgete hekkide vahel. Viit ütles, et kitsas käänuline tee viib talu juurde. Pip peatas auto kohas, kus heki sisse oli lõigatud laiem möödasõidukoht, ja ütles: „Nüüd läheme välja. Auto salongist verd ei leitud, ainult pagasiruumist."

Kui Ravi tuli ümber kapoti Pipi poole, heitis tüdruk pilgu tiksuvale stopperile: 15.29, 15.30 …

„Nii," ütles Pip. „Ütleme, et praegu nad tülitsevad. Asi kisub ägedaks. Küsimus võis olla Andie narkoäris või selles salajases vanemas mehes. Sal on endast väljas, Andie karjub vastu." Pip ümises vaikselt ja laiutas kujuteldavas stseenis käsi. „Ja umbes nüüd leiab Sal ehk teelt kivi või Andie autost midagi rasket. Võib-olla ei olnud see üldse relv. Anname talle Andie tapmiseks vähemalt nelikümmend sekundit."

Nad ootasid.

„Nüüd on Andie surnud." Pip osutas kruusateele. „Sal avab pagasiruumi …" Pip avas pagasiruumi, „ja tõstab Andie üles." Ta kummardus, sirutas käed ja võttis aega nähtamatu keha tõstmiseks. „Ta paneb laiba pagasiruumi, kust leiti verd." Pip pani käed pagasiruumi vaipkattega põrandale ja astus tagasi, et luuk sulgeda.

„Nüüd tagasi autosse," ütles Ravi.

Pip kontrollis stopperit: 20.02, 20.03 ... Ta tagurdas ja keeras tagasi maanteele.

„Nüüd juhib Sal," ütles ta. „Tema sõrmejäljed jäävad roolile ja armatuurile. Ta mõtleb, kuidas laibast vabaneda. Lähim võimalik metsaala on Lodge Wood. Nii et ta võib ära keerata ka siin, Wyvil Roadil," ütles ja keeras teelt ära kohas, kus vasakul hakkas paistma mets.

„Kuid tal oli vaja leida koht, kus metsale võimalikult lähedale sõita," väitis Ravi.

Nad otsisid mitu minutit säärast kohta, kuni tee muutus mõlemal pool kõrguvate puude all hämaramaks.

„Seal." Nad märkasid samal ajal sobivat paika. Pip osutas ning keeras rohusele teepervele.

„Olen kindel, et politsei on siin sada korda otsinud, sest see on Maxi majale lähim mets," ütles ta. „Aga ütleme, et Salil õnnestus surnukeha siia peita."

Pip ja Ravi tulid uuesti autost välja.

26.18.

„Ta avab pagasiruumi ja tirib Andie välja." Pip jäljendas seda ja märkas, kuidas Ravi lõualihased pingule tõmbusid ja siis lõtvusid. Ilmselt nägi poiss seda pilti unes, kuidas tema hea vanem vend lohistab verist surnukeha puude vahel. Kuid võib-olla ei pea ta pärast tänast seda enam ette kujutama.

„Sal pidi viima ta üsna kaugele, teest eemale," ütles Pip. Ta jäljendas surnukeha vedamist ja tuigerdas kummardades aeglaselt tagurpidi.

„Siin on maanteelt üsna varjus," sõnas Ravi, kui Pip oli „laipa" umbes seitsekümmend meetrit puude vahel lohistanud.

„Jah." Pip lasi „Andie" lahti.

29.48.

„Nii," ütles ta, „auk on kogu see aeg olnud probleemne punkt – kuidas tal oli aega, et piisavalt sügav auk kaevata. Ent nüüd, kui me siin oleme," Pip vaatas päikesetähniliste puude vahel ringi, „siin on üsna palju murdunud puid. Võib-olla ei olnudki tal vaja eriti palju kaevata. Võib-olla leidis ta mõne madala kraavi. Näiteks sellise." Pip osutas suurele samblasele lohule, milles roomas pundar vanu kuivanud juuri, ikka veel ammu murdunud puu küljes.

„Ta oleks pidanud selle sügavamaks kaevama," sõnas Ravi. „Andiet ei ole leitud. Jätame kaevamiseks kolm-neli minutit."

„Nõus."

Kui aeg täis sai, lohistas Pip „Andie laiba" auku. „Siis oli tal vaja auk uuesti täita, katta see mulla ja prahiga."

„Teeme nii," sõnas Ravi, nägu otsusekindel. Ta surus saapa-nina mulda ja lennutas selle auku.

Pip järgis poisi eeskuju ning lükkas väiksesse kraavi mulda, lehti ja oksi.

Ravi oli põlvili ning kuhjas „Andie" peale sületäite kaupa mulda.

„Okei," sõnas Pip, kui nad valmis said, pilgud kunagisel augul, mida ei olnud enam metsaalusel näha. „Nüüd on surnu-keha maha maetud ja Sal oleks tagasi suundunud."

37.59.

Nad jooksid tagasi Pipi auto juurde ja ronisid sisse, tehes põranda üleni poriseks. Pip manööverdas auto ümber ja vandus, kui neist mööduda üritanud neljarattaveoline signaali andis, nii et tüdruku kõrvad kogu tee kumisesid.

Tagasi Wyvil Roadile jõudes ütles Pip: „Nii, nüüd sõidab Sal Romer Close'ile, kus juhtumisi elab Howie Bowers. Ja jätab Andie auto sinna."

Mõne minuti pärast jõudsid nad Romer Close'ile ja Pip parkis auto Howie majast eemale. Ta piiksutas auto lukku.

„Ja nüüd kõnnime minu majani," sõnas Ravi, püüdes sammu pidada Pipiga, kes peaaegu jooksis. Mõlemad keskendusid liiga tugevasti, et rääkida, pilgud jalgadel, kui nad Sali väidetavaid aastatetaguseid samme kordasid.

Nad jõudsid hingetute ja õhetavatena Singhide maja juurde. Pipi ülahuult kõditas higikord. Ta pühkis selle varrukaga ära ja võttis telefoni.

Tüdruk vajutas stopperi kinni. Numbrid söötsid temast läbi kuni kõhuni välja ning hakkasid seal lendlema. Ta vaatas Ravi poole.

„Mis on?" Poisi silmad olid suured ja uurivad.

„Nii," ütles Pip, „me andsime Salile Maxi juurest siia jõudmiseks kõige rohkem nelikümmend viis minutit. Kasutasime taasesituses lähimaid võimalikke kohti ja tegutsesime peaaegu mõeldamatu kiirusega."

„Jah, see oli kiireim mõrv. Ja?"

Pip sirutas telefoni poisi poole ja näitas talle stopperit.

„Viiskümmend kaheksa minutit üheksateist sekundit," luges Ravi valjusti.

„Ravi." Poisi nimi särises Pipi huultel ja ta näole ilmus naeratus. „Sal ei oleks saanud seda teha. Ta on süütu, see foto tõestab seda."

„Pask." Ravi astus tagasi, kattis käega suu ja raputas pead. „Ta ei teinud seda. Sal on süütu."

Siis lasi Ravi kuuldavale hääle, see muutus ta kurgus aeglaselt valjemaks, oli kare ja võõras. See purskus temast välja, kiire naeruhaugatus, mida varjutas uskumatus. Naeratus levis nii aeglaselt üle Ravi näo, et tundus, nagu harutaks see lahti ühe lihase teise järele. Siis naeris poiss uuesti, see heli oli puhas ja soe ning Pipi põsed lõid selle kuumusest õhetama.

Ja siis, ilme ikka veel naerune, tõstis Ravi pilgu taevasse, päike näol, ning naerust sai röökimine. Ta karjus üles taeva poole, kael pingul, silmad tugevasti kinni pigistatud.

Üle tänava vaatasid inimesed Ravit ja majades liikusid kardinad. Kuid Pip teadis, et poiss ei hooli sellest. Ka tema ei hoolinud, vaadates sõpra õnne ja leina segadusseajavas hetkes.

Ravi vaatas Pipi poole ja röökimine muutus taas naeruks. Ta tõstis Pipi õhku ja läbi tüdruku keerles midagi säravat. Ta naeris, pisarad silmis, kui poiss teda üha ringi ja ringi keerutas.

„Me saime sellega hakkama!" ütles Ravi ja pani Pipi maha nii kohmakalt, et tüdruk oleks peaaegu pikali kukkunud. „Me tegimegi selle ära. Kas sellest piisab? Kas me saame selle fotoga politseisse minna?"

„Ma ei tea," tunnistas Pip. Ta ei tahtnud seda Ravilt ära võtta, kuid ta tõesti ei teadnud. „Võib-olla piisab sellest, et veenda neid uurimist uuesti avama, võib-olla mitte. Kuid enne vajame vastuseid. Me peame teadma, miks Sali sõbrad valetasid. Miks nad ta alibist ilma jätsid. Tule."

Ravi astus sammu ja lõi kõhklema. „Sa tahad Naomilt küsida?"

Pip noogutas ja poiss tõmbus tagasi.

„Sa peaksid üksi minema," ütles ta. „Naomi ei räägi, kui mina seal olen. Ta ei suuda füüsiliselt rääkida. Põrkasin eelmisel

272

aastal temaga kokku ning ta purskas ainuüksi mind nähes nutma."

„Oled kindel?" küsis Pip. „Kõigist inimestest oled just sina see, kes vääriks teadmist, miks."

„Teisiti seda teha ei saa, usu mind. Ole ettevaatlik, Seersant."

„Olgu. Ma helistan sulle kohe." Pip ei olnud päris kindel, kuidas Ravist lahkuda. Ta puudutas Ravi käsivart ning kõndis siis minema, võttes poisi näoilme endaga kaasa.

Kakskümmend seitse

Pip kõndis tagasi oma auto poole Romer Close'il, samm naastes palju kergem. Kergem, sest nüüd teadis ta kindlalt. Ning võis seda oma peas öelda. Sal Singh ei tapnud Andie Belli. Mantra sammude taktis.

Ta valis Cara numbri.

„Tere, kullake," vastas Cara.

„Mida sa teed?" küsis Pip.

„Tegelikult on mul koos Naomi ja Maxiga kodutööklubi. Nemad koostavad tööle kandideerimise avaldusi ja mina maadlen oma uurimistööga. Sa ju tead, et ma ei suuda üksinda keskenduda."

Pip tundis rinnas raskust. „Max ja Naomi on mõlemad praegu seal?"

„Jah."

„Kas su isa on kodus?"

„Ei, ta läks pärastlõunaks tädi Lila juurde."

„Okei, ma tulen sinna," ütles Pip. „Olen kümne minuti pärast seal."

„Mul on kuri plaan. Saan osa sinu keskendumisvõimest endale imeda."

Pip jättis hüvasti ja lõpetas kõne. Ta tundis süükihvatust, sest pidi segama Cara sellesse, mis ees ootab. Sest Pip ei kavatsenud viia kodutööklubisse keskendumisvõimet. Ta viib sinna rünnaku.

Cara avas välisukse, seljas pingviinidega pidžaama ja jalas karusussid.

„*Chica*," ütles ja sasis Pipi niigi sassis juukseid. „Rõõmsat pühapäeva. *Mi club de kodutöödo es su club de kodutöödo.*"

Pip sulges ukse ja järgnes Carale kööki.

„Me keelasime rääkimise ära," ütles Cara Pipile ust lahti hoides. „Ja liiga kõvasti klõbistamise, nagu teeb Max."

Pip astus kööki. Max ja Naomi istusid kõrvuti laua ääres, sülearvutid ja paberid laiali ees. Auravad kruusid äsja valmistatud teega käes. Cara koht oli laua teisel küljel: segamini paberid, märkmikud ja sulepead klaviatuuril.

„Tere, Pip," naeratas Naomi. „Kuidas läheb?"

„Tänan, hästi," vastas Pip, hääl äkki räme. Kui ta Maxi poole vaatas, pööras see pilgu ära ja põrnitses oma hallikaspruuni teed.

„Tere, Max," sõnas Pip rõhuga, sundides poissi enda poole vaatama.

Max manas näole kinnise suuga naeratusejupi, mis võis meenutada Carale ja Naomile tervitust, kuid Pip teadis, et see oli mõeldud grimassina. Ta astus laua juurde ja lasi seljakotil sellele kukkuda, otse Maxi vastu. Kott mütsatas vastu lauda, pannes kõik kolm sülearvutit hingede kohalt võbisema.

„Pip armastab kodutöid," selgitas Cara Maxile. „Lausa agressiivselt."

Cara istus tagasi oma toolile ja liigutas hiirt, et arvuti uuesti ellu äratada. „Istu," sõnas ta ja tõmbas tooli jalaga laua alt välja. Toolijalad kriipisid ja kriuksusid põranda vastas.

„Mis uudist, Pip?" küsis Naomi. „Kas sa teed tahad?"

„Mida sa vahid?" sekkus Max.

„Max!" Naomi andis poisile paberiplokiga vastu käsivart.

Pip nägi silmanurgast Cara segaduses nägu. Kuid ei pööranud Naomilt ja Maxilt pilku. Ta tundis, kuidas viha terves kehas tuksleb, kuidas ninasõõrmed sellest paisuvad. Enne nende nägemist ei olnud ta teadnudki, et niimoodi tunneb. Ta oli arvanud, et tunneb kergendust. Kergendust, et see kõik on läbi, et nad tegid Raviga ära selle, mille ette võtsid. Kuid Naomi ja Maxi näod ajasid ta marru. Asi ei olnud enam tillukestes pettustes ja süütutes mäluvimkades. See oli kalkuleeritud elumuutev vale. Pikslitest välja kaevatud uskumatu reetmine. Ja ta ei kavatsenud istuda ega pilku mujale viia, enne kui teab, miks.

„Kõigepealt tulin ma siia lihtsalt viisakusest," ütles ta, hääl värisemas. „Sest Naomi, sa oled olnud mulle peaaegu kogu elu nagu õde. Max, sulle ei võlgne ma midagi."

„Pip, millest sa räägid?" küsis Cara, hääl tärkavast murest pinevil.

Pip avas koti ja võttis välja kilekausta. Ta avas selle, kummardus üle laua ning pani kolm välja prinditud paberilehte Maxi ja Naomi vahele.

„See on teie võimalus selgitada, enne kui ma politseisse lähen. Mida sul öelda on, Nancy Tangotits?" Ta põrnitses Maxi.

„Millest sa räägid?" turtsatas poiss.

„See on sinu foto, Nancy, tollest õhtust, kui Andie Bell kadus, jah?"

„Jah," kinnitas Naomi vaikselt. „Aga mis ...?"

„Tollest õhtust, kui Sal lahkus kell pool üksteist Maxi majast, et minna Andiet tapma?"

„Jah," sähvas Max. „Ja mida sa sellega tõestada tahad?"

276

„Kui sa sekundiks lärmamise lõpetaksid ja fotot vaataksid, saaksid aru, mida," nähvas Pip vastu. „Ilmselt ei huvita sind detailid, muidu ei oleks sa seda fotot üldse üles pannud. Ma siis selgitan. Sellel fotol olete sina, Naomi, Millie ja Jake."

„Ja siis?" küsis Max.

„Nancy, kes teid nelja pildistas?"

Pip pani tähele, kuidas Naomi silmad läksid fotot vaadates pärani ja suu vajus pisut lahti.

„Okei," sõnas Max, „võib-olla tegi selle foto tõesti Sal. Me ju ei öelnud, et teda üldse seal ei olnud. Ilmselt tegi ta selle millalgi varem."

„Kena katse," vastas Pip, „aga ..."

„Minu telefon." Naomi vajus näost ära. „Mu telefonis on kellaaeg näha."

Max jäi vait, silmitses fotosid, lõualihas kangestumas.

„Numbreid on vaevalt näha. Sa ilmselt muutsid fotot," ütles ta.

„Ei, Max. Ma sain selle täpselt säärasena sinu Facebookist. Ära muretse, ma uurisin: politsei pääseb sellele ligi, isegi kui sa selle nüüd kustutad. Olen kindel, et see pakub neile suurt huvi."

Naomi pöördus Maxi poole ja ta põsed tõmbusid punaseks. „Miks sa ei kontrollinud korralikult?"

„Pea suu," vastas Max vaikselt, kuid kindlalt.

„Me peame talle rääkima," ütles Naomi ja lükkas tooli tagasi kriuksatusega, mis Pippi läbistas.

„Pea suu, Naomi," kordas Max.

„Oh issand." Naomi tõusis ja hakkas laua ääres ringi tammuma. „Me peame talle rääkima ..."

„Lõpeta!" Max ajas end püsti ja haaras Naomil õlgadest. „Sa ei ütle rohkem midagi."

„Ta läheb politseisse, Max," sõnas Naomi, pisarad kahele poole nina kogunemas. „Me peame talle rääkima."

Max hingas sügavalt ja katkendlikult sisse, ta pilk liikus Naomi ja Pipi vahet.

„Perse!" röögatas ta äkki, lasi Naomist lahti ja virutas jalaga vastu lauajalga.

„Mis pagan siin toimub?" küsis Cara Pippi varrukast sikutades.

„Räägi, Naomi," ütles Pip.

Max vajus uuesti toolile, heledad juuksed pulstunud salkudena näol. „Miks sa seda tegid?" Ta vaatas Pipile otsa. „Miks sa ei võinud seda kõike lihtsalt rahule jätta?"

Pip ei pööranud talle tähelepanu. „Naomi, räägi mulle," ütles ta. „Sal ei lahkunud tol õhtul Maxi juurest kell pool üksteist, eks? Ta lahkus kell kaksteist viisteist, täpselt nagu ta politseile ütles. Ta ei palunud, et te valetaksite, et talle alibi anda, tal oli alibi olemas. Ta oli koos teiega. Sal ei valetanud politseile, seda tegite teisipäeval teie. Te valetasite, et temalt alibi võtta."

Naomi pilutas pisarais silmi. Ta vaatas Cara ja siis aeglaselt Pipi poole. Ja noogutas.

Pip pilgutas silmi. „Miks?"

Kakskümmend kaheksa

„Miks?" küsis Pip uuesti, kui Naomi oli juba küllalt kaua sõnatult oma jalgu põrnitsenud.

„Keegi sundis meid." Naomi tõmbas ninaga. „Keegi sundis meid seda tegema."

„Mida sa sellega mõtled?"

„Meie – mina, Max, Jake ja Millie – me kõik saime esmaspäeva õhtul sõnumi. Tundmatult numbrilt. Selles seisis, et me peame kustutama kõik Andie kadumise õhtul Salist tehtud fotod ja laadima ülejäänud üles nagu tavaliselt. Sõnumis seisis, et teisipäeval peame paluma koolis, et direktor helistaks politseisse, et saaksime anda tunnistuse. Ja me pidime politseile ütlema, et tegelikult lahkus Sal Maxi juurest pool üksteist ja palus meil selle kohta valetada."

„Aga miks te seda tegite?" ei saanud Pip aru.

„Sest ..." Naomi nägu tõmbus krimpsu, kui ta püüdis pisaraid tagasi hoida, „sest see inimene teadis midagi meie kohta. Millegi halva kohta, mida me olime teinud." Naomi ei suutnud enam pisaraid tagasi hoida. Ta surus käed näole ja röökis neisse, karjed sumbusid sõrmede vastas. Cara hüppas toolilt püsti tormas õe juurde ja pani talle käed ümber. Ta vaatas vappuvat Naomit hoides Pipi poole, nägu hirmust kahvatu.

„Max?" küsis Pip.

Max köhatas, pilk ekslevatel käte. „Me ... ee... Midagi juhtus 2011. aasta vana-aasta õhtul. Midagi halba, mida me tegime."

„Meie?" pahvatas Naomi. „Meie, Max? See kõik juhtus sinu pärast. Sina tõmbasid meid sellesse ja sina oled see, kes sundis meid teda sinna jätma."

„Sa valetad. Me olime kõik tollal nõus," vastas poiss.

„Ma olin šokis. Ma kartsin."

„Naomi?" küsis Pip.

„Me ... ee... me käisime selles väikeses saastases klubis Amershamis," ütles Naomi.

„Imperial Vaultis?"

„Just. Ja me kõik jõime kõvasti. Ja kui klubi suleti, oli võimatu taksot saada, me olime sabas umbes seitsmekümnendad ja väljas oli kohutavalt külm. Max, kes oli meid kõiki sinna viinud, ütles, et ei olnud tegelikult kuigi palju joonud ja võib sõita. Ning ta veenis mind, Milliet ja Jake'i koos endaga autosse istuma. See oli nii rumal. Oh issand, kui ma saaksin minna tagasi ja muuta üht hetke oma elus, siis oleks see see hetk ..." Naomi vaikis.

„Sali ei olnud?" küsis Pip.

„Ei," vastas Naomi. „Soovin, et oleks, sest tema ei oleks eales lasknud meil säärast lollust teha. Ta oli tol õhtul koos vennaga. Max, kes oli niisama purjus nagu me kõik, kihutas A413-l. Kell oli umbes neli öösel ja teisi autosid maanteel ei olnud. Ja siis ..." pisarad tulid jälle, „ja siis ..."

„See mees ilmus eikusagilt," ütles Max.

„Ei, Max. Ta seisis teepervel. Ma mäletan, et sa kaotasid auto üle kontrolli."

„Siis mäletame me seda väga erinevalt," nähvas Max trotslikult. „Me sõitsime talle otsa ja auto hakkas vibama. Kui ma auto pidama sain, keerasin teeserva ja me läksime vaatama, mis oli juhtunud."

„Oh issand, verd oli kohutavalt palju,“ nuttis Naomi. „Ja tema jalad olid täiesti vale nurga all.“

„Ta nägi surnud välja, okei?“ ütles Max. „Me kontrollisime, kas ta hingab ja meie meelest ei hinganud. Me otsustasime, et tema jaoks on juba liiga hilja, liiga hilja kiirabi kutsuda. Ja kuna me olime kõik joonud, siis teadsime, milline jama sellest tuleks. Kriminaalsüüdistused, vangla. Me olime kõik nõus ja lahkusime.“

„Max sundis meid,“ ütles Naomi. „Sa pugesid meile pähe ja hirmutasid meid nõustuma, sest sa teadsid, et tegelikult oled pasas sina.“

„Me kõik olime nõus, Naomi, kõik neljakesi,“ karjus Max, nägu punaseks tõmbumas. „Sõitsime minu juurde, sest mu vanemad olid Dubais. Tegime auto puhtaks ja sõitsime sellega siis minu sissesõidutee lähedal vastu puud. Mu vanemad ei kahtlustanud midagi ja ostsid mulle paar nädalat hiljem uue auto.“

Nüüd nuttis ka Cara, pühkides pisaraid, enne kui Naomi oleks neid näinud.

„Kas see mees suri?“ küsis Pip.

Naomi raputas pead. „Ta oli mitu nädalat koomas, kuid vedas välja. Aga ... aga ...“ Naomi nägu kõverdus. „Ta on halvatud. Ta on ratastoolis. Meie tegime talle seda. Me ei oleks tohtinud teda sinna jätta.“

Nad kõik kuulasid, kuidas Naomi nuttis, püüdis pisarate vahel hingata.

„Keegi,“ sõnas Max viimaks, „keegi teadis, mida me olime teinud. Ta ütles, et kui me ei tee nii, nagu ta ütleb, räägib ta politseile, mida me sellele mehele tegime. Nii et me tegime, nagu ta ütles. Kustutasime fotod ja valetasime politseile.“

„Aga kuidas keegi teie otsasõidust ja põgenemisest teada sai?" uuris Pip.

„Me ei tea," vastas Naomi. „Me kõik vandusime, et ei räägi kunagi kellelegi. Ja mina ei rääkinudki."

„Mina ka mitte," kinnitas Max.

Naomi vaatas nutuse põrnitsusega poisi poole.

„Mis on?" vahtis Max vastu.

„Meie Jake'i ja Milliega arvasime kogu aeg, et sina rääkisid kellelegi."

„Kas tõesti?" nähvas poiss.

„Sina oled ju see, kes ennast peaaegu igal õhtul täis kaanis."

„Ma ei ole kellelegi rääkinud," ütles Max Pipi poole pöördudes. „Mul ei ole aimugi, kuidas keegi sellest teada sai."

„Sind iseloomustab väljarääkimiste muster," sõnas Pip. „Naomi, Max rääkis mulle kogemata, et sa olid Andie kadumise õhtul mõnda aega ära. Kus sa olid? Ma tahan tõtt."

„Koos Saliga," vastas tüdruk. „Ta tahtis minuga ülakorrusel nelja silma all rääkida. Andiest. Ta oli Andie peale vihane millegi pärast, mida Andie oli teinud, ta ei öelnud, mis see oli. Ta ütles, et Andie on hoopis teistsugune inimene, kui nad on kahekesi, kuid et ta ei saa enam eirata seda, kuidas ta teisi inimesi kohtleb. Sal otsustas tol õhtul, et teeb Andiega lõpu. Ja ta paistis ... peaaegu kergendust tundvat, kui oli sellele otsusele jõudnud."

„Teeme nüüd asja selgeks," ütles Pip. „Sal oli Andie kadumise õhtul koos kõigi teiega kuni kella kaksteist viieteistkümneni Maxi juures. Esmaspäeval nõuab keegi, et te läheksite politseisse ja ütleksite, et Sal lahkus kell pool üksteist, samuti nõuab ta, et kustutaksite tollest õhtust kõik jäljed tema kohta.

Järgmisel päeval Sal kaob ja leitakse metsast surnuna. Te ju saate aru, mida see tähendab?"

Max vaatas maha ja nokkis nahka pöidlaküüne ümber. Naomi peitis jälle näo kätesse.

„Sal oli süütu."

„Me ei tea seda kindlalt," väitis Max.

„Sal oli süütu. Keegi tappis Andie ja siis Sali, kui oli kandnud hoolt, et ta tunduks igasuguse kahtluseta süüdi. Teie parim sõber oli süütu ja te kõik olete seda viis aastat teadnud."

„Mul on kahju," nuuksus Naomi. „Mul on nii-nii kahju. Me ei teadnud, mida muud teha. Me olime liiga sügavalt pasas. Me ei arvanud, et Sal sureb. Mõtlesime, et kui me mängime lihtsalt kaasa, tabab politsei selle, kes Andiele viga tegi, Sal vabaneb süüst ja meie kõigiga saab kõik kombe. Ütlesime endale tollal, et see on lihtsalt väike vale. Aga nüüd me teame, mida tegime."

„Sal suri teie *väikese* vale pärast." Pipi kõhus keeras raevust, mida vaigistas kurbus.

„Me ei tea seda," kordas Max. „Sal võis ikkagi olla seotud sellega, mis Andiega juhtus."

„Tal ei jätkunud selleks aega," ütles Pip.

„Mida sa selle fotoga teed?" küsis Max vaikselt.

Pip vaatas Naomit, kelle punasele paistes näole oli sööbinud valu. Cara hoidis õel käest ja vaatas Pipi poole, pisarad mööda põski alla voolamas.

„Max," ütles Pip. „Kas sina tapsid Andie?"

„Mida?" Poiss ajas end püsti ja lükkas sassis juuksed näolt. „Ei, ma olin kogu öö kodus."

„Sa oleksid saanud lahkuda, kui Naomi ja Millie voodisse läksid."

„Aga ei lahkunud, selge?"

„Kas sa tead, mis Andiega juhtus?"

„Ei tea."

„Pip." Cara avas suu. „Palun ära mine selle fotoga politseisse. Palun. Ma ei saa lisaks emale ka õde kaotada." Tüdruku alahuul värises, kui ta krimpsutas nägu, püüdes nuukseid tagasi hoida. Naomi pani õele käed ümber.

Nende valu vaadates tekkis Pipi kõrri abitu õõnes tunne. Mida ta peaks tegema? Mida ta teha saaks? Ta ei teadnud niikuinii, kas politsei võtaks seda fotot tõsiselt. Ent kui võtaks, jääks Cara päris üksi ja see oleks Pipi süü. Ta ei saanud seda Carale teha. Aga Ravi? Sal oli süütu ja ei tulnud kõne allagi, et ta võiks nüüd Ravi hüljata. Oli vaid üks lahendus, mõistis Pip.

„Ma ei lähe politseisse," ütles ta.

Max lasi kuuldavale ohke ja Pip vaatas teda vastikusega, kui poiss üritas varjata üle huulte libisevat nõrka naeratust.

„Mitte sinu pärast, Max," ütles Pip. „Naomi pärast. Ja kõige pärast, mida sinu vead on talle teinud. Ma ei usu, et süütunne oleks sind eriti vaevanud, kuid ma loodan, et mingil moel sa veel tasud selle eest."

„Need on ka minu vead," sõnas Naomi vaikselt. „Mina tegin seda samuti."

Cara astus Pipi juurde ja kallistas teda, nii et pisarad ta kampsunile kukkusid.

Max lahkus sõnagi lausumata. Ta võttis oma arvuti ja märkmed, viskas koti üle õla ja kõndis ukse poole.

Köögis valitses vaikus, Cara läks valamu juurde nägu loputama ja õele klaasi vett tooma. Esimesena katkestas vaikuse Naomi. „Mul on nii kahju," ütles ta.

„Ma tean," vastas Pip. „Ma tean, et on. Ma ei lähe selle fotoga politseisse. Nii oleks lihtsam, aga mul ei ole vaja Sali süütuse tõestamiseks tema alibit. Ma leian teise võimaluse."

„Mida sa sellega mõtled?" Naomi tõmbas ninaga.

„Sa palud, et ma varjaksin sind ja seda, mida sa tegid. Ja ma teen seda. Aga ma ei kavatse varjata tõde Sali kohta." Pip neelatas, see kriipis ta pingul ja karedat kurku päris alla välja. „Ma uurin välja, kes seda tegi, kes tappis Andie ja Sali. See on ainus võimalus Sali nime puhtaks pesta ja samal ajal sind kaitsta."

Naomi kallistas teda ning peitis pisaraplekilise näo ta õla vastu. „Palun tee seda," ütles ta vaikselt. „Ta on süütu, see on mul iga viimane kui päev hinge seest söönud."

Pip silitas Naomi juukseid ja vaatas Cara, oma parima sõbra, oma õe poole. Pipi õlad vajusid neile langenud koorma all kühmu. Maailm tundus raskem kui kunagi varem.

KOLMAS
OSA

Uurimistöö raport - 31. sissekanne

Ta on süütu. Need kolm sõna on kogu koolipäeva mu pea ümber kleepunud. See projekt ei ole enam lootusrikas oletus, millena see algas. See ei lähtu enam sisetundest, sest Sal oli minu vastu hea, kui olin väike ja õnnetu. Asi ei ole enam selles, et Ravi loodab kõige kiuste, et ta tõesti tundis venda, keda ta armastas. See on päriselt, ühtki *võimalik / võib-olla / väidetavalt* ei ole alles jäänud. Sal Singh ei tapnud Andie Belli. Ja ta ei tapnud ennast. Võeti süütu elu ja kõik selles linnas muutsid selle oma suus inetuks, tegid temast kaabaka. Ent kui kaabakaks on võimalik teha, siis on seda võimalik ka tühistada. Viis ja pool aastat tagasi tapeti Little Kiltonis kaks teismelist. Ja meie käes on võtmed tapja leidmiseks: minu ja Ravi ja selle üha pikeneva Wordi dokumendi käes.

Sain pärast kooli Raviga kokku – alles nüüd jõudsin koju. Läksime parki ja rääkisime üle kolme tunni, kuni pimedani. Ta oli vihane, kui ma rääkisin, miks sõbrad Sali alibi ümber lükkasid. Vaikselt vihane. Ta ütles, et ei ole õiglane, et Naomi ja Max Hastings pääsesid kõigest karistuseta, kui Sal, kes ei olnud kellelegi halba teinud, sai surma ja lavastati mõrvariks. Muidugi ei ole see õiglane, selles kõiges ei ole midagi õiglast. Kuid Naomi ei tahtnud Salile halba, seda on näha tema näost, sellest, kuidas ta on pärast seda kikivarvukil käinud. Ta tegutses hirmust ja ma suudan seda mõista. Ravi niisamuti, kuigi ta ei tea, kas suudab Naomile andeks anda.

Ravi vajus näost ära, kui ütlesin, et ei tea, kas fotost piisab, et politsei uurimise uuesti avaks; ma olin bluffinud, et Max ja Naomi rääkima panna. Politsei võib arvata, et ma muutsin fotot ning keeldub orderist, et Maxi profiili kontrollida. Muidugi on ta foto juba kustutanud. Ravi arvates usuks politsei mind rohkem kui teda, aga mina nii kindel ei ole: teismeline plika, kes lobiseb pildistamisnurkadest ja pisikestest valgetest numbritest telefoniekraanil, eriti kui tõendid Sali vastu on nii kindlad. Rääkimata Daniel da Silvast jaoskonnas, kes mul suu kinni paneb.

Ja veel üks asi: Ravil kulus tükk aega mõistmaks, miks ma tahan Naomit kaitsta. Ma selgitasin, et nad on perekond, et Cara ja Naomi on mulle mõlemad nagu õed, ja kuigi Naomil võis olla juhtunus oma osa, on Cara süütu. Ma ei elaks seda üle, kui minu tegevuse tõttu kaotaks ta ema järel ka õe. Ma lubasin Ravile, et see ei ole tagasilöök, et me ei vaja Sali süütuse tõestamiseks tema alibit; me peame lihtsalt tegeliku tapja leidma. Sõlmisime kokkuleppe: me anname endale veel kolm nädalat. Kolm nädalat, et leida tapja või kindlad tõendid mõne kahtlusaluse kohta. Ja kui me ei ole selleks ajaks midagi leidnud, viime Raviga foto politseisse ja vaatame, kas nad üldse võtavad seda tõsiselt.

Nii et seis on selline. Mul on nüüd ainult kolm nädalat, et leida Naomi tapja, muidu lendavad Naomi ja Cara elud vastu taevast. Kas minust oli väär paluda Ravilt seda teha, oodata, kui ta on niigi kaua oodanud? Olen lõhki kistud Wardide ja Singhide ja selle vahel, mis on õige. Ma isegi ei tea enam, mis on õige – kõik on nii sogane. Ma ei ole kindel, et olen see hea tüdruk, kelleks ma end kunagi pidasin. Olen ta teel kaotanud.

Kuid ma ei saa selle üle juurdlemisele aega raisata. Nii, huvipakkuvate isikute nimekirjas on meil nüüd viis kahtlusalust. Võtsin Naomi nimekirjast maha. Põhjused, miks ma teda kahtlustasin, on saanud nüüd seletuse: tema ära kadumine ja see, et ta vastas küsimustele Sali kohta nii põiklevalt.

Kokkuvõtlik mõistekaart kõigi kahtlusaluste kohta:

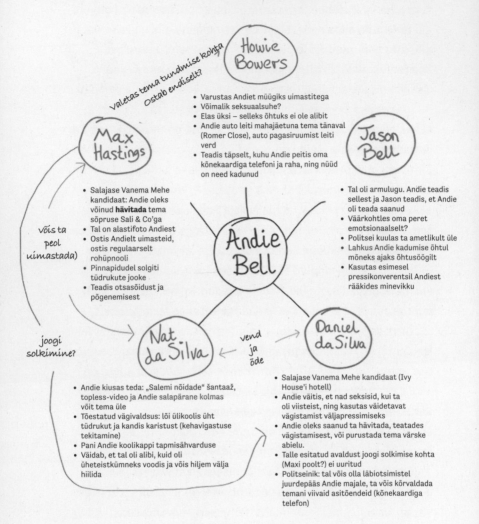

Howie Bowers
- Varustas Andiet müügiks uimastitega
- Võimalik seksuaalsuhe?
- Elas üksi – selleks õhtuks ei ole alibit
- Andie auto leiti mahajäetuna tema tänaval (Romer Close), auto pagasiruumist leiti verd
- Teadis täpselt, kuhu Andie peitis oma kõnekaardiga telefoni ja raha, ning nüüd on need kadunud

Max Hastings *(valetas tema tundmise kohta? Ostab endiselt?)*
- Salajase Vanema Mehe kandidaat: Andie oleks võinud **hävitada** tema sõpruse Sali & Co'ga
- Tal on alastifoto Andiest
- Ostis Andielt uimasteid, ostis regulaarselt rohüpnooli
- Pinnapidudel solgiti tüdrukute jooke
- Teadis otsasõidust ja põgenemisest

(võis ta peol uimastada)

Jason Bell

Andie Bell
- Tal oli armulugu. Andie teadis sellest ja Jason teadis, et Andie oli teada saanud
- Väärkohtles oma peret emotsionaalselt?
- Politsei kuulas ta ametlikult üle
- Lahkus Andie kadumise õhtul mõneks ajaks õhtusöögilt
- Kasutas esimesel pressikonverentsil Andiest rääkides minevikku

joogi solkimine?

Nat da Silva ← *vend ja õde* → **Daniel da Silva**

- Andie kiusas teda: „Salemi nõidade" šantaaž, topless-video ja Andie salapärane kolmas võit tema üle
- Tõestatud vägivaldsus: lõi ülikoolis üht tüdrukut ja kandis karistust (kehavigastuse tekitamine)
- Pani Andie koolikappi tapmisähvarduse
- Väidab, et tal oli alibi, kuid oli üheteistkümneks voodis ja võis hiljem välja hiilida

- Salajase Vanema Mehe kandidaat (Ivy House'i hotell)
- Andie väitis, et nad seksisid, kui ta oli viisteist, ning kasutas väidetavat vägistamist väljapressimiseks
- Andie oleks saanud ta hävitada, teatades vägistamisest, või purustada tema värske abielu.
- Talle esitatud avaldust joogi solkimise kohta (Maxi poolt?) ei uuritud
- Politseinik: tal võis olla läbiotsimistel juurdepääs Andie majale, ta võis kõrvaldada temani viivaid asitõendeid (kõnekaardiga telefon)

Koos saadud kirja ja sõnumiga on mul nüüd veel üks juhtlõng otse tapjani: ta teadis otsasõidust ja põgenemisest. Esimese ja kõige ilmsemana teadis sellest Max, sest tema ise tegi seda. Ta võis teeselda, et ähvardab sõprade kõrval ka ennast, et Sali Andie mõrvas süüdi lavastada.

Kuid nagu Naomi ütles, pidutseb Max palju. Joob ja pruugib uimasteid. Ta võis selles seisundis kellelegi otsasõidust ja põgenemisest lobiseda. Kellelegi, keda ta tundis, näiteks Nat da Silva või Howie Bowers. Või ehk isegi Andie Bell, kes võis siis omakorda sellest ülalmainitutele rääkida. Daniel da Silva oli politseinik, kes reageeris liiklusõnnetustele: võib-olla pani ta kaks ja kaks kokku? Või oli üks neist tol ööl samal teel ja nägi kõike pealt? On mõeldav, et keegi viiest sai õnnetusest teada ja kasutas seda ära. Kuid Max on selles plaanis tugevaim variant.

Ma tean, et Maxil on tehniliselt alibi suuremaks osaks sellest ajavahemikust, kui Andie võis kaduda, kuid ma ei usalda teda. Ta võis lahkuda, kui Naomi ja Millie magama läksid. Kui ta sai Andie kätte enne kella 00.45, kui Andie pidi oma vanemad peale võtma, on see võimalik. Või läks ta appi viima lõpule midagi, millega Howie oli algust teinud? Howie ütles, et ei lahkunud kodust, kuid ma ei usalda tema juttu. Ma usun, et ta nägi mu blufi läbi. Ma arvan, et ta sai aru, et see, et ma Naomi politseile üles annaks, on nii ebatõenäoline, et tal ei tarvitsenud minuga aus olla. Mul on pisut „Nõks-22" olukord: ma ei saa kaitsta Naomit, kaitsmata samal ajal ka Maxi.

Teine juhtlõng, mille see uus info mulle annab, on see, et tapjal oli mingil moel ligipääs Maxi, Naomi, Millie ja Jake'i (ning minu) telefoninumbritele. Kuid tegelikult ei ahenda see midagi. Maxil olid numbrid mõistagi olemas ja Howie võis need tema kaudu saada. Nat da Silval olid arvatavasti nende kõigi numbrid, eriti kui ta oli Naomiga hea sõber, Daniel võis numbrid saada õe kaudu. Jason Bell võib tunduda selles küsimuses musta lambana, ent KUI ta tappis Andie ja tütre telefon oli tema käes, olid Andiel kõik need numbrid arvatavasti salvestatud.

Oeh. Ma ei ole midagi koomale tõmmanud ja mul hakkab aeg otsa saama. Ma pean uurima iga juhtlõnga, leidma lahtised niidid, millest sikutades see segadusse ajav sasipundar lahti hargneb. JA lõpetama oma paganama Margaret Atwoodi essee!!!

Kakskümmend üheksa

Pip avas välisukse ja lükkas selle lahti. Barney tormas mööda koridori talle vastu ja saatis teda, kui tüdruk tuttavate häälte suunas liikus.

„Tere, mummuke," ütles Vic, kui Pip elutuppa vaatas. „Me just jõudsime koju. Ma teen endale ja emale midagi õhtusöögiks, Joshua sõi Sami juures. Kas sina sõid Cara pool?"

„Jah," vastas Pip. Nad olid söönud, kuid ei olnud eriti rääkinud. Cara oli olnud terve nädala koolis vaikne. Pip sai sellest aru; tema projekt oli raputanud Cara pere alustalasid ja Cara elu, see sõltus sellest, kas Pip avastab tõe. Kui Max pühapäeva lahkus, olid Cara ja Naomi küsinud, kes Pipi meelest seda teinud oli. Ta ei rääkinud neile midagi, soovitas vaid Naomil Maxist eemale hoida. Ta ei saanud riskida sellega, et jagab nendega Andie saladusi, kui need peaksid olema seotud tapja ähvardustega. Ta pidi seda koormat ise kandma.

„Kuidas lastevanemate koosolekul läks?" küsis Pip.

„Kenasti," vastas Leanne ja patsutas Joshi pead. „Sul läheb loodusteadustes ja matemaatikas paremini, mis, Josh?"

Josh noogutas ja pusis kohvilaual Lego klotsidega.

„Kuigi preili Speller ütles, et sa kipud olema klassi kloun." Victor heitis Joshi suunas teeseldult tõsise pilgu.

„Huvitav, kust ta selle pärinud on?" Pip vastas isale samasuguse pilguga.

Victor möirgas naerda ja lõi kätega vastu põlvi. „Ära ole ninakas, plika."

„Mul ei ole selleks aegagi," vastas Pip. „Lähen teen enne magamaminekut paar tundi tööd." Ta pöördus tagasi koridori ja võttis suuna trepile.

„Oh, kullake," ohkas ema, „sa töötad liiga palju."

„Sellist asja ei ole olemas," vastas Pip trepilt lehvitades.

Trepimademel peatus Pip oma ukse taga ja jäi vaatama. Uks oli paokil ja see pilt ei klappinud Pipi mälestusega hommikust enne kooli. Joshua oli võtnud kaks pudelit Victori habeme-ajamisvedelikku, kõndinud mööda ülakorruse koridori, kauboimüts peas, pritsinud pudelitest ja teatanud: „Ma olen peerulõhnastaja ja see maja ei ole meie kahe jaoks küllalt suur, Pippo." Pip oli põgenenud ja ukse enda järel kinni tõmma-nud, et ta tuba ei lehkaks hiljem Brave'i ja Pour Homme'i iiveldamaajava segu järele. Või oli see olnud eile hommikul? Ta ei olnud terve nädala korralikult maganud ning päevad hakkasid sassi minema.

„Kas keegi on minu toas käinud?" hüüdis ta allkorrusele.

„Ei, me alles jõudsime koju," vastas ema. Pip astus tuppa ja viskas seljakoti voodile. Ta läks kirjutuslaua juurde ja teadis esimesest pilgust, et midagi on valesti. Arvuti oli lahti, ekraan taha kallutatud. Pip pani arvuti hommikul kodust lahkudes alati, absoluutselt alati kinni. Ta klõpsas avamisnupule ja kui arvuti surisedes ellu ärkas, märkas Pip, et korralik väljatrükkide virn arvuti kõrval oli laiali laotatud. Üks paberileht oli välja võetud ja pandud kõige peale.

See oli foto. Tõend Sali alibist. Ja see ei olnud seal, kuhu Pip oli selle jätnud.

Arvuti laulis kaks tervitusnooti ja laadis avaekraani üles. Kõik oli täpselt nii, nagu ta oli jätnud: viimase uurimistöö raporti Wordi dokument Chrome'i ikooni kõrval tegumiribal. Pip klõpsas seda. Avanes lehekülg mõttekaardi all.

Tüdruk ahhetas.

Tema viimaste sõnade alla oli keegi kirjutanud: SA PEAD SELLE LÕPETAMA, PIPPA.

Üha uuesti ja uuesti. Sadu kordi. Nii palju, et see täitis neli A4 lehekülge.

Pipi süda muutus tuhandeks põrisevaks põrnikaks, kes ta naha all laiali sibasid. Ta tõmbas käed klaviatuurilt ära ja jõllitas seda. Tapja oli siin käinud, tema toas. Puudutanud tema asju. Vaadanud tema uurimistööd. Vajutanud tema arvuti klahve.

Tema kodus.

Ta lükkas tooli lauast eemale ja tormas trepist alla.

„Ee… ema," ütles ta, püüdes üle hingetu hirmu normaalselt rääkida, „kas keegi käis täna siin?"

„Ma ei tea. Ma olin terve päeva tööl ja läksin otse Joshi lastevanemate koosolekule. Mis siis?"

„Oh, ei midagi," vastas Pip improviseerides. „Ma tellisin ühe raamatu ja arvasin, et see tuuakse ära. Ee… tegelikult üks asi veel. Täna liikus koolis üks jutt. Paari inimese majja on sisse murtud, arvatakse, et vargad kasutavad varuvõtmeid. Äkki ei peaks me oma võtit väljas hoidma, kuni nad tabatakse."

„Tõesti?" Leanne vaatas Pipile otsa. „Vist tõesti mitte."

„Lähen toon võtme ära," ütles Pip ja kiirustas ukse poole, püüdes mitte libiseda. Ta tõmbas ukse lahti ja oktoobriõhtu jahe õhk pahvatas vastu ta tulitavat nägu. Ta laskus põlvili ja tõstis uksemati nurka. Võti vilkus esikutule valguses talle vastu. See ei olnud oma tavalisel kohal, vaid oma tolmu jäänud jälje kõrval. Pip haaras võtme, selle külm metall pani sõrmed kirvendama.

Pip lamas noolsirgelt ja värisedes teki all. Ta sulges silmad ja keskendus kõrvadele. Kusagil majas kostis mingi kriipiv hääl. Kas keegi püüdis majja pääseda? Või oli see vaid paju, mis vahel vanemate toa akent riivas?

Mütsatus maja ees. Pip võpatas. Kas see oli naabri auto uks või üritab keegi sisse murda?

Pip ronis kuueteistkümnendat korda voodist välja ning astus akna alla. Ta kergitas kardinaserva ja piilus välja. Oli pime. Hõbedased kuuvalguse viirud langesid autodele sissesõiduteel, kuid tumesinine ööpimedus peitis kõik muu. Kas keegi oli seal, pimeduses? Vaatas teda? Pip vaatas vastu, ootas mõnd märki liikumisest, pimeduse väreluse muutumist inimkoguks.

Ta lasi kardinal uuesti alla langeda ja läks tagasi voodisse. Tekk oli ta reetnud ja kaotanud kogu kehasoojuse, millega Pip oli selle täitnud. Ta värises jälle teki all ning vaatas, kuidas telefoni kell jõudis üle kolme ja liikus edasi.

Kui väljas uluv tuul akent raputas, kerkis Pipil süda kurku, ta viskas teki kõrvale ja ronis uuesti voodist välja. Kuid seekord hiilis ta kikivarvul trepimademele ja lükkas Joshi toa ukse valla. Vend magas sügavalt, külmsinine tähelamp valgustas poisi rahulikku nägu. Pip läks vaikselt voodijalutsini, ronis voodisse ja sättis end paika, püüdes mitte vastu magavat venda puutuda. Josh ei ärganud, kuid oigas vaikselt, kui Pip tekiserva enda peale sikutas. Selle all oli nii soe. Ja Josh on väljaspool ohtu, kui ta on siin venna juures.

Pip lamas, kuulas Joshi sügavat hingamist, lasi venna unesoojusel ennast sulatada. Ta silmad vaatasid pöörlevate tähtede pehmes sinakas valguses ainiti enda ette, kuni vajusid kinni.

Kolmkümmend

„Naomi on olnud pisut närvis pärast … tead küll," ütles Cara, saates Pipi koridoris kapi juurde. Nende vahel oli ikka veel midagi kohmetut, mingi kõva tükk, mis alles hakkas servadest sulama, kuigi mõlemad tegid näo, et seda ei ole.

Pip ei teadnud, mida öelda.

„Noh, ta on alati olnud pisut närviline, aga praegu tavalisest rohkem," jätkas Cara. „Eile hüüdis isa teda teisest toast ja ta võpatas nii hullusti, et ta telefon lendas üle köögi. Telefon on täitsa puruks. Ta saatis selle täna parandusse."

„Ohh." Pip avas kapi ja pani raamatud ära. „Ee… kas tal on mõni vana telefon, mida seni kasutada? Mu ema ostis just uue ja vana on veel alles."

„Ei, sellega on korras. Naomi leidis oma vana telefoni üles. Tema SIM-kaart ei sobinud, aga me leidsime vana kõnekaardi, kus oli veel pisut krediiti. Sellest esialgu piisab."

„Kas temaga on kombes?" küsis Pip.

„Ma ei tea," tunnistas Cara. „Minu meelest ei ole temaga juba väga kaua kombes olnud. Tegelikult ema surmast saati. Ja mul on alati olnud tunne, et tal oli peale selle veel mingi mure."

Pip sulges kapi ja järgnes Carale. Ta lootis, et sõbratar ei olnud märganud üle meigitud tumedaid ringe ta silmade all ega punaste veresoonte ämblikuvõrke silmades. Uni ei olnud enam võimalik. Pip oli Cambridge'i kandideerimise esseed ära saatnud ja hakanud õppima sisseastumiseksamiks. Kuid tähtaeg Naomi ja Cara sellest kõigest väljajätmiseks tiksus iga sekundiga lähemale. Ja kui ta magaski, oli ta unenägudes tume kogu, kes teda vaateväljast eemale hoides jälgis.

„Kõik saab korda," kinnitas Pip. „Ma luban."

Cara pigistas ta kätt ja nad kiirustasid eri teid minema.

Paar ust enne inglise keele klassi peatus Pip järsult, nii et ta kingad põrandal kriuksusid. Keegi lonkis mööda koridori tema poole, keegi valge poisipea ja mustade laineritriipudega.

„Nat?" küsis Pip ja viipas kergelt.

Nat da Silva aeglustas sammu ja peatus tema ees. Tüdruk ei naeratanud ega viibanud. Ta vaevalt vaatas Pipi poole.

„Mida sa koolis teed?" küsis Pip ja märkas Nati elektroonilise jalavõru kühmu soki all tossu kohal.

„Unustasin, et kõik minu elus on äkki sinu asi, Penny."

„Pippa."

„Mul suva," nähvas Nat ja ta ülahuul kaardus irves. „Kui sa pead oma vääraka projekti jaoks teadma, siis olen ametlikult põhjas. Vanemad keelduvad mind ülal pidamast ja keegi ei võta mind tööle. Ma lihtsalt anusin sellelt neetud direktorilt mu venna kunagist majahoidja kohta. Tundub, et nad ei tohi vägivaldseid kurjategijaid tööle võtta. Veel üks Andie-järgne mõju sulle analüüsimiseks. Minuga mängis ta tõesti pikka mängu."

„Mul on kahju," ütles Pip.

„Ei." Nat kõndis minema, tema liikumisel tekkinud õhuvool sasis Pipi juukseid. „Ei ole sul midagi."

Pärast lõunasööki läks Pip uuesti kapi juurde ajalootunniks Vene ajaloo õpikut võtma. Ta avas ukse ning paberileht oli sealsamas, otse raamatuvirna peal. Kokku murtud printeripaber, mis oli ukse ülemisest pilust sisse lükatud.

Pippi läbistas külm hirm. Ta vaatas üle mõlema õla, ega keegi teda ei jälgi, ja võttis kirjakese.

See on viimane hoiatus, Pippa. Tõmba eemale.

Ta luges suuri musti tähti vaid ühe korra, voltis paberi kokku ja torkas ajalooõpiku kaane vahele. Ta võttis raamatu – selleks läks vaja kaht kätt – ning kõndis minema.

Nüüd oli asi selge. Keegi tahtis talle teada anda, et pääseb temani nii kodus kui ka koolis. See isik tahtis teda hirmutada. Ja see õnnestus: hirm peletas ta une, oli sundinud viimasel kahel ööl pimedast aknast välja vaatama. Kuid päevaajal oli Pip kainema mõistuse juures kui öösel. Kui see isik oli tõesti valmis talle või tema perele häda tegema, kas ta ei oleks seda nüüdseks juba teinud? Ta ei saanud eemale tõmbuda, Salist ja Ravist, Carast ja Naomist. Ta oli liiga sügavalt sees ja ainus tee oli edasi.

Little Kiltonis varjas end mõrvar. Ta oli näinud Pipi uurimistöö viimast sissekannet ja reageeris sellele. Mis tähendas, et Pip oli kusagil õigel teel. Ta pidi uskuma, et see oli tühipaljas hoiatus, pidi seda endale öösel unetult voodis lamades kinnitama. Ja kuigi Tundmatu võis talle lähemale jõuda, jõudis ka tema talle lähemale.

Pip lükkas raamatuseljaga klassiust ning see vajus lahti hoopis järsumalt, kui ta oli mõelnud.

„Aih!" hüüatas Elliot, kui uks ta küünarnukki tabas.

Uks vajus tagasi vastu Pippi, tüdruk komistas ja pillas õpiku käest.

„Vabandust, El... härra Ward," ütles ta. „Ma ei teadnud, et te olete siinsamas. "

„Pole hullu," naeratas mees ja kummardus Pipi raamatut üles tõstma. „Tõlgendan seda kui sinu õpiindu, mitte kui mõrvakatset. "

„Noh, me õpime ju 1930. aastate Venemaad."

„Ahsoo," sõnas mees. „Nii et see oli demonstratsioon."

Kirjake libises õpiku kaane vahelt välja ning hõljus põrandale. See maandus pooleldi avanedes murdekohale. Pip sööstis paberi järele ja kägardas selle peos kokku.

„Pip?"

Ta nägi, kuidas Elliot püüdis temaga silmsidet luua, kuid vaatas ainiti enda ette.

„Pip, kas sinuga on kõik korras?"

„Jah," noogutas tüdruk, naeratas kinnise suuga ja üritas tagasi suruda tunnet, mis tekib, kui keegi küsib, kas sinuga on kombes, ja see ei ole kaugeltki nii. „Kõik on korras."

„Kuule," ütles Elliot vaikselt, „kui sind kiusatakse, siis kõige hullem on hoida seda enda teada."

„Ei kiusata," kinnitas Pip õpetaja poole pöördudes. „Ausalt, kõik on kombes."

„Pip?"

„Kõik on korras, härra Ward," ütles tüdruk, kui esimene salk lobisevaid õpilasi nende selja taga uksest sisse astus.

Pip võttis Ellioti käest õpiku ja kõndis oma kohale, teades, et mees saadab teda pilguga.

„Pips," ütles Connor ja pani koti oma toolile Pipi kõrval. „Ma kaotasin su pärast lõunavahetundi ära." Siis lisas poiss sosinal: „Miks te Caraga nii jäiselt suhtlete? Kas läksite millegi pärast tülli?"

„Ei," vastas Pip. „Kõik on korras. Meil on kõik kombes."

Uurimistöö raport - 33. sissekanne

Ma ei eira tõsiasja, et nägin Nat da Silvat koolis vaid mõni tund enne seda, kui leidsin kapist kirja. Eriti kui arvestada, et ta on varemgi kappidesse tapmisähvardusi jätnud. Ning kuigi tema nimi on nüüd kahtlusaluste nimekirja tippu kerkinud, ei ole asi mingil juhul kindel. Kiltoni-suguses väikelinnas on asjad, mis tunduvad omavahel seotud, täiesti juhuslikud ning vastupidi. Kellegagi linna ainsas koolis kokku juhtumine ei tee temast tapjat.

Peaaegu kõigil mu nimekirjas on selle kooliga mingi seos. Max Hastings ja Nat da Silva käisid seal, Daniel da Silva töötas seal majahoidjana, mõlemad Jason Belli tütred käisid seal. Tegelikult ma ei tea, kas Howie Bowers käis Kiltoni gümnaasiumis või ei, netist ei suuda ma tema kohta midagi leida. Kuid kõik kahtlusalused teavad, et mina käin seal, nad võisid mind jälitada, jälgida mind reede hommikul, kui olin koos Caraga oma kapi juures. Koolis ei ole ju mingeid turvameetmeid, igaüks võib takistamatult sisse marssida.

Nii et võib-olla Nat, aga võib-olla ka teised. Ja ma rääkisin end just tagasi esimesele ruudule. Kes on mõrvar? Aeg hakkab otsa saama ja ma ei ole näpuga näitamisele ikka veel lähemal.

Kõige põhjal, mida oleme Raviga teada saanud, pean Andie kõnekaardiga telefoni endiselt kõige tähtsamaks juhtlõngaks. See on kadunud, ent kui leiame telefoni või inimese, kelle käes see on, on meie töö tehtud. Telefon on füüsiline, käegakatsutav asitõend. Täpselt see, mida vajame, kui tahame leida võimaluse politseid kaasata. Välja prinditud ähmase foto peale võivad nad irvitada, kuid ohvri salajast teist telefoni ei saa keegi eirata.

Jah, olen varem kaalunud, et ehk oli kõnekaardiga telefon Andiel kaasas ja see on koos tema surnukehaga igaveseks kadunud. Ent kujutleme, et see ei olnud nii. Ütleme, et Andie peeti kinni, kui ta kodust ära sõitis. Ütleme, et ta tapeti ja tema surnukeha peideti. Ja siis mõtleb mõrvar: oh ei, kõnekaardiga telefon võib juhatada minuni ja mis siis, kui politsei selle läbiotsimisel üles leiab?

Nii et ta peab minema ja selle kätte saama. Minu nimekirjas on kaks inimest, kelle kohta olen saanud kinnituse, et nad sellest telefonist teadsid: Max ja Howie. Kui Daniel da Silva oli Salajane Vanem Mees, teadis sellest kindlasti ka tema. Howie teadis isegi, kuhu telefon oli peidetud.

Mis siis, kui üks neist käis pärast Andie tapmist Bellide majas ja võttis telefoni ära, enne kui see oleks üles leitud? Mul on Becca Bellile veel küsimusi. Ma ei tea, kas ta neile vastab, kuid pean proovi tegema.

Kolmkümmend üks

Maja juurde kõndides tundis Pip, kuidas närvid okastraadina ta kõhus torgivad. Maja oli pisike klaasist esiküljega kontorihoone, mille ukse kõrval oli metallsilt kirjaga Kilton Mail. Kuigi oli esmaspäeva hommik, tundus paik mahajäetuna. Ühestki alumise korruse aknast ei paistnud ainsatki märki liikumisest.

Pip vajutas nuppu ukse kõrval seinal. See tegi plekist tininat, mis kriipis ta kõrvu. Pip lasi nupu lahti ning hetk hiljem kostis kõlaris summutatud robotihääl.

„Tere?"

„Ee, tere," vastas Pip. „Ma tulin Becca Belli juurde."

„Ma lasen teid sisse. Lükake ust kõvasti, see kipub kinni kiiluma."

Kostis kalk surin. Pip lükkas ust, tõukas seda puusaga ning uks vajus lahti. Ta sulges selja taga ukse ning jäi väikeses külmas ruumis seisma. Toas oli kolm diivanit ja paar kohvilauda, aga mitte ühtki inimest.

„Tere?" hüüdis Pip.

Uks avanes ja sisenes mees, kes tõstis oma pika beeži mantli krae üles. Sirgete tumedate küljele lükatud juuste ja hallika nahaga mees. See oli Stanley Forbes.

„Ohh." Mees seisatas Pippi nähes. „Ma hakkasin just välja minema. Ma ... kes te olete?"

Ta silmitses tüdrukut pilukil silmi, lõug ette lükatud, ning Pip tundis, kuidas ta kuklale tekib kananahk. Siin oli külm.

„Ma tulin Beccaga kokku saama," vastas ta.

„Ahjaa." Mees naeratas hambaid paljastamata. „Täna töötavad kõik tagumises ruumis. Ees on küte rikkis. Siitkaudu." Ta osutas uksele, millest oli tulnud.

„Tänan," ütles Pip, kuid Stanley ei kuulanud. Ta oli juba poolel teel uksest välja. Uks vajus pauguga kinni ja neelas Pipi tänusõnade lõpu.

Pip läks kaugema ukse juurde ja lükkas selle lahti. Lühike koridor viis suuremasse tuppa, kus seinte vastas oli neli pabereid täis kirjutuslauda. Laudade taga istus kolm naist, kes kõik klõbistasid oma arvutitel, tekitades tuba täitva tärina. Keegi neist ei märganud üle arvutitoksimise Pippi.

Pip kõndis Becca Belli juurde, kelle lühikesed heledad juuksed olid tõmmatud kuklas töntsakasse sappa, ja köhatas.

„Tere, Becca," ütles ta.

Becca keeras toolil ringi ja teised naised tõstsid pilgu. „Oh," ütles Becca, „nii et sina olid see, kes minu juurde tuli? Kas sa ei peaks koolis olema?"

„Jah, vabandust. Praegu on vaheaeg," vastas Pip teise pilgu all närviliselt niheledes ja mõeldes, kuidas Becca oleks neile Raviga Bellide majas peaaegu peale sattunud. Pip heitis pilgu üle Becca õla arvutiekraanile.

Becca pilk järgnes Pipi omale, ta pöördus ja klõpsas dokumendi ekraanilt ära. „Vabandust," ütles ta. „See on esimene artikkel, mida ma ajalehele kirjutan, ja mu esimene mustand on täiesti jube. Ainult minu silmadele," naeratas ta.

„Millest see räägib?" uuris Pip.

„Oh, ee... lihtsalt ühest vanast talumajast, mis on seisnud nüüd üksteist aastat tühjana, kohe Kiltoni servas Sycamore Roadi lõpus. Tundub, et seda ei suudeta kuidagi maha müüa."

Becca vaatas Pipi poole. „Paar naabrit plaanib selle koos ära osta, nad tahavad selle kasutusotstarvet muuta ja sinna kõrtsi teha. Ma kirjutan, miks see on halb mõte."

Üks toa teises otsas istuvatest naistest sekkus. „Mu vend elab seal lähedal ja tema meelest ei olegi see nii halb mõte. Õllekraan kohe lähedal. Ta on vaimustuses." Naine naeris raiuvalt köhides ja vaatas kolleegi poole, oodates, et see kaasa naeraks.

Becca kehitas õlgu ja vaatas kampsunikäist näppides oma käsi. „Ma lihtsalt arvan, et see maja võiks saada jälle kellegi koduks," ütles ta. „Mu isa oleks selle aastate eest, enne kui see kõik juhtus, peaaegu ära ostnud ja taastanud. Ta mõtles ümber, aga ma olen alati mõelnud, kuidas elu oleks läinud, kui ta oleks seda teinud."

Teised klaviatuurid vaikisid.

„Oh, Becca, kullake," ütles naine. „Mul ei olnud aimugi, et asi on selles. Ma tunnen end nüüd jubedalt." Ta lõi käega vastu otsaesist. „Ma võtan tänased teekeetmiskorrad enda peale."

„Ära muretse." Becca naeratas napilt.

Naised pöördusid uuesti oma arvutite juurde.

„Pippa, jah?" küsis Becca vaikselt. „Kuidas ma sind aidata saan? Kui asi on selles, millest me varem rääkisime, siis sa ju tead, et ma ei taha end sellesse segada."

„Usalda mind, Becca." Pipi hääl alanes sosinaks. „See on tähtis. Tõeliselt tähtis. Palun."

Becca sinised pärani silmad peatusid temal pikalt. „Olgu." Ta tõusis laua tagant. „Lähme eesruumi."

Nüüd tundus ruum veelgi külmem. Becca istus lähimale diivanile ja ristas jalad. Pip istus diivani teise otsa ja pöördus tüdruku poole.

„Ee... niisiis ..." Pip takerdus, teadmata täpselt, kuidas seda sõnastada või kui palju ta peaks Beccale rääkima. Ta silmitses Becca nägu, mis meenutas väga Andiet.

„Mis on?" küsis Becca.

Pip sai hääle tagasi. „Asja uurides avastasin, et Andie võis tegelda uimastiäriga, ta võis neid müüa pinnapidudel."

Becca korralikud kulmud tõmbusid kokku ja ta põrnitses Pippi umbusklikult. „Ei," ütles ta. „See ei ole võimalik."

„Mul on kahju. Mitu allikat kinnitas seda," vastas Pip.

„Ta ei saanud seda teha."

„Mees, kes teda varustas, andis talle tehingute jaoks salajase kõnekaardiga telefoni," rääkis Pip Becca vastuväidetest hoolimata edasi. „Ta ütles, et Andie hoidis telefoni ja varusid oma garderoobis."

„Mul on kahju, aga ma arvan, et keegi lollitab sind," ütles Becca peas raputades. „Ma ei usu iial, et mu õde uimasteid müüs."

„Saan aru, et seda on raske kuulda," ütles Pip, „aga ma olen saanud teada, et Andiel oli palju saladusi. See oli vaid üks. Politsei ei leidnud tema toast kõnekaardiga telefoni ja ma püüan välja uurida, kes võis pärast Andie kadumist tema toas käia."

„M... aga ..." kogeles Becca endiselt pead raputades. „Mitte keegi, maja oli politseilindiga ümber piiratud."

„Ma mõtlesin enne politsei saabumist. Pärast seda, kui Andie kodust ära läks, ning enne seda, kui su vanemad tema kadumise avastasid. Kas võis olla keegi, kes sai teie majja sisse murda, ilma et sa oleksid teadnud? Kas sa läksid magama?"

„Ma ... ma ..." Becca hääl katkes. „Ei, ma ei tea. Ma ei maganud, olin all ja vaatasin telekat. Aga ..."

„Kas sa tunned Max Hastingsist?" küsis Pip kiiresti, enne kui Becca jõudis hakata jälle vastu vaidlema.

Becca põrnitses teda, pilgus segadus. „Ee... jah," ütles ta siis. „Ta oli ju Sali sõber? Heleda peaga."

„Kas sa nägid teda pärast Andie kadumist teie maja juures?"

„Ei," vastas Becca kiiresti. „Ei, aga miks ...?"

„Aga Daniel da Silva? Kas sa teda tead?" küsis Pip ja lootis, et kiiresti tulistatud küsimused toimivad, et Becca vastab, enne kui jõuab järele mõelda ja loobuda.

„Daniel," ütles tüdruk, „jah, ma tean teda. Ta suhtles mingi aeg palju mu isaga."

Pipi silmad tõmbusid kissi. „Daniel da Silva tundis su isa?"

„Jah." Becca tõmbas ninaga. „Ta töötas mõnda aega mu isa juures, pärast seda, kui kooli majahoidja kohalt ära tuli. Mu isal on puhastusfirma. Aga Daniel meeldis talle ja isa edutas ta kontoritööle. Tema veeniski Danieli politseisse kandideerima, toetas teda väljaõppe ajal. Jah. Ma ei tea, kas nad veel suhtlevad, ma ei räägi isaga."

„Nii et sa nägid Danieli tihti?" küsis Pip.

„Ikka nägin. Ta astus sageli sisse, vahel jäi sööma. Mis sel minu õega pistmist on?"

„Daniel töötas politseis, kui su õde kadus. Kas ta oli uurimisega seotud?"

„Oli küll," kinnitas Becca. „Kui mu isa politseisse helistas, jõudis ta esimeste seas kohale."

Pip tajus, kuidas ta Becca sõnu neelates ettepoole kummardus ja käed diivanipadjale toetas. „Kas ta osales maja läbiotsimises?"

„Jah," vastas Becca. „Tema ja üks naispolitseinik võtsid meilt ütlused ja vaatasid siis maja läbi."

„Kas Daniel võis olla see, kes Andie toa läbi otsis?"

„Võib-olla." Becca kehitas õlgu. „Ma ei saa tegelikult aru, kuhu sa sellega tüürid. Mulle tundub, et keegi on sind eksiteele viinud. Andie ei olnud seotud uimastitega."

„Daniel da Silva oli esimene, kes pääses Andie tuppa," sõnas Pip, rohkem endale kui Beccale.

„Mis tähtsust sellel on?" küsis Becca ja ta hääl hakkas reetma ärritust. „Me teame, mis tol ööl juhtus. Me teame, et Sal tappis ta sõltumata sellest, millega Andie või keegi teine tegeles."

„Mina ei ole selles nii kindel," vastas Pip ja ajas silmad suureks, lootes, et see mõjub tähendusrikkalt. „Ma ei ole nii kindel, et Sal seda tegi. Ja mulle tundub, et ma olen selle tõestamisele lähedal."

Uurimistöö raport - 34. sissekanne

Becca Bell ei reageerinud kuigi hästi mu oletusele, et Sal võib olla süütu. See, et ta palus mul lahkuda, tõestas seda minu meelest piisavalt. See ei ole üllatav. Beccal on olnud viis ja pool aastat vankumatut teadmist, et Sal tappis Andie, viis ja pool aastat, et matta leina õe pärast. Ja siis tulen mina, peksan tolmu üles ja ütlen, et ta eksib.

Aga ta peab seda varsti uskuma, koos kogu ülejäänud Kiltoniga, kui me Raviga välja uurime, kes tegelikult nii Andie kui ka Sali tappis.

Pärast mu jutuajamist Beccaga tundub mulle, et favoriit on jälle muutunud. Esiteks avastasin tugeva seose kahtlusaluste nimekirja kahe nime vahel (veel üks võimalik mõrvameeskond, Daniel da Silva ja Jason Bell?), lisaks kinnitasin oma kahtlusi Danieli suhtes. Ta mitte ainult ei pääsenud Andie kadumise järel tema tuppa, vaid ta oli arvatavasti ka esimene, kes selle läbi otsis! Tal oleks olnud suurepärane võimalus kõnekaardiga telefon ära võtta ja peita ning kõrvaldada Andie elust enda kohta kõik jäljed.

Veebiotsingud ei andnud Danieli kohta midagi kasulikku. Kuid äsja nägin Thames Valley politsei Kiltoni piirkonna võrgulehel seda:

Sõna sekka kohtumised

Kohtu oma piirkonna politseinikega ja <u>ütle sõna sekka</u> oma kogukonna politseitöö teemadel.

Üritus: sõna sekka
Aeg: teisipäev, 24. oktoober 2017
Kellaaeg: 12.00–13.00
Koht: Little Kiltoni raamatukogu

Kiltonis on ainult viis politseinikku ja kaks abipolitseinikku. Olen üsna kindel, et Daniel on kohal. Kuid üldse mitte nii kindel, et ta mulle midagi räägib.

Kolmkümmend kaks

„Ja õhtuti jõlgub väljakul ikka liiga palju noori," krooksatas vana naine, käsi püsti.

„Me rääkisime sellest eelmisel kokkusaamisel, proua Faversham," ütles spiraallokkidega naispolitseinik. „Nad ei tee midagi keelatut. Nad mängivad lihtsalt pärast kooli jalgpalli."

Pip istus erkkollasel plasttoolil publiku seas, keda oli kokku vaid kaksteist inimest. Raamatukogu oli hämar ja umbne ning sealne õhk täitis ta ninasõõrmed vanade raamatute ja vanade inimeste kopitanud lõhnaga.

Kohtumine venis igavalt, kuid Pip oli erk ja terava pilguga. Daniel da Silva oli üks kolmest koosolekul osalevast politseinikust. Ta oli seal oma mustas vormis seistes pikem, kui Pip oli oodanud. Mehe helepruunid ja laines juuksed olid laubalt tagasi kammitud. Ta lõug oli raseeritud, kitsas nina ülespidi ja huuled laiad ja täidlased. Pip püüdis teda mitte väga pikalt vahtida, juhuks kui mees peaks seda märkama.

Koosolekul oli veel üks tuttav nägu, istumas Pipist kolme koha kaugusel. Mees tõusis järsku politseiniku suunas kätt tõstes.

„Stanley Forbes, Kilton Mail," ütles ta. „Mitu mu lugejat on kurtnud, et peatänaval sõidetakse endiselt liiga kiiresti. Kuidas te kavatsete selle teemaga tegelda?"

Nüüd astus ette Daniel ja noogutas Stanleyle istumiseks.

„Tänan, Stan," ütles ta. „Peatänaval on juba kasutusel mitu liikluse rahustamise abinõu. Arutasime, kas kontrollida sagedamini kiirust, aga kui sellega on ikka probleeme, võin selle jaoskonnas uuesti jutuks võtta."

Proua Favershamil oli veel kaks kaebust, mida venitades esitada, ja siis oli koosolek viimaks läbi.

„Kui teil on teisi politseid puudutavaid muresid," ütles kolmas politseinik, kes vältis nähtavalt silmsidet vanaproua Favershamiga, „siis palun täitke saali tagumises osas küsimustik." Ta viipas käega. „Ja kui eelistate rääkida kellegagi meist nelja silma all, siis jääme siia veel umbes kümneks minutiks."

Pip hoidis end veidi aega tagasi, sest ei tahtnud mõjuda liiga innukalt. Ta ootas, kuni Daniel lõpetas vestluse ühe raamatukogu vabatahtlikuga, tõusis siis toolilt ja astus mehe juurde.

„Tere," ütles Pip.

„Tere," naeratas Daniel, „sa tundud säärase koosoleku jaoks mitukümmend aastat liiga noor."

Pip kehitas õlgu. „Seadus ja kuritegevus huvitavad mind."

„Kiltonis ei toimu midagi põrutavat," vastas mees, „ainult ringijõlkuvad lapsed ja pisut kiirevõitu autod."

Kui see vaid nii oleks.

„Nii et sa ei ole kunagi kedagi kahtlase lõhekäitlemise tõttu vahistanud?" küsis Pip närvilise naeru saatel.

Daniel vaatas talle arusaamatuses otsa.

„Oh, see ... Suurbritannias on päriselt selline seadus olemas." Pip tundis, kuidas põsed löövad lõkendama. Miks ei võinud ta närvi minnes lihtsalt juukseid näppida või midagi näperdada nagu normaalsed inimesed. „1986. aasta lõheseadus keelustas ... oh, pole tähtis." Pip raputas pead. „Mu oli paar küsimust, mida tahaksin sinult küsida."

„Lase tulla," ütles Daniel, „kui sa just lõhe kohta ei küsi."

„Ei küsi." Pip köhatas kergelt pihku ja tõstis pilgu. „Kas sa mäletad, kas viie-kuue aasta eest oli avaldusi uimastite tarvitamise ja jookide solkimise kohta pinnapidudel, mida korraldasid Kiltoni gümnaasiumi õpilased?"

Danieli lõug tõmbus pingule ja suu ümber kerkis mõtlik korts.

„Ei," vastas ta. „Ei mäleta. Kas sa tahad teatada kuriteost?"

Pip raputas pead. „Ei. Kas sa tunned Max Hastingsit?"

Daniel kehitas õlgu. „Ma tean natuke Hastingsite peret. Pärast väljaõppe lõpetamist oli mu esimene väljakutse, millele üksi läksin, nende juurde."

„Millega seoses?"

„Oh, ei midagi erilist. Nende poeg oli maja ees autoga vastu puud sõitnud. Neil oli vaja kindlustuse jaoks politseisse teatada. Mis siis?"

„Ei midagi," ütles Pip võltsi ükskõiksusega. Ta nägi, kuidas Danieli jalad hakkasid temast ära pöörama. „Ainult üks asi veel, mis mind huvitab."

„Jah?"

„Sa olid üks esimestest, kes jõudis kohale, kui teatati Andie Belli kadumisest. Sina teostasid Bellide majas esmase läbiotsimise."

Daniel noogutas ja kortsud ta silmade ümber tõmbusid pingule.

„Kas see ei olnud mõnes mõttes huvide konflikt, arvestades seda, et sa tundsid ta isa?"

„Ei," vastas Daniel, „ei olnud. Kui ma olen vormis, olen professionaal. Pean ütlema, et mulle ei meeldi eriti see, kuhu need küsimused tüürivad. Vabanda mind." Ta nihkus paar tolli kaugemale.

312

Samal hetkel ilmus Danieli selja taha üks naine, kes astus tema ja Pipi kõrvale. Naisel olid pikad heledad juuksed ja tedretähniline nina ning tema kleidiesist paisutas hiigelkõht. Naine oli vähemalt kaheksandat kuud rase.

„Tere," ütles ta Pipile tehtult meeldival toonil. „Mina olen Dani naine. Kui pööraselt ebaharilik on tabada ta rääkimas noore tüdrukuga. Pean ütlema, et sa ei ole tema tavaline tüüp."

„Kim," sõnas Daniel ja toetas käe naise seljale, „tule."

„Kes see on?"

„Lihtsalt üks tüdruk, kes tuli koosolekule. Ma ei tea." Daniel juhtis naise ruumi teise otsa.

Raamatukogu välisukse juures vaatas Pip veel kord üle õla. Daniel seisis koos naisega, ajas proua Favershamiga juttu ja vältis tema poole vaatamist. Pip lükkas ukse lahti ja astus välja, tõmbudes külma õhu käes oma khakijopes kössi. Ravi ootas teda pisut eemal kohviku vastas.

„Sa tegid õigesti, et sisse ei tulnud," ütles Pip, kui poiss tema juurde jõudis. „Ta oli minu suhteski üsna vaenulik. Ja Stanley Forbes oli samuti kohal."

„Meeldiv mees," tähendas Ravi sarkastiliselt ja surus käed kõleda tuule eest taskutesse. „Nii et sa ei saanud midagi teada?"

„Oh, seda ma ei öelnud," vastas Pip ja astus poisile lähemale, et tuule eest varju leida. „Ta poetas kogemata midagi, ma ei tea, kas ta sellest arugi sai."

„Lõpeta oma dramaatilised vahepalad."

„Vabandust," ütles Pip. „Ta ütles, et tunneb Hastingseid ning et tema koostas politseiraporti, kui Max nende maja juures vastu puud sõitis."

„Ohh." Ravi huuled paotusid. „Nii et ... võib-olla teadis ta otsasõitmisest ja põgenemisest?"

„Võib-olla teadis."

Pipi käed külmetasid nii kohutavalt, et sõrmed hakkasid konksu tõmbuma. Ta pidi juba ette panema, et nad läheksid tagasi tema juurde, kui Ravi tõmbus jäigaks, pilk kusagil Pipi selja taga.

Tüdruk pöördus.

Daniel da Silva ja Stanley Forbes olid just raamatukogust välja astunud, uks vajus nende selja taga kinni. Nad olid süvenenud vaiksesse jutuajamisse, Daniel seletas midagi kätega vehkides. Stanley pööras ümbrust kontrollides pead ning märkas Pippi ja Ravit.

Mehe pilk oli nende vahet liikudes niisama külm nagu tuul. Ka Daniel vaatas nende poole, kuid tema terav ja tige pilk püsis vaid Pipil.

Ravi võttis tüdrukul käest. „Lähme," ütles ta.

Kolmkümmend kolm

„Nii, *puppuccino*," ütles Pip Barneyle ja kummardus, et jalutus-rihm ta ruudulise kaelarihma küljest lahti haakida. „Lase käia."

Koer vaatas teda oma viltuste naerukil silmadega. Kui Pip end sirgu ajas, oli Barney läinud, ta tormas mööda puude vahel looklevat porist rada, nagu oleks endiselt kutsikas.

Emal oli olnud õigus, jalutuskäiguks oli pisut hiljavõitu. Metsas hakkas juba hämarduma, värvilaiguliste puude vahelt paistis hall taevas. Kell oli juba kolmveerand kuus ning ilmaäpp ütles, et päike loojub kahe minuti pärast. Ta ei jää kauaks, ta vajas vaid kiiret jalutuskäiku, mis ta töölaua tagant ära viiks. Ta vajas õhku. Vajas ruumi.

Pip oli kogu päeva vaheldumisi järgmise nädala eksamiks õppinud ja kahtlusaluste nimekirja nimesid põrnitsenud. Ta vahtis neid nii pikalt, et silmad läksid risti, tõmmates kuju-teldavaid ja okkalisi jooni, mis said alguse ühe nime tähe-tippudest ning keerdusid teiste ümber, kuni nimekiri oli kaootiline sasipundar sisse mässitud nimedest ja sassis seostest.

Pip ei teadnud, mida teha. Äkki proovida rääkida Daniel da Silva naisega: abikaasade vahel oli käegakatsutav hõõrumine. Huvitav, miks, millised saladused olid selle põhjustanud? Või keskenduda uuesti kõnekaardiga telefonile, kaaluda sissemurdmist nende kahtlusaluste juurde, kes telefonist teadsid, ning seda otsida?

Ei.

Ta oli tulnud jalutama, et unustada Andie Bell ja pea tühjaks saada. Pip torkas käe taskusse ja keris kõrvaklapid lahti. Ta torkas klapid kõrva, pani telefonis taskuhäälingu mängima ning jätkas tõeliste kuritegude pooleli jäänud osa kuulamist. Ta pidi heli maksimaalselt valjuks keerama, et kuulda midagi üle oma kummikute krudina langenud lehtedel.

Kuulates oma kõrvus teise mõrvatud tüdruku lugu, püüdis Pip oma uurimist unustada.

Ta valis otsetee läbi metsa, pilk haruliste okste varjudel, mis muutusid heledamaks sedamööda, kuidas maailm muutus ümberringi hämaramaks. Kui hämarik hakkas andma teed pimedusele, astus Pip rajalt kõrvale puude vahele, et kiiremini suurele teele jõuda. Kui teele viiv värav kümme meetrit eespool paistma hakkas, hüüdis ta Barneyt.

Värava juurde jõudes pani Pip taskuhäälingu kinni ja keris kõrvaklapid telefoni ümber.

„Barney, siia!" hüüdis ta telefoni taskusse torgates. Üks auto tuhises mööda ja selle tuled pimestasid Pippi, kui ta nendesse vaatas.

„Kuts!" hõikas ta, seekord valjemini ja heledamalt.

„Barney, siia!"

Puud olid tumedad ja liikumatud.

Pip niisutas huuli ja vilistas. „Barney! Siia, Barney!"

Ei mingit käpamüdinat läbi langenud lehtede. Ei mingit kuldset sähvatust puude vahel. Mitte midagi.

Pipi varbaid ja sõrmi pidi hakkas ligi hiilima külm hirm.

„Barney!" hüüdis ta ja tundis, kuidas hääl murdus.

Ta jooksis tuldud teed tagasi. Tagasi tumedate puude vahele.

„Barney!" karjus ta mööda teerada joostes, jalutusrihm tühjalt käes kõlkumas.

Kolmkümmend neli

„Ema, isa!" Pip lükkas välisukse lahti, komistas uksematile ja vajus põlvili. Kipitavad pisarad kogunesid prakku huulte vahel. „Isa!"

Victor ilmus köögiuksele.

„Mummuke?" Ja siis nägi ta tüdrukut. „Pippa, mis lahti? Mis juhtus?"

Isa kiirustas lähemale ja Pip ajas end püsti.

„Barney on kadunud," ütles ta. „Ta ei tulnud kutsumise peale. Ma kõndisin kogu metsatuka läbi ja hüüdsin teda. Ta on läinud. Ma ei tea, mida teha. Ma kaotasin ta ära, isa."

Nüüd olid ka ema ja Josh koridoris ning silmitsesid teda vaikides.

Victor pigistas Pipi käsivart. „Kõik on korras, mummuke," kinnitas ta oma reipal soojal häälel. „Ära muretse, küll me ta üles leiame."

Isa haaras allkorruse kapist oma sooja tepitud jope ja kaks taskulampi. Ta käskis Pipil kindad kätte panna, enne kui ühe taskulambi talle ulatas.

Kui nad tagasi metsa jõudsid, oli õhtu pime ja raske. Pip kõndis koos isaga mööda rada, kus oli enne käinud. Kaks valget taskulambi kiirtevihku läbistasid pimedust.

„Barney!" hüüdis isa oma kõmiseval häälel, mis puude vahel vastu kajas.

Kaks tundi hiljem, kui neil oli kahe tunni võrra külmem, ütles Victor, et on aeg koju minna.

„Me ei saa koju minna enne, kui oleme ta leidnud," nuuksus Pip.

„Kuula." Isa pöördus Pipi poole, taskulamp valgustas alt nende nägusid. „Praegu on liiga pime. Me leiame ta hommikul. Ta läks kuhugi luusima ning ühe ööga ei juhtu temaga midagi."

Pärast hilist vaikset õhtusööki läks Pip otseteed voodisse. Vanemad tulid ta tuppa ja istusid voodiservale. Ema silitas Pipi juukseid ja tüdruk püüdis mitte nutta. „Mul on kahju," pomises ta. „Mul on nii kahju."

„See ei ole sinu süü, kullake," lohutas Leanne. „Ära muretse. Küll ta kodutee leiab. Proovi nüüd magama jääda."

Pip ei saanud magada. Vähemalt mitte kuigi palju. Üks mõte hiilis talle pähe ja seadis end sisse: mis siis, kui see on tõesti tema süü? Mis siis, kui see juhtus sellepärast, et ta eiras viimast hoiatust? Mis siis, kui Barney ei ole lihtsalt kadunud, vaid viidi ära? Miks ta ei olnud tähelepanelik olnud?

Nad istusid köögis ja sõid varast hommikueinet, mille järele kellelgi ei isutanud. Victor, kes nägi välja, nagu ei oleks temagi eriti magada saanud, oli juba tööle helistanud ja vaba päeva võtnud. Ta pani müslisuutäite vahel paika tegevuskava: nemad Pipiga lähevad tagasi metsa. Seejärel laiendavad nad otsinguala, hakkavad koputama ustele ja pärima Barney järele. Ema ja Josh jäävad koju ja teevad otsimiskuulutuse. Nad lähevad ja panevad need peatänaval üles ning jagavad inimestele. Siis saavad nad kõik kokku ja otsivad läbi teise linnalähedase metsa.

Nad kuulsid metsas haukumist ja Pipi süda hakkas peksma, kuid see oli vaid pere, kes jalutas kahe beagle'i ja labradoodle'iga. Nad ütlesid, et ei ole näinud üksi ringi hulkuvat kuldset retriiverit, kuid võivad tema suhtes silmad lahti hoida.

318

Pipi hääl oli kähe, kui nad olid metsale teist korda tiiru peale teinud. Nad koputasid Martinsend Wayl oma naabrite ustele, keegi ei olnud koera näinud.

Pärastlõunal üürgas vaikses metsas Pipi telefoni rongivile. „Kas see on ema?" küsis isa.

„Ei," vastas Pip sõnumit lugedes. See oli Ravilt. *Hei,* seisis sõnumis, *nägin just linnas Barney otsimiskuulutusi. Kuidas sinuga on? Kas vajad abi?*

Pipi sõrmed olid külmast liiga tuimad, et vastust tippida.

Nad sõid kiiruga paar võileiba ja jätkasid siis, nüüd ühinesid nendega ema ja Josh. Nad kõmpisid puude vahel ja üle põldude, hüüdes kooris „Barney", tuul seda edasi kandmas.

Kuid maailm oli nende vastu ja jälle saabus pimedus.

Väsinuna ja vaiksena koju jõudes nokkis Pip Tai toitu, mille Victor oli linnast kaasa ostnud. Ema oli pannud meeleolu tõstmiseks taustaks käima Disney filmi, kuid Pip vaid põrnitses nuudleid, mis kerisid end ussidena ta kahvli ümber.

Kui kostis rongivile ja telefon hakkas Pipi taskus vibreerima, pani tüdruk telefoni käest. Ta asetas taldriku kohvilauale ja võttis telefoni. Selle ekraan vahtis talle vastu.

Pip püüdis kõigest jõust silmadest hirmu peletada ja suud kinni sundida. Ta pingutas, et manada näole tavaline ilme ja pani telefoni diivanile, ekraan allapoole.

„Kes see oli?" küsis ema.

„Ainult Cara."

Aga ei olnud. See oli Tundmatu. *Kas tahad veel oma koera näha?*

Kolmkümmend viis

Järgmine sõnum tuli alles hommikul kell üksteist.

Victor töötas kodus. Ta tuli kella kaheksa paiku Pipi tuppa ja ütles, et nad lähevad uuesti otsima ja jõuavad tagasi lõuna paiku.

„Sina peaksid jääma siia ja kordama," ütles ta. „See eksam on väga oluline. Jäta Barney meie hooleks."

Pip noogutas. Mõnes mõttes tundis ta kergendust. Tal oli tunne, et ta ei suuda koos perega ringi kõndida ja Barney nime hõikuda, teades, et teda ei ole võimalik leida. Sest Barney ei olnud kadunud, ta oli ära viidud. Andie Belli mõrvar oli ta röövinud.

Kuid ta ei saanud raisata aega enda vihkamisele, küsimisele, miks ta ei olnud ähvardusi kuulda võtnud. Miks ta oli olnud nii loll, et pidada end võitmatuks. Ta peab lihtsalt Barney tagasi saama. Millelgi muul ei olnud tähtsust.

Teised olid paar tundi ära olnud, kui Pipi telefon vilistas, pannes ta võpatama, nii et kohv tekile loksus. Ta haaras telefoni ja luges sõnumi mitu korda läbi.

Võta oma arvuti ja kõik mälupulgad või kõvakettad, millele su projekt on salvestatud. Võta need endaga kaasa tenniseklubi parklasse ning kõnni parklast paremale sada sammu puude vahele. Ära kellelegi ütle, tule üksi. Kui teed, nagu kästud, saad oma koera tagasi.

Pip hüppas püsti, läigatades uuesti kohvi voodile. Ta liikus kiiresti, enne kui hirm oleks ta tarretanud ja halvanud. Ta võttis pidžaama seljast ning riietus teksadesse ja kampsunisse. Siis haaras ta seljakoti, avas lukud ja keeras koti pahupidi, nii et õpikud ja päevik põrandale kukkusid. Ta võttis arvuti laadija küljest lahti ja toppis mõlemad kotti. Kaks mälupulka, millele ta oli projekti salvestanud, olid kirjutuslaua keskmises sahtlis. Ta võttis need välja ning viskas arvuti peale. Siis tormas ta trepist alla ja oleks rasket kotti selga vinnates peaaegu komistanud. Ta tõmbas saapad jalga ja jope selga ning haaras esikulaualt autovõtmed. Polnud aega kõike läbi mõelda. Kui ta peatub, et järele mõelda, lööb ta vankuma ja jääb Barneyst igaveseks ilma.

Väljas puhus külm tuul ta kaela ja sõrmede vastu.

Pip jooksis auto juurde ja ronis sisse. Ta käed värisesid sissesõiduteelt välja keerates roolil.

Kohalejõudmiseks kulus viis minutit. Tal oleks läinud kiiremini, kui ta ei oleks pidanud aeglase juhi taga passima, ta sõitis sellele päris lähedale ja vilgutas tulesid, et juht ta mööda laseks.

Pip keeras tenniseväljakute taga olevasse parklasse ja otsis lähima vaba koha. Ta haaras kõrvalistmelt seljakoti ja suundus otse parkla ümber kasvavate puude poole.

Enne asfaldilt mullale astumist seisatas Pip hetke ja vaatas üle õla. Väljakul oli laste trenn, nad kiljusid ja lõid palle vastu aeda. Ühe auto kõrval seisid ja lobisesid mõned emad oma kisavate põnnidega. Keegi ei vaadanud tema poole. Ühtki tuttavat autot ei paistnud. Ega tuttavat inimest. Kui keegi teda jälgis, ei saanud Pip sellest aru.

Ta pöördus puude vahele ja hakkas kõndima. Ta luges iga sammu ja paanitses, et need on kas liiga pikad või liiga lühikesed ning et ta ei jõua kohta, kuhu Tundmatu oli käskinud minna.

Kolmekümne sammu pärast peksis Pipi süda nii tugevasti, et hingamine muutus katkendlikuks.

Kuuekümne seitsmendal sammul hakkas nahk rinnal ja kaenla all kirvendama ja sellele tekkisid higipiisad.

Üheksakümne neljandal sammul hakkas ta pomisema: „Palun, palun, palun."

Ja siis peatus ta sajandal sammul puude vahel. Ja ootas. Tema ümber ei olnud midagi peale poolraagus puude triibuliste varjude ning puhaste helekollaste lehtede poris.

Pipi pea kohal kostis pikk kõrge vilin, mis lõppes nelja lühikese helivalanguga. Pilku tõstes nägi ta enda kohal lendamas puna-harksaba, see oli halli taeva taustal vaid terav laiatiivaline kontuur. Lind kadus vaateväljalt ja Pip oli jälle üksi.

Kulus peaaegu terve minut, enne kui telefon Pipi taskus vilet andis. Ta võttis selle kohmitsedes välja ning vaatas sõnumit.

Hävita kõik ja jäta sinna. Ära kellelegi räägi, mida sa tead. Küsimustega Andie kohta on lõpp. Sellel lool on nüüd lõpp.

Pipi silmad liikusid edasi-tagasi üle sõnade. Ta sundis end sügavalt välja hingama ja pani telefoni käest. Ta nahk lausa põles tapja pilgu all, kes teda kusagilt nähtamatuna seiras.

Pip laskus põlvili, libistas koti seljast ning võttis arvuti, laadija ja kaks mälupulka välja. Ta pani kõik sügislehtedele ja avas arvutikaane.

Siis ajas ta end püsti ja, silmad pisarais ning maailm ümberringi ähmaseks muutumas, trampis saapakontsaga esimesel mälupulgal. Plastkorpuse üks külg mõranes ja tuli lahti. Metallist konnektorile tekkis mõlk. Pip lõi uuesti jalaga ja surus siis vasaku saapa teisele mälupulgale, hüppas mõlemal, kuni need mõranesid ja tükkideks lagunesid.

Siis pöördus Pip oma arvuti poole, mille ekraanilt vaatas talle vastu ähmase päiksevalguse peegeldus. Ta vaatas enda tumeda silueti peegeldust, tõstis jala ja virutas sellele. Ekraan vajus taha ja sellele ilmus ämblikuvõrguna suur mõra.

Esimene pisar kukkus Pipi lõuale, kui ta uuesti jalaga virutas, seekord vastu klaviatuuri. Mitu täheklahvi tuli saapalöögist ära ja pudenes porri. Pip trampis jalgadega, ta saapad surusid läbi ekraani metallist ümbrisesse.

Pip hüppas ja hüppas, pisarad ajasid ta põskedel üksteist taga.

Nüüd oli ka klaviatuuri ümbritsev metall katki ja selle alt paistsid emaplaat ja ventilaator. Roheline trükkplaat purunes ta kontsa all tükkideks, väike ventilaator tuli küljest ja lendas eemale. Pip hüppas uuesti, komistas katkisele arvutile ja kukkus selili pehmetele krõbisevatele lehtedele.

Pip lubas endale seal mõne hetke nutta. Siis ajas ta ennast istukile, võttis arvuti, mille katkine ekraan rippus ühe hinge küljes, ning virutas selle vastu lähima puu tüve. Arvuti kukkus tuhmi mütsatusega tükkidena maha ja jäi puujuurte vahele surnult lebama.

Pip istus ja köhis, ootas, kuni rind uuesti õhuga täitub. Ta nägu kipitas soolast.

Ta ootas. Ta ei teadnud, mida ta peaks edasi tegema. Ta oli teinud kõik, mida oli nõutud: kas Barney saadetakse nüüd tema juurde? Ta peaks ootama. Ootama uut sõnumit. Pip hüüdis koera nime ja ootas.

Möödus üle poole tunni. Mitte midagi. Ei sõnumit. Ei Barneyt. Mitte ainsatki heli peale laste nõrkade hõigete tenniseplatsil.

Pip ajas end püsti, ta tallad olid saabastes valusad. Ta võttis tühja seljakoti ja lonkis minema, heites veel viimase pilgu hävitatud arvutile.

„Kus sa käisid?" küsis isa, kui Pip majja astus.

Ta oli istunud mõnda aega tenniseväljaku parklas. Et silmad koju jõudes nii punased ei oleks.

„Ma ei suutnud siin keskenduda," vastas ta vaikselt, „läksin kohvikusse kordama."

„Selge," sõnas isa lahke naeratusega. „Vahel mõjub ümbruse vahetus keskendumisvõimele hästi."

„Isa ..." Pip vihkas valet, mis pidi kohe temast suust välja tulema. „Midagi juhtus. Ma ei tea, kuidas. Läksin ainult minutiks vetsu ja kui ma tagasi tulin, oli mu arvuti läinud. Keegi ei näinud midagi. Ma arvan, et see varastati." Pip põrnitses oma kulunud saapaid. „Vabandust, ma ei oleks tohtinud arvutit lauale jätta."

Victor tegi „kuss" ja võttis Pipi tugevasse kallistusse. Säärasesse, mida ta tõesti-tõesti vajas. „Ära ole tobe," ütles isa, „asjad ei ole tähtsad. Neid saab asendada. Minu jaoks on tähtis ainult see, kas sinuga on kõik kombes."

„Kõik on kombes," kinnitas Pip. „Kas hommikul oli mingeid märke?"

„Veel mitte, aga Josh ja ema lähevad pärastlõunal tagasi ja mina helistan kohalikesse varjupaikadesse. Me saame ta tagasi, mummuke."

Pip noogutas ja astus eemale. Nad saavad Barney tagasi, ta oli teinud kõik, mis tal teha kästi. Selline oli kokkulepe. Pip soovis, et saaks perele midagi rääkida, nende nägudelt osa murest võtta. Kuid see ei olnud võimalik. See oli veel üks Andie Belli saladustest, mille sees Pip lõksus oli.

Kas ta tõesti suudab nüüd Andiest loobuda? Kas ta suudab minema kõndida, teades, et Sal Singh ei olnud süüdi? Teades, et tapja kõnnib temaga samadel Kiltoni tänavatel? Aga ta ju pidi seda tegema. Koera pärast, keda ta oli kümme aastat armastanud, koera pärast, kes teda veelgi rohkem vastu armastas. Oma pere ohutuse pärast. Ja Ravi ohutuse pärast. Kuidas ta veenab poissi sellest loobuma? Ravi pidi seda tegema, muidu võib temast saada järgmine laip metsas. See ei saanud jätkuda, see ei olnud enam turvaline. Valikut ei olnud. Otsus tundus, nagu oleks arvutiekraani kild läbi südame löödud. See torkas ja ragises iga kord, kui ta hingas.

Pip oli ülakorrusel laua taga ja vaatas sisseastumiseksami materjale läbi. Päev oli tõmbunud hämaraks ja Pip oli äsja oma seenekujulise laualambi põlema pannud. Ta töötas arvutikõlaritest kostva „Gladiaatori" filmimuusika saatel, liigutades sulepead samas taktis keelpillidega. Kui uksele koputati, pani ta muusika seisma.

„Jah," ütles ta ja keeras end toolil ringi.

Victor astus sisse ja sulges enda järel ukse. „Teed kõvasti tööd, mummuke?"

Pip noogutas. Isa astus lähemale, toetus laua vastu ja ristas enda ees jalad.

„Kuule, Pip," sõnas ta leebelt. „Keegi leidis äsja Barney."

Pipi hingamine takerdus. „M... miks sa ei tundu rõõmus?"

„Ta ilmselt kukkus kuidagi. Ta leiti jõest." Isa võttis Pipil käest. „Mul on kahju, kallis. Ta uppus."

Pip pööras pead raputades isast ära. „Ei," ütles ta. „See ei ole võimalik. See ei ... See ei ole võimalik ..."

„Mul on kahju, mummuke," ütles isa, alahuul värisemas. „Barney on surnud. Me matame ta homme aeda."

„Ei, see ei saa olla!" Pip hüppas püsti ja tõukas eemale Victori, kes astus teda kallistama. „Ei, ta ei ole surnud. See ei ole aus!" hüüdis tüdruk, kuumad pisarad lõualohku kogunemas. „Ta ei saa surnud olla. See ei ole aus. See ei ole ... ei ole ..."

Ta vajus põlvili, istus põrandale ja tõmbas jalad vastu rinda. Ta sisemuses avanes must sõnulseletamatu valu kuristik.

„See kõik on minu süü." Pipi suu oli vastu põlve surutud, summutades sõnad. „Mul on nii kahju. Mul on nii-nii kahju."

Isa istus Pipi kõrvale ja võttis ta kaissu. „Pip, ma ei taha, et sa ennast sekundikski süüdistaksid. See ei ole sinu süü, et ta sinu juurest ära jooksis."

„See ei ole aus," nuttis Pip isa rinna vastas. „Miks see juhtub? Ma tahan teda lihtsalt tagasi. Ma tahan lihtsalt Barneyt tagasi."

„Mina ka," sosistas isa.

Nad istusid tükk aega niimoodi Pipi toa põrandal ja nutsid. Pip isegi ei kuulnud, kui ema ja Josh tuppa tulid. Ta ei teadnud, et nad on seal, kuni nad end samuti põrandale sättisid, Josh Pipi sülle, pea õe õlal. „See ei ole aus."

Kolmkümmend kuus

Nad matsid ta pärastlõunal. Pip ja Josh kavatsesid istutada kevadel ta hauale päevalilli, sest need olid kuldsed ja rõõmsad, täpselt nagu Barney.

Cara ja Lauren tulid mõneks ajaks Pipi juurde, Cara küpsisekoorma all, mida ta oli neile kõigile küpsetanud. Pip ei suutnud rääkida, iga sõna muutus nutuks või raevukarjeks. Iga sõna pani liikuma võimatu tunde ta sisemuses, et ta oli liiga kurb, et olla vihane, aga liiga vihane, et olla kurb. Nad ei jäänud kauaks.

Nüüd oli õhtu ja Pipi kõrvus kohises. Päev oli ta leina kalestanud, Pip tundis end tuima ja tühjaks pigistatuna. Barney ei tule tagasi ja ta ei saa kellelegi rääkida, miks. See saladus koos süütundega oli kõigest kõige raskem.

Keegi koputas kergelt toauksele. Pip pani sulepea tühjale paberile.

„Jah," ütles ta, hääl vaikne ja kähe.

Uks lükati lahti ja Ravi astus tuppa.

„Tere," ütles poiss ja lükkas tumedad juuksed näolt. „Kuidas sul on?"

„Mitte hästi," vastas Pip. „Mida sina siin teed?"

„Sa ei vastanud ja ma hakkasin muretsema. Nägin, et täna hommikul olid plakatid ära võetud. Su isa just rääkis, mis juhtus." Ta pani ukse kinni ja toetus selle vastu. „Mul on nii kahju, Pip. Ma tean, et sellest ei ole abi, kui inimesed seda ütlevad, seda lihtsalt öeldakse. Aga mul on tõesti kahju."

„On ainult üks inimene, kellel peab kahju olema," ütles Pip tühja paberit silmitsedes.

Ravi ohkas. „Seda me teeme, kui keegi, keda me armastame, sureb: süüdistame ennast. Ma tegin sama, Pip. Ja mul kulus kaua aega saamaks aru, et see ei olnud minu süü; vahel halvad asjad lihtsalt juhtuvad. Pärast seda läks kergemaks. Loodan, et sinul läheb see kiiremini."

Pip kehitas õlgu.

„Ja ma tahtsin veel öelda ..." Ravi kõhatas, „ära selle Sali asja pärast muretse. Sellel tähtajal, mis me fotoga politseisse minemiseks kokku leppisime, ei ole tähtsust. Ma tean, kui oluline on sulle kaitsta Naomit ja Carat. Sa võid endale rohkem aega võtta. Sa oled niigi üle pingutanud ja minu meelest vajad sa pausi, tead küll, pärast seda, mis juhtus. Ja sul on tulemas Cambridge'i eksam." Ravi sügas kukalt ja pikad juuksed vajusid laubalt uuesti silmadele. „Ma tean nüüd, et mu vend oli süütu, isegi kui teised seda veel ei tea. Olen oodanud üle viie aasta, ma võin veel veidi oodata. Ja senimaani uurin meie lahtisi niidiotsi."

Pipi süda tõmbus kokku, tühjendades ennast kõigest. Ta peab Ravile haiget tegema. See oli ainus võimalus. Ainus võimalus panna poissi loobuma, hoida teda väljaspool ohtu. See, kes oli tapnud Andie ja Sali, oli talle näidanud, et on valmis veel tapma. Pip ei saanud lubada, et järgmine oleks Ravi.

Ta ei suutnud poisile otsa vaadata. Vaadata tema siiralt lahket nägu või täiuslikku naeratust, mis oli samasugune nagu Ravi vennal, tema nii pruune ja sügavaid silmi, et neisse võis uppuda. Seepärast ta ei vaadanud.

„Ma ei tegele selle projektiga enam," ütles ta. „Ma lõpetasin."

Ravi ajas end sirgu. „Mida sa sellega mõtled?"

„Seda, et olen projektiga lõpetanud. Saatsin juhendajale kirja ja ütlesin, et vahetan teemat või loobun. See on läbi."

„Aga … ma ei saa aru," sõnas Ravi, hääles esimesed haavumise toonid. „See ei ole ju lihtsalt projekt, Pip. Asi on mu vennas, selles, mis tegelikult juhtus. Sa ei saa lihtsalt lõpetada. Aga Sal?"

Just Salile Pip mõtleski. Sellele, kuidas Sal oleks ennekõike soovinud, et tema väikevend ei sureks metsas, nagu suri tema.

„Anna andeks, aga ma olen lõpetanud."

„Ma ei … mi… vaata mulle otsa," ütles Ravi.

Pip ei vaadanud.

Poiss tuli laua juurde, kükitas selle ette ja vaatas Pipi poole. „Mis lahti?" küsis ta. „Midagi on valesti. Sa ei teeks seda, kui …"

„Ma lihtsalt lõpetasin, Ravi," ütles Pip. Ta vaatas poisi poole ja mõistis kohe, et ei oleks pidanud seda tegema. Nüüd oli see hoopis raskem. „Ma ei saa seda teha. Ma ei tea, kes nad tappis. Ma ei suuda seda lahendada. Ma lõpetasin."

„Aga me teeme seda." Ravi näole ilmus meeleheide. „Me lahendame selle."

„Ma ei saa. Ära unusta, ma olen lihtsalt laps."

„Seda ütles sulle mingi idioot," sõnas Ravi. „Sa ei ole *lihtsalt* keegi. Sa oled paganama Pippa Fitz-Amobi." Poiss naeratas ja see oli kõige kurvem asi, mida Pip oli eales näinud. „Ja ära arva, et maailmas on teist sinutaolist. Sa ju naerad mu naljade peale, nii et sul peab midagi viga olema. Me oleme nii lähedal, Pip. Me teame, et Sal on süütu, me teame, et keegi lavastas ta Andie mõrvas süüdi ja siis tappis

329

ta. Sa ei saa lõpetada. Sa lubasid. Sa tahad seda niisama palju nagu mina."

„Ma muutsin meelt," ütles Pip tuimalt, „ja sa ei muuda seda. Ma lõpetasin Andie Belliga. Ma lõpetasin Saliga."

„Aga ta on süütu."

„Ei ole minu töö seda tõestada."

„Sa tegid sellest oma töö." Ravi surus käed põlvedele ja tõusis. Ta hääl valjenes. „Sa tungisid mu ellu, pakkusid mulle võimalust, mida mul varem ei olnud. Sa ei saa seda minult nüüd ära võtta, sa tead, et ma vajan sind. Sa ei saa loobuda. See ei ole sina."

„Anna andeks."

Nende vahel võttis maad pikk vaikus, Pipi pilk püsis põrandal.

„Olgu," sõnas Ravi külmalt. „Ma ei tea, miks sa seda teed, aga olgu. Ma lähen üksi Sali alibifotoga politseisse. Saada mulle fail."

„Ma ei saa," ütles Pip. „Mu sülearvuti varastati."

Ravi heitis pilgu Pipi kirjutuslauale, astus selle juurde ning laotas paberid ja eksamimaterjalid laiale, pilk otsiv ja meeleheitlik.

„Kus on foto väljatrükk?" küsis ta Pipi poole pöördudes, paberid käes.

Ja nüüd vale, mis poisi murrab.

„Ma hävitasin selle. Seda ei ole," ütles Pip.

Pilk poisi silmis kõrvetas, Pip tundis, kuidas see teda söövitas.

„Miks sa nii teed? Miks sa seda teed?" Paberid kukkusid Ravi käest, lendlesid kui küljest raiutud tiivad põrandale ja kukkusid Pipi jalgade ümber.

„Sest ma ei taha enam olla osa sellest. Ma ei oleks tohtinud üldse alustada."

„See ei ole aus!" Kõõlused paisusid väätidena Ravi kaelal. „Mu vend oli süütu ja sina hävitasid meie ainsa asitõendi. Kui sa nüüd tagasi tõmbud, Pip, oled sa niisama halb kui kõik teised Kiltonis. Kõik, kes kirjutasid meie majale „Saast", kõik, kes meie aknad sisse viskasid. Kõik, kes mind koolis kiusasid. Kõik, kes mind põrnitsevad. Ei, sina oled veelgi hullem, nemad vähemalt arvavad, et Sal oli süüdi."

„Mul on kahju," pomises Pip.

„Ei, minul on kahju!" Ravi hääl murdus. Ta pühkis käisega näolt vihapisarad ja astus ukse juurde. „Mul on kahju, et mõtlesin, et sa oled keegi, kes sa ilmselgelt ei ole. Sa oled lihtsalt laps. Julm laps, nagu Andie Bell."

Ravi lahkus toast, käed silmadel, ja pöördus trepi poole.

Pip vaatas poissi viimast korda minemas.

Kuuldes, kuidas välisuks avaneb ja kinni vajub, surus ta käe rusikasse ja virutas vastu lauda. Pliiatsitops lõi vankuma ja kukkus ümber, kõik pastakad veeresid laual laiali.

Pip karjus end pihkude vastu tühjaks, hoidis oma karjest kinni, püüdis selle sõrmedega lõksu.

Ravi vihkab teda, kuid poiss on nüüd väljaspool ohtu.

Kolmkümmend seitse

Järgmisel päeval oli Pip koos Joshiga elutoas ja õpetas venda malet mängima. Nad lõpetasid esimest partiid ja kuigi Pip pingutas, et Joshil võita lasta, oli vennal alles vaid kuningas ja kaks etturit. Või etsurit, nagu Josh nende kohta ütles.

Keegi koputas välisuksele ning Barney puudumine oli kui hoop kõhtu. Ei kostnud käpamüdinat lakitud puidul nagu siis, kui koer tormas uksele tervitama.

Ema läks mööda koridori ja avas ukse.

Elutuppa kandus Leanne'i hääl. „Oh, tere, Ravi."

Pipi süda tõusis kurku.

Segaduses pani ta ratsu tagasi malelauale ja läks toast välja, tundes, kuidas ärevus kasvab paanikaks. Miks peaks Ravi pärast eilset tagasi tulema? Kuidas suudab poiss teda üldse vaadata? Kui ta ei ole just nii meeleheitel, et tuli Pipi vanemate juurde, rääkima neile kõigest, mida nad teavad, et sundida Pipi politseisse minema. Ta ei lähe; kes võib järgmisena surra, kui ta seda teeb?

Uksele lähenedes nägi ta, kuidas Ravi tõmbas suure spordi-koti luku lahti ja pistis käe kotti.

„Mu ema tunneb teile kaasa," ütles ta kaht suurt Tupper-ware'i karpi välja võttes. „Ta tegi kanakarrit, juhuks kui teil ei ole tahtmist süüa teha."

„Ohh!" Leanne võttis karbid vastu. „Nii osavõtlik temast. Aitäh! Astu aga sisse. Sa pead mulle oma ema numbri andma, et saaksin teda tänada."

„Ravi?" ütles Pip.

„Tere, paharet," vastas Ravi vaikselt. „Kas ma saaksin sinuga rääkida?"

Pipi tuppa jõudes sulges Ravi ukse ja pani koti vaibale.

„Ee... ma ..." kogeles Pip Ravi näolt vihjeid otsides. „Ma ei saa aru, miks sa tagasi tulid?"

Poiss astus sammu tema poole. „Ma mõtlesin selle üle kogu öö, sõna otseses mõttes kogu öö, väljas oli juba valge, kui ma lõpuks magama jäin. Ja on ainult üks põhjus, mis ma suutsin välja mõelda, ainult üks asi, mis tundub loogiline. Sest ma tunnen sind, ma ei eksinud sinu suhtes."

„Ma ei ..."

„Keegi varastas Barney, jah?" küsis poiss. „Keegi ähvardas sind ja võttis su koera ja tappis ta, et sa Sali ja Andie koha pealt suu kinni hoiaksid."

Vaikus toas oli särisev ja tihke.

Pip noogutas ja puhkes nutma.

„Ära nuta," ütles Ravi, ületades ühe pika sammuga nende-vahelise ruumi. Ta tõmbas tüdruku enda vastu. „Ma olen siin," ütles poiss. „Ma olen siin."

Pip surus end tema vastu ja kõik – kogu valu, kõik saladused, mida ta endas hoidis – pääses valla, kiirgas temast kuumusena. Ta surus küüned peopessa, püüdes pisaraid tagasi hoida.

„Räägi, mis juhtus," ütles Ravi viimaks tüdrukust lahti lastes.

Kuid sõnad läksid Pipi suus segi. Ta võttis selle asemel telefoni, klõpsas Tundmatu sõnumitele ja ulatas telefoni Ravile. Ta jälgis poisi silmi, kui too järjest sõnumeid luges.

„Oh, Pip," pomises Ravi ja vaatas tüdrukule pärani silmi otsa. „See on haige."

„Ta valetas." Pip tõmbas ninaga. „Ta ütles, et ma saan ta tagasi, aga siis tappis Barney."

„See ei olnud esimene kord, kui ta sinuga ühendust võttis," sõnas Ravi sõnumeid kerides. „Esimene sõnum on kaheksandast oktoobrist."

„See ei olnud esimene," ütles Pip ja avas kirjutuslaua ülemise sahtli. Ta ulatas Ravile kaks printerilehte ja osutas vasakpoolsele. „See jäeti mu magamiskotti, kui ma esimesel septembril sõpradega metsas telkisin. Nägin, et keegi jälgis meid. See teine ..." Ta osutas teisele paberile, „oli eelmisel reedel mu koolikapis. Ma ei pööranud sellele tähelepanu ja lasin edasi. Sellepärast ongi Barney surnud. Minu ülbuse pärast. Sellepärast, et ma pidasin end võitmatuks, aga ma ei ole seda. Me peame lõpetama. Eile ... Mul on kahju, ma ei teadnud, kuidas sundida sind lõpetama, ainuke lahendus oli panna sind mind vihkama, et sa hoiaksid eemale ega satuks ohtu."

„Minust on raske lahti saada," sõnas Ravi pilku tõstes. „Ja see ei ole lõppenud."

„On küll." Pip võttis paberilehed tagasi ja torkas lauasahtlisse. „Barney on surnud, Ravi. Ja kes on järgmine? Sina? Mina? Tapja on käinud siin, minu majas, minu toas. Ta luges mu uurimistööd ja kirjutas minu uurimistöö raportisse hoiatuse. Siin, Ravi, samas majas minu üheksa-aastase vennaga. Kui me jätkame, seame ohtu liiga paljud inimesed. Su vanemad võivad kaotada ainsa poja, kes neile on alles jäänud." Pip vaikis, ta silme ette kerkis pilt surnud Ravist sügislehtedel, Josh tema kõrval. „Tapja teab kõike, mida teame meie. Ta võitis meid ja meil on liiga palju kaotada. Mul on kahju, kui see tähendab, et pean Sali hülgama. Mul on nii kahju."

„Miks sa mulle ähvarduskirjadest ei rääkinud?" küsis Ravi. „Algul arvasin, et see võib olla lihtsalt loll nali." Pip kehitas õlgu. „Aga ma ei tahtnud sulle rääkida, mõtlesin, et sa käsid mul lõpetada. Siis jäin kuidagi sellesse kinni, et neid saaduses hoida. Pidasin neid tühipaljasteks ähvardusteks. Mõtlesin, et saan tapjast võitu. Ma olin nii rumal ja nüüd olen oma vigade eest maksnud."

„Sa ei ole rumal, sul oli kogu aeg Sali suhtes õigus," ütles poiss. „Sal oli süütu. Meie teame seda nüüd, kuid sellest ei piisa. Ta väärib seda, et kõik teaksid, et ta oli kuni lõpuni lahke ja hea. Mu vanemad väärivad seda. Ja nüüd ei ole meil isegi fotot, mis seda tõestas."

„Mul on foto alles," ütles Pip vaikselt, võttis alumisest sahtlist välja prinditud foto ja ulatas selle Ravile. „Muidugi ei hävitaks ma seda eales. Kuid sellest ei ole meil abi."

„Miks mitte?"

„Tapja jälgib mind, Ravi. Jälgib meid. Kui me selle foto polit-seisse viime ja nad meid ei usu, kui nad arvavad, et kasutasime Photoshoppi või midagi säärast, on juba hilja. Me oleme siis oma viimase trumbi välja käinud ja see ei ole piisavalt kõva. Mis siis saab? Ta röövib Joshi? Sinu? Inimesed võivad surma saada." Pip istus voodile ja näppis soki küljest toppe. „Meil ei ole suitsevat püssi. See foto ei ole piisav tõend: see toetub tõlgendustele ja seda ei ole enam netis. Miks nad peaksid meid uskuma? Sali venda ja seitsmeteistaastast koolitüdrukut? Ma isegi usun meid vaevu. Meil ei ole muud, kui uskumatud lood mõrvatud tüdruku kohta, ja sa ju tead, mida siinne politsei arvab Salist, täpselt nagu kogu ülejäänud linn. Me ei saa riskida oma eluga üksnes selle foto pärast."

„Ei." Ravi noogutas ja pani foto lauale. „Sul on õigus. Ja üks meie peamisi kahtlusaluseid on politseinik. See ei oleks õige käik. Isegi kui politsei meid mingi ime läbi usuks ja uurimise avaks, võtaks neil palju aega, et tegelik tapja leida. Aega, mida meil ei ole." Ravi sõitis tooliga voodi juurde ja vaatas kaksiratsi sellel istudes Pipile otsa. „Nii et minu meelest on meie ainus variant ise tapja leida."

„Me ei saa ..." alustas Pip.

„Kas sa tõesti arvad, et loobumine oleks parim käik? Kuidas sa saaksid end Kiltonis veel kunagi turvaliselt tunda, teades, et inimene, kes tappis Andie ja Sali ja sinu koera, on endiselt siin? Kuidas sa saaksid niimoodi elada?"

„Pean."

„Nii targa inimese kohta oled sa praegu tõesti tohlakas." Ravi toetas küünarnukid tooli seljatoele ja lõua sõrmenukkide vastu.

„Nad tapsid mu koera," sõnas Pip.

„Nad tapsid mu venna. Ja mida me selles suhtes ette võtame?" küsis poiss ja ajas end sirgu, trotslik läige silmis. „Kas me unustame kõik, tõmbame end kerra ja läheme peitu? Elame oma elu, teades, et mõrvar jälgib meid? Või võitleme? Kas me otsime ta üles ja karistame selle eest, mida ta meile teinud on? Paneme ta trellide taha, et ta ei saaks enam kunagi kellelegi haiget teha?"

„Ta saab teada, et me ei lõpetanud," väitis Pip.

„Ei saa, kui oleme ettevaatlikud. Me ei räägi enam inimestega sinu nimekirjas, me ei räägi enam kellegagi. Vastused peavad olema kusagil selles, mida oleme teada saanud. Sa ütled, et loobusid projektid. Teame ainult sina ja mina."

Pip ei lausunud sõnagi.

„Kui sul on veel pooltargumente vaja," sõnas Ravi oma seljakoti juurde astudes, „siis ma tõin sulle oma sülearvuti. See on sinu, kuni asi on tehtud." Ta võttis kotist arvuti ja viibutas seda.

„Aga ..."

„See on sinu," kordas Ravi. „Võid kasutada seda eksamiks kordamiseks ja panna kirja kõik, mida oma raportist mäletad. Ma tegin siia ka ise pisut märkmeid. Ma tean, et oled kaotanud kogu oma uurimistöö, aga ..."

„Ma ei ole oma uurimistööd kaotanud," ütles Pip.

„Mhh?"

„Ma meilin alati kõik endale, lihtsalt igaks juhuks," selgitas Pip ja nägi, kuidas Ravi näole kerkis naeratus. „Kelleks sa mind pead, mingiks Muretuks Mariks?"

„Oh ei, Seersant. Ma tean, et sa oled Ettevaatlik Ella. Kas sa oled nõus või oleksin pidanud pistiseks mõned muffinid tooma?"

Pip sirutas käe arvuti järele. „Laseme siis käia. Meil on lahendada topeltmõrv."

Nad printisid välja kogu kupatuse: kõik Pipi uurimistöö raporti sissekanded, kõik Andie päeviku leheküljed, kõigi kahtlusaluste fotod, parklafotod Howiest koos Stanley Forbesiga, Jason Belli ja tema uue naise, Ivy House'i hotelli, Max Hastingsi maja, ajalehtede lemmikfoto Andiest, foto pidulikult riides Bellide perest ja Salist, kes pilgutas silma ja lehvitas kaamerale, Pipi õngitsussõnumid Emma Huttonile, tema meilid BBC ajakirjanikuna jookide solkimise kohta, rohüpnooli mõjude väljatrüki, Kiltoni gümnaasiumi, foto Daniel da Silvast ja teistest politseinikest Bellide maja läbiotsimisel, netiartikli kõnekaardiga telefonide kohta, Stanley Forbesi artikli Salist, Nat da Silva foto koos infoga kehavigastuste tekitamise kohta, foto mustast Peugeot 206-st koos Romer Close'i kaardi ja Howie majaga, ajaleheartiklid otsasõidust ja põgenemisest 2011. aasta vana-aasta õhtul, Tundmatu sõnumite kuvatõmmised ning ähvarduskirjade skaneeringud koos kuupäeva ja leidmiskohaga.

Nad silmitsesid koos paberivirnu vaibal.

„See ei ole keskkonnasõbralik," tähendas Ravi, „aga ma olen alati tahtnud koostada mõrvatahvlit."

„Mina ka," nõustus Pip. „Ja ma olen hästi varustatud." Ta võttis kirjutuslaua sahtlitest karbi värvilisi nööpnõelu ja kera punast nööri.

„Kas sul on punane nöör lihtsalt juhuslikult olemas?" imestas Ravi.

„Mul on igat värvi nööri."

„Loomulikult."

Pip võttis laua kohal rippuva korktahvli alla. Hetkel oli see kaetud fotodega Pipist ja tema sõpradest, Joshist ja Barneyst, seal oli kooli tunniplaan ja Maya Angelou tsitaadid. Pip korjas kõik kokku ja nad alustasid sortimist. Nad kinnitasid välja prinditud lehed põrandal lamedate hõbedaste nööpnõeltega tahvlile ja sättisid paberid oluliste isikute ümber suurteks omavahel kattuvateks orbiitideks. Kõige keskel olid Andie ja Sali fotod. Nad olid just alustanud nööri ja värviliste nööpnõeltega ühendusjoonte tegemist, kui Pipi telefon helises. Numbrit ei olnud tema telefoni salvestatud.

„Tere, Pip, Naomi siin."

„Tere. Imelik, su numbrit ei ole mu telefonis."

„Ohjaa, ma lõhkusin oma telefoni ära," selgitas Naomi. „Kasutan teist telefoni, kuni mu enda oma paranduses on."

„Ahjaa, Cara rääkis. Mis uudist?"

„Ma olin nädalavahetusel ühe sõbra juures ja Cara rääkis mulle alles praegu Barnsist. Mul on nii kahju, Pip. Loodan, et sinuga on kombes."

„Veel mitte," vastas Pip. „Aga küll saab."

„Ma tean, et sa ei taha ehk sellest praegu mõelda," jätkas Naomi, „aga selgus, et mu sõbra nõbu õpib Cambridge'is inglise keelt. Mõtlesin, et kui sa tahad, võin rääkida, et ta kirjutaks sulle meilis eksami ja vestluse ja kõige kohta."

„Tegelikult jah, palun," ütles Pip. „Sellest oleks abi. Ma olen kordamisega pisut maha jäänud." Ta vaatas rõhutatult mõrvatahvli kohale kummardunud Ravi poole.

„Tore, ma palun, et mu sõber võtaks temaga ühendust. Eksam on neljapäeval, eks?"

„Jah."

„Kui me enne ei näe, siis edu. Sa teed selle hiilgavalt."

„Nii," ütles Ravi, kui Pip kõne lõpetas, „meie lahtised niidiotsad on praegu Ivy House'i hotell, Andie päevikusse kritseldatud telefoninumber" – ta osutas paberile, „ja kõnekaardiga telefon. Ning teadmine otsasõidust, juurdepääs Sali sõprade ja sinu telefoninumbritele. Pip, võib-olla ajame me asja liiga keeruliseks. Minu meelest osutab kõik ühele inimesele."

„Maxile?"

„Keskendume kindlatele asjadele," pakkus Ravi. „Mitte võib-olla'dele. Max on ainus, kellel on otsasõidust ja põgenemisest otsene teadmine."

„Tõsi."

„Ta on siin ainus, kellel oli juurdepääs Naomi, Millie ja Jake'i telefoninumbritele. Ja enda omale."

„Natil ja Howiel võis samuti olla."

„Jah, „võis" olla. Meie otsime kindlaid asju," Ravi astus tahvli Maxi poolele. „Ta ütleb, et ta leidis selle, aga tal on alasti-foto Andiest Ivy House'is. Nii et arvatavasti oli tema see, kes Andiega seal kohtus. Ta ostis Andielt rohüpnooli ja tüdrukute jooke solgiti pidudel; arvatavasti ründas ta neid. On selge, et ta on omadega sassis, Pip."

Ravi liikus mööda samu mõtteradu, millega Pip oli maadel-nud, ning tüdruk teadis, et poiss jookseb vastu müüri.

„Pealegi," jätkas Ravi, „on Max siin ainus, kellel oli kindlasti sinu telefoninumber."

„Tegelikult mitte," ütles Pip. „Natil on see sellest ajast, kui üritasin teda telefonis küsitleda. Ja Howiel on samuti mu number: ma helistasin talle, kui püüdsin teda tuvastada ja unustasin numbrinäitu varjata. Varsti pärast seda sain Tundmatult esimese sõnumi."

„Või nii."

„Ja me teame, et sel ajal kui Sal kadus, oli Max koolis ja andis politseile tunnistust."

Ravi vajus longu. „Midagi peab meil olema kahe silma vahele jäänud."

„Lähme tagasi ühenduste juurde." Pip ulatas Ravile nööp-nõelakarbi. Poiss võttis need ja lõikas jupi punast nööri. „Nii," ütles ta. „Kaks Da Silvat on loomulikult seotud. Ja Daniel da Silva Andie isaga. Ja Daniel ka Maxiga, sest ta koostas raporti Maxi lömmis auto kohta ning võis otsa-sõidust teada."

„Jah," nõustus Pip, „ja võib-olla mätsis ka jookide solkimise kinni."

„Nii," pomises Ravi, keeras nööri ümber nööpnõela ja surus selle tahvlisse. Ta sisistas, kui endale pöidlasse torkas, nahale ilmus tilluke veremull.

„Palun lõpeta mõrvatahvli verega määrimine," noomis Pip.

Ravi tegi näo, nagu viskaks Pippi nööpnõelaga. „Max tunneb ka Howiet ja nad on mõlemad seotud Andie uimastiäriga," ütles ta ja tõmbas sõrmega ümber kõigi kolme näo.

„Just. Ja Natti teadis Max koolist," lisas Pip, „ning käivad jutud, et ka Nati jooki lisati midagi."

Nüüd katsid tahvlit risti-rästi üksteisest üle jooksvad punased jooned.

„Nii et üldiselt ..." Ravi vaatas Pipi poole, „on nad kõik üksteisega kaudselt seotud, alustades Howiest ühes ning lõpetades Jason Belliga teises otsas. Võib-olla tegid nad seda koos, kõik viis."

„Järgmiseks ütled sa, et kellelgi neist on kuri kaksik."

Kolmkümmend kaheksa

Sõbrad kohtlesid teda koolis kogu päeva, nagu võiks ta kildudeks puruneda, keegi ei maininud kordagi Barneyt, sellest mindi suure kaarega mööda. Lauren jättis Pipile oma viimase Jaffa küpsise. Connor loovutas kohvikus keskmise tooli, et Pip ei peaks hüljatuna laua otsas istuma. Cara püsis tema kõrval, teades täpselt, millal rääkida ja millal vait olla. Ja keegi ei naernud liiga kõvasti; iga naerupahvaku ajal vaadati tema poole.

Pip töötas suurema osa päevast vaikselt sisseastumiseksami materjalidega ja püüdis kõik muu peast tõrjuda. Ta harjutas, koostas peas esseesid, teeseldes, et kuulab ajaloos härra Wardi ja politoloogias preili Welshi. Proua Morgan ajas ta koridoris nurka, priske nägu range, ja loetles põhjuseid, miks ei ole võimalik nii hilja uurimistöö teemat muuta. Pip ütles ainult „Selge", ja kõndis minema, kuuldes, kuidas proua Morgan pomises endamisi: „Teismelised."

Koolist koju jõudes suundus Pip otseteed laua taha ja avas Ravi sülearvuti. Ta kavatses hiljem kordamist jätkata, pärast õhtusööki poole ööni, kuigi ta silmad asusid juba tumedate planeedirõngaste keskel. Ema arvas, et Pip ei maga Barney pärast. Kuid Pip ei maganud, sest selleks ei olnud aega.

Pip avas brauseri ja tõmbas ette Ivy House'i lehekülje TripAdvisoris. See oli talle määratud juhtlõng, Ravi töötas Andie päevikusse kritseldatud telefoninumbriga. Pip oli juba saatnud sõnumi paarile Ivy House'i arvustajale, kes olid postitanud 2012. aasta märtsi ja aprilli paiku, ning küsinud, kas nad

342

mäletavad hotellist blondi tüdrukut. Seni ei olnud ühtki vastust tulnud.

Edasi liikus Pip veebilehele, mis oli tegelnud hotelli broneeringutega. Kontaktilehel leidis ta hotelli telefoninumbri ja sõbraliku soovituse: *Helistage millal iganes!* Võib-olla peaks ta teesklema hotelli omanikust vana naise sugulast ja uurima, kas ta saaks juurdepääsu vanale broneeringuinfole. Arvatavasti mitte, kuid proovima pidi. Selle niidiotsa lõpus võis olla Salajase Vanema Mehe isik.

Pip avas telefoni ja klõpsas viimaste kõnede nimekirjale. Ta hakkas firma numbrit sisse toksima. Äkki muutusid pöidlad jõuetuks ja peatusid. Pip silmitses neid, peas tiirutamas mõttejupp, mis muutus teadlikuks.

„Oot," sõnas ta valjusti ja liikus tagasi viimaste kõnede juurde.

Ta silmitses ülemist numbrit, millelt Naomi oli talle eelmisel päeval helistanud. Oma ajutiselt telefonilt. Pipi pilk liikus üle numbrite ja ta rinnas hakkas paisuma korraga hirmus ja imelik tunne.

Pip hüppas nii kähku tooliit üles, et tool lõi pöörlema ja paiskus vastu lauda. Telefon käes, laskus Pip põlvili ja tõmbas voodi alt peidust välja mõrvatahvli. Ta silmad liikusid otseteed Andie osa ja prinditud lehekülgedeni ümber tüdruku naeratava näo.

Ta leidis selle. Andie päeviku lehekülje. Kritseldatud lehekü1je ja selle kõrval oma raporti sissekande. Pip võttis telefoni ja vaatas Naomi ajutiselt numbrilt kritseldusele.

07700900476

See ei olnud üks tema välja kirjutatud kaheteistkümnest kombinatsioonist. Aga peaaegu. Pip oli arvanud, et tagant kolmas number peab olema 7 või üheksa. Aga mis siis, kui see oli lohakalt kritseldatud? Mis siis, kui tagant kolmas number oli tegelikult 4?

Pip vajus uuesti põrandale. Polnud mingit võimalust olla täiesti kindel, mingit võimalust kritseldus lahti harutada ja näha, mis see tegelikult on. Kuid see oleks üks neist uskumatutest siga-lendab-põrgu-jäätub-kokkusattumustest, kui Naomi vana SIM-kaardi number sarnaneb sellega, mille Andie oma päevikusse kirjutas. See pidi olema sama number, lihtsalt pidi.

Ja mida see tähendab, kui üldse tähendab? Võib-olla oli see nüüd tähtsusetu juhtlõng – Andie kirjutas lihtsalt üles oma kallima parima sõbra numbri? Number ei puutu asjasse ja selle võib kõrvale jätta.

Miks oli tal siis kõhus õõnes tunne?

Sest kui Max oli tugev kandidaat, siis oli Naomi seda veelgi enam. Naomi teadis otsasõidust ja põgenemisest. Naomil oli juurdepääs Maxi, Millie ja Jake'i telefoninumbritele. Naomil oli Pipi number. Naomi võis lahkuda Maxi majast, kui Millie magas, ja Andie enne kella 00.45 kätte saada. Naomi oli olnud Salile kõige lähem. Naomi teadis, kus Pip ja Cara metsas laagrisse jäid. Naomi teadis, kus metsas Pip Barneyga jalutas – sealsamas, kus suri Sal.

Naomil oli Pipi avastatud tõdede tõttu juba niigi palju kaotada. Aga mis siis, kui oli midagi enamat? Mis siis, kui ta oli seotud Andie ja Sali surmaga?

Pip tormas endast ette, ta väsinud aju pani putku ja sundis teda vigu tegema. See oli lihtsalt telefoninumber, mille Andie oli üles kirjutanud, see ei sidunud Naomit millegagi. Ent oma ajule järele jõudes taipas Pip, et oli midagi, mis võis Naomit siduda.

Pärast seda, kui ta oli Naomi huvipakkuvate isikute nime-kirjast maha tõmmanud, oli ta saanud tapjalt veel ühe kirja: selle, mis oli jäetud tema kappi koolis. Veerandi algul oli Pip pannud Cara sülearvuti salvestama kõike, mis Wardide printerisse läks.

Kui Naomi oli sellega seotud, oli Pipil nüüd kindel viis sellest teada saada.

Kolmkümmend üheksa

Naomil oli nuga käes ja Pip taganes sammu.

„Vaata ette," ütles ta.

„Oh ei!" Naomi vangutas pead. „Silmad ei ole ühtlased."
Ta keeras kõrvitsa ümber, et Pip ja Cara selle nägu näeksid.

„Pisut Trumpi moodi," kihistas Cara.

„See peab olema kuri kass." Naomi pani noa kõrvitsasisuga
kausi kõrvale.

„Ära loobu oma päevatööst," sõnas Cara, pühkis kõrvitsa-
sodi kätelt ja astus puhvetkapi juurde.

„Mul ei ole päevatööd."

„Oh issand," porises Cara ja uuris kikivarvukil kapi sisu.
„Kuhu need kaks küpsisepakki kadusid? Ma olin sõna otseses
mõttes koos isaga, kui me need kahe päeva eest ostsime."

„Ma ei tea. Mina ei ole neid söönud." Naomi astus Pipi juurde
tema kõrvitsat imetlema. „Mis see veel peaks olema, Pip?"

„Sauroni silm," vastas Pip vaikselt.

„Või põlev emakas," pakkus Cara ja võttis küpsiste asemel
banaani.

„See ajab tõesti hirmu peale," naeris Naomi.

Ei, hoopis see ajab.

Kui Pip ja Cara koolist tulid, olid Naomil kõrvitsad ja noad
juba valmis pandud. Pipil ei olnud veel avanenud võimalust
minema hiilida.

„Naomi," ütles ta, „aitäh, et mulle tookord helistasid. Sain su
sõbra nõolt Cambridge'i eksami kohta meili. Sellest oli palju abi."

„Tore," naeratas Naomi. „Pole tänu väärt."

„Millal su telefon korda saab?"

„Parandusest öeldi, et homme. Sellega on neetult kaua läinud."

Pip noogutas ja püüdis näole kaastundliku ilme manada. „Vähemalt oli sul vana telefon alles ja selle SIM-kaart töötas. Vedas, et sa need alles hoidsid."

„Vedas, et isal oli üle micro-SIM-kaart. Ja lisaks oli sellel kaheksateist naela krediiti. Minu telefonis oli vaid aegunud leping."

Pip oleks peaaegu noa käest pillanud. Ta kõrvus kohises.

„See on su isa SIM-kaart?"

„Jah," kinnitas Naomi ja tõmbas noaga piki kõrvitsanägu, keel keskendumisest väljas. „Cara leidis selle isa lauasahtlist, sodisahtli põhjast. Sa ju tead seda sahtlit, mis on igas peres, täis vanu laadijaid ja välismaa raha ja muud säärast."

Kohin kõrvus muutus helinaks, mis kriiskas ja kiljus ja täitis kogu Pipi pea. Ta tundis iiveldust, kurku valgus metalne maitse.

Ellioti SIM-kaart.

Ellioti vana telefoninumber Andie päevikus.

Andie, kes nimetas oma kadumise nädalal härra Wardi sitapeaks.

Elliot.

„Kas kõik on korras, Pip?" küsis Cara põlevat küünalt oma kõrvitsasse kukutades, nii et see hõõgudes ellu ärkas.

„Jaa." Pip noogutas liiga ägedalt. „Ma olen lihtsalt, ee... näljane."

„Ma pakuksin sulle küpsist, kuid need paistavad olevat kadunud nagu alati. Röstsaia?"

347

„Ee… ei, tänan."

„Ma toidan sind, sest armastan sind," sõnas Cara.

Pipi suud täitis midagi kleepuvat ja iiveldamaajavat. Ei, see ei pruugi tähendada seda, mida ta mõtles. Võib-olla pakkus Elliot lihtsalt, et aitab Andiet järele ja sellepärast kirjutas tüdruk ta numbri üles. Võib-olla. See ei saanud olla Elliot. Ta pidi maha rahunema ja püüdma hingata. See ei tõestanud veel midagi.

Kuid ta sai tõendusmaterjali leida.

„Minu meelest peaks meil olema seda tehes taustaks jube *halloween*'i-muusika," pakkus Pip. „Cara, kas ma tohin su arvuti tuua?"

„Jah, see on voodi peal."

Pip sulges enda järel köögiukse. Ta jooksis trepist üles ja astus Cara tuppa. Arvuti kaenlas, hiilis ta uuesti trepist alla, süda peksmas vaat et valjemini kui kohin kõrvus.

Ta lipsas Ellioti kabinetti, sulges vaikselt ukse ja silmitses hetkeks printerit mehe kirjutuslaual. Isobel Wardi maalide vikerkaarevärvi inimesed vaatasid, kuidas ta pani Cara arvuti härjavere karva nahktugitoolile ja avas kaane, põlvitades ise põrandale selle kõrvale.

Kui arvuti tööle hakkas, klõpsas Pip juhtpaneelil seadmetele ja printeritele. Ta valis hiirega Freddie Prints Jr, tegi parem-klõpsu ning vajutas hinge kinni hoides rippmenüüs esimesele valikule: Vaata, mis prindib.

Ekraanile ilmus väike siniste servadega kast. Selles oli tabel kuue tulbaga: dokumendi nimi, olek, omanik, leheküljed, suurus ja printerisse saatmise aeg.

Kast oli täis sissekandeid. Üks eilsest Caralt, pealkirjaks „Kandideerimisavalduse teine mustand". Üks paari päeva eest

Elliot Compilt: Gluteenivabade küpsiste retsept. Mitu tükki reas Naomilt: CV 2017, Avaldus heategevustööks, Motivatsioonikiri, Motivatsioonikiri 2.

Kirjake pandi Pipi kappi reedel, 20. oktoobril. Pilk dokumentide printerisse saatmise kuupäeva tulbal, keris Pip allapoole.

Ta sõrmed peatusid. 19. oktoobril kakskümmend minutit enne südaööd oli Elliot Comp printinud dokumendi Microsoft Word – Document 1.

Nimeta salvestamata dokument.

Pipi sõrmed jätsid hiirele higised jäljed, kui ta paremklõpsas dokumendile. Ilmus veel üks väike rippmenüü. Süda kurgus, hammustas Pip keelde ja klõpsas valikut Prindi uuesti.

Printer kolksatas Pipi selja taga ja tüdruk võpatas.

Päkkadel pöördudes vaatas ta sisiseva ja pealmist paberit sisse neelava printeri poole.

Ta ajas end sirgu, kui masin hakkas turtsudes paberit läbi laskma.

Ta astus printeri poole, samm iga turtsatuse vahel.

Paber hakkas tagurpidi läbi masina liikuma, vilksamisi paistis musta tinti.

Printer lõpetas ja sülgas paberi välja.

Pip võttis selle kätte.

Ta keeras lehe ümber.

See on viimane hoiatus, Pippa. Tõmba tagasi.

Nelikümmend

Sõnad jätsid Pipi maha.

Ta põrnitses paberit ja raputas pead.

Tundes, mis teda valdas, oli midagi ürgset ja sõnatut. Tuim raev läbisegi õudusega. Ja reetmine, mis pures iga ta kehaosa.

Pip tuikus ja vaatas mujale, pimedast aknast välja.

Elliot Ward oli Tundmatu.

Elliot oli tapja. Andie tapja. Sali tapja. Barney tapja.

Ta vaatas tuules liikuvaid poolraagus puid. Ja lõi oma peegelpildis aknaklaasil kogu stseeni uuesti. Ta põrkab ajalooklassis härra Wardi otsa, kirjake lendab põrandale. Seesama kirjake, mille mees oli talle jätnud. Mehe petlikult lahke nägu, kui ta küsis, kas Pippi kiusatakse. Cara toomas küpsiseid, mida nad olid Elliotiga küpsetanud, et Amobi peret koera surma järel lohutada.

Valed. Kõik valed. Elliot, mees, kelles ta oli näinud lapsena teist isakuju. Mees, kes korraldas neile aias keerulisi aardejahte. Mees, kes ostis Pipile nende koju teistega ühesugused karukäpasussid. Mees, kes rääkis muretu naeru saatel puändiga nalju. Ja ta oli mõrvar. Hunt lamba pastelltoonides särkides ja paksu raamiga prillides.

Pip kuulis, kuidas Cara teda hüüdis.

Ta murdis paberi pooleks ja torkas jakitaskusse.

„Sa olid terve igaviku ära," ütles Cara, kui Pip köögiukse avas.

„Vetsus," vastas ta ja pani arvuti Cara ette. „Kuulge, ma ei tunne ennast eriti hästi. Ja tegelikult peaksin ma eksamiks õppima, see on ülehomme. Ma vist lähen."

„Ohh." Cara kulm tõmbus kortsu. „Aga varsti tuleb Lauren ja ma tahtsin koos „Blairi nõiafilmi" vaadata. Isegi isa oli nõus ja me saame tema üle naerda, sest ta on õudusfilmide koha pealt täielik jänes."

„Kus su isa on?" küsis Pip. „Eratundides?"

„Kui tihti sa siin käid? Sa tead, et eratunnid on esmaspäeviti, kolmapäeviti ja neljapäeviti. Ilmselt jäi ta lihtsalt kauemaks kooli."

„Oh, vabandust, päevad hakkavad sassi minema." Pip vaikis ja mõtles. „Olen alati mõelnud, miks su isa eratunde annab, tal ei ole ju raha tarvis?"

„Sa mõtled sellepärast, et mu ema suguvõsa on rikas?"

„Just."

„Talle vist lihtsalt meeldib," sõnas Naomi ja torkas põleva teeküünla oma kõrvitsa suhu. „Ta oleks ilmselt valmis õpilastele ise maksma, et need laseksid tal ajaloost jahuda."

„Ma ei mäleta, millal ta alustas," ütles Pip.

„Ee..." Naomi tõstis järele mõeldes pilgu. „Minu meelest vahetult enne seda, kui ma ülikooli läksin."

„Nii et pisut üle viie aasta tagasi?"

„Vist küll," kinnitas Naomi. „Miks sa temalt endalt ei küsi. Ta auto keeras just maja juurde."

Pip tõmbus jäigaks, kogu kehale tekkis kananahk.

„Okei, ma hakkan nüüd minema. Vabandust." Ta haaras koti ja vaatas, kuidas autotuled läbi akna pimeduses vilkusid.

„Pole hullu." Cara silmisse ilmus mure. „Saan aru. Võib-olla korraldame sinuga uue *halloween*'i, kui sa enam nii rusutud ei ole."

„Mhm."

Võti krigises lukuaugus. Tagauks lükati lahti. Sammud tulid läbi majapidamisruumi.

Elliot ilmus lävele. Ta prilliklaasid tõmbusid sooja tuppa astudes servadest uduseks. Ta naeratas kõigile ning pani oma portfelli ja kilekoti köögikapile.

„Tere kõigile," ütles ta. „Jessas, õpetajatele meeldib oma häält kuulata. See oli mu elu pikim koosolek."

Pip sundis end naerma.

„Sa vaata vaid neid kõrvitsaid," imestas Elliot ja naeratus ta näol muutus veelgi laiemaks. „Pip, kas sa jääd sööma. Ma ostsin jubedaid *halloween*'i-kartuleid."

Mees tõstis paki külmutatud kartuleid, vehkis nendega ja lasi kuuldavale tontliku ulu.

Nelikümmend üks

Pip jõudis koju just siis, kui vanemad hakkasid viima Harry Potteri kostüümis Joshi kommi pommima.

„Tule meiega kaasa, mummuke," kutsus Victor, kui Leanne tema Tondipüüdjate Stay Pufti Vahukommimehikese kostüümi lukku kinni tõmbas.

„Ma peaksin jääma koju õppima," arvas Pip. „Ja kommi-pommijatega tegelema."

„Kas sa ei saaks üht õhtut vabaks võtta?" küsis Leanne.

„Ei, kahju küll."

„Olgu, kullake. Maiustused on ukse juures."

„Selge. Hiljem näeme."

Josh astus uksest välja, lehvitas ja hõikas: „*Accio*, kommi!"

Victor haaras oma vahukommipea ja järgnes pojale. Leanne seisatas Pipi pealaele suudlema ning sulges siis ukse.

Pip vaatas läbi ukse klaastahvli välja. Kui auto jõudis sisse-sõidutee lõppu, võttis ta telefoni ja saatis Ravile sõnum: TULE OTSEKOHE MINU JUURDE!

Ravi põrnitses kruusi oma sõrmede vahel.

„Härra Ward." Ta vangutas pead. „See ei ole võimalik."

„Aga on," väitis Pip, põlv vastu laua alumist külge toksimas. „Tal ei ole Andie kadumise õhtuks alibit. Ma tean, et ei ole. Üks ta tütardest oli öösel Maxi pool ja teine magas minu juures."

Ravi hingas välja, nii et hingeõhk pani ta piimaga tee virvendama. Ilmselt oli tee nüüdseks jahtunud nagu Pipi omagi.

„Ja tal ei ole alibit ka teisipäevaks, kui Sal suri," lisas Pip. „Ta võttis haiguspäeva, ta ise ütles mulle."

„Aga Salile meeldis härra Ward," sõnas Ravi, Pip ei olnud kunagi kuulnud tema häält nii vaiksena.

„Ma tean."

Laud nende vahel tundus äkki väga lai.

„Nii et tema ongi Salajane Vanem Mees, kellega Andie kohtus?" küsis Ravi mõne aja pärast. „See, kellega ta Ivy House'is käis?"

„Võib-olla," vastas Pip. „Andie rääkis selle inimese hävitamisest, Elliot oli õpetaja ning tal oleks tulnud suuri pahandusi, kui Andie oleks neist kellelegi rääkinud. Kriminaalsüüdistus, vanglakaristus." Pip heitis pilgu teetassile, mida ta ei olnud puutunudki, ja oma värisevale peegelpildile. „Andie nimetas mõni päev enne kadumist Ellioti oma sõprade ees sitapeaks. Ellioti sõnul sai ta teada, et Andie kiusab teisi ja võttis *topless*-video tõttu ühendust tema isaga. Võib-olla ei olnud asi tegelikult selles."

„Kuidas ta otsasõidust teada sai? Kas Naomi rääkis?"

„Ei usu. Naomi ütles, et ei rääkinud kellelegi. Ma ei tea, kust Elliot teada sai."

„Siin on veel lünki," leidis Ravi.

„Ma tean. Aga tema on see, kes ähvardas mind ja tappis Barney. See on tema, Ravi."

„Okei." Ravi suured väsinud silmad peatusid tüdrukul. „Kuidas me seda tõestame?"

Pip lükkas kruusi kõrvale ja toetus lauale. „Elliot annab kolm korda nädalas eratunde," ütles ta. „Kuni tänase õhtuni ei olnud ma kunagi mõelnud, et see on veider. Wardidel ei ole

354

rahamuresid, tema naise elukindlustus oli suur ning Isobeli vanemad on veel elus ja ülirikkad. Pealegi on Elliot koolis osakonnajuhataja, tema palk on arvatavasti väga korralik. Ta hakkas eratunde andma pisut üle viie aasta tagasi, 2012. aastal."

„Okei?"

„Mis siis, kui ta ei käigi kolm korda nädalas eratunde andmas?" küsis Pip. „Mis siis, kui ta ... ma ei tea, käib selles kohas, kuhu ta Andie mattis? Külastab nagu patukahetsusena tema hauda?"

Ravi krimpsutas nägu, ta laubale ja ninale kerkisid kahtlusekurrud. „Mitte kolm korda iga nädal."

„Nojah," andis Pip järele. „Aga kui ta käib ... tema juures?" See tuli Pipile pähe samal hetkel, kui sõnad ta kurgus kuju võtsid. „Mis siis, kui Andie on elus ja Elliot hoiab teda kusagil? Ning käib teda kolm korda nädalas vaatamas?"

Ravi krimpsutas uuesti nägu.

Pipi pähe trügis mitu peaaegu unustatud mälestuskildu. „Kaduvad küpsised," pomises ta.

„Vabandust?"

Pipi silmad liikusid selle mõttega maadeldes vasakule ja paremale. „Kadunud küpsised," kordas ta valjemini. „Cara sõnul kaob neil kodust pidevalt toitu. Toitu, mida ta alles nägi isa ostmas. Oh issand. Andie on tema käes ja ta viib talle süüa."

„Äkki sa pisut tormad järeldustega, Seersant."

„Me peame välja uurima, kus ta käib." Pip ajas end sirgu, sest miski liikus judinal mööda ta selgroogi üles. „Homme on kolmapäev, eratundide päev."

„Ja kui ta annabki eratunde?"

„Ja kui ei anna?"

„Sa arvad, et peaksime teda jälitama?" küsis Ravi.

„Ei," vastas Pip, kui üks mõte esiplaanile kerkis. „Mul on parem plaan. Anna mulle oma telefon."

Ravi soris sõnatult taskus, võttis telefoni ja lükkas selle üle laua tüdrukule.

„Parool?" küsis Pip.

„Üks üks kaks kaks. Mida sa teed?"

„Aktiveerin meie telefonide vahel sõprade otsingu." Pip vajutas äpile ja saatis oma telefonile kutse. Ta avas selle ja võttis kutse vastu. „Nüüd jagame oma asukohti. Ja samal ajal," lisas ta telefoni raputades, „on meil jälgimisseade."

„Sa hirmutad mind pisut," tähendas Ravi.

„Homme pärast tunde pean leidma võimaluse jätta oma telefon tema autosse."

„Kuidas?"

„Mõtlen midagi välja."

„Ära mine temaga kuhugi üksi, Pip." Ravi kummardus lähemale ja vaatas tüdrukule ainiti silma. „Ma mõtlen seda tõsiselt."

Samal hetkel koputati välisuksele.

Pip hüppas püsti ja Ravi järgnes talle esikusse. Pip võttis kommikausi ja avas ukse.

„Pomm või komm?" kriiskas lastekoor.

„Vau," sõnas Pip, tundes kahes vampiiris ära kolm maja edasi elavate Yardleyde lapsed. „Küll te näete õudsed välja!"

Ta ulatas kausi ja kuus last kogunes tema ümber, ahned käed välja sirutatud.

Pip naeratas täiskasvanutele, kes seisid tülitsevate ja komme valivate laste selja taga. Ja siis märkas ta nende süngeid pilke, mis olid suunatud üle Pipi õla sinna, kus seisis Ravi.

Kaks naist panid pead kokku ja sosistasid poissi põrnitsedes midagi käte varjus.

Nelikümmend kaks

„Mida sa tegid?" küsis Cara.

„Ma ei tea. Komistasin politoloogiast tulles trepil. Ilmselt väänasin jala välja."

Pip teeskles lonkamist. „Tulin hommikul jalgsi. Mul ei ole autot," lisas ta. „Pagan, ja emal on õhtul üks klient."

„Sa võid tulla minu ja isaga," pakkus Cara ja toetas Pippi, et aidata ta kapi juurde. Ta võttis Pipilt õpiku ja pani selle kappi raamatuvirna otsa. „Ma ei saa aru, miks sa eelistad kõndida, kui sul on auto. Mina ei saa enda oma nüüd, kui Naomi on kodus, üldse kasutada."

„Ma lihtsalt tahtsin jalutada," vastas Pip. „Mul ei ole enam ettekäändeks Barneyt."

Cara silmitses teda haletsevalt ja sulges kapiukse. „Tule siis," ütles ta, „lonkame parklasse. Sul veab, et olen Muskel McGee, ma tegin eile üheksa kätekõverdust."

„Üheksa!" naeratas Pip.

„Ma tean. Käi oma kaardid õigesti välja ja võid võita pileti etendusele." Cara pingutas lihast ja urises.

Pipi süda ähvardas murduda. Ta kordas mõttes *palun, palun, palun*, et Cara ei kaotaks pärast seda, mis tulemas oli, oma rõõmsat tobedust.

Pip Cara vastu toetumas, komberdasid nad mööda koridori ja külguksest välja.

Külm tuul näpistas Pipi nina ja ta tõmbas silmad uuesti kissi. Nad kõndisid aeglaselt kooli tagant õpetajate parkla poole,

Cara jutustas *halloween*'i filmiõhtu üksikasjadest. Pip tõmbus iga kord pingule, kui ta oma isa mainis.

Elliot ootas juba auto juures.

„Seal sa oledki," sõnas ta Carat silmates. „Mis juhtus?"

„Pip nikastas pahkluu," ütles Cara tagaust avades, „ja Leanne on kaua tööl. Kas me võiksime ta ära viia?"

„Muidugi." Elliot tõttas lähemale, et võtta Pipil käest ja aidata ta autosse.

Mehe nahk puutus tema naha vastu.

Pipil läks vaja kogu tahtejõudu, et mitte eemale tõmbuda.

Seljakott kõrval, vaatas Pip, kuidas Elliot ukse sulges ja juhi kohale istus. Kui Cara ja Pip olid turvavööd kinnitanud, käivitas mees mootori.

„Mis siis juhtus, Pip?" küsis ta, oodates, kuni lastesalk tee ületab ning keerates siis parklast sissesõiduteele.

„Ei teagi täpselt," vastas tüdruk. „Ma vist astusin kuidagi imelikult."

„Äkki viin su traumapunkti?"

„Ei," kinnitas Pip. „Olen kindel, et see on paari päevaga korras." Ta võttis telefoni ja kontrollis, kas see on hääletu peal. Ta oli telefoni suuremaks osaks päevast välja lülitanud ja aku oli peaaegu täis.

Kui Cara hakkas autoraadiot kruttima, lükkas Elliot tütre käe eemale.

„Minu auto, minu imal muusika," ütles ta. „Pip?"

Pip võpatas ja oleks peaaegu telefoni käest pillanud.

„Kas pahkluu on paistes?" küsis mees.

„Ee..." Pip kummardus ja kompas jalga, telefon käes. Tehes näo, et ta mudib pahkluud, keeras ta rannet ja surus telefoni tagaistme alla. „Natuke," ütles ta end sirgu ajades, nägu õhetamas. „Mitte väga hullusti."

„See on hea," rõõmustas Elliot peatänavat mööda edasi sõites. „Peaksid täna istuma, jalg üles tõstetud."

„Jah," nõustus ta ja tabas tahavaatepeeglis Ellioti pilgu. Ja siis: „Sain just aru, et täna on eratundide päev. Ega te minu pärast hiljaks ei jää? Kuhu te peate minema?"

„Oh, ära muretse," vastas Elliot ja osutas Pipi tänavat mööda vasakule. „Ainult Old Amershami. See ei ole mingi vaev."

„Olgu."

Cara küsis, mis on õhtusöögiks, kui Elliot käiku aeglustas ja Pipi sissesõiduteele keeras.

„Oh, su ema on kodus," sõnas Elliot ja nookas peatudes Leanne'i auto poole.

„Jah?" Pip tundis, kuidas süda hakkab peksma, ning kartis, et õhk ta ümber vibreerib silmanähtavalt. „Ilmselt ütles klient viimasel hetkel ära. Oleksin pidanud kontrollima, vabandust."

„Pole midagi." Elliot pöördus Pipi poole. „Kas aitan sind ukseni?"

„Ei," ütles Pip kähku ja haaras seljakoti. „Ei, tänan. Kõik on kombes." Ta lükkas autoukse lahti ja hakkas välja ronima.

„Oota," ütles Cara äkki.

Pip tardus. *Palun ütle, et ta ei näinud telefoni. Palun.*

„Kas näeme homme enne su eksamit?"

„Oh," vastas Pip uuesti hingata söandades. „Ei. Ma pean end kantseleis registreerima ja kohe eksamiruumi minema."

„Olgu siis, eeeduuu," ütles Cara venitades. „Ma olen kindel, et sul läheb hiilgavalt. Otsin su pärast üles."

„Jah, edu, Pip." Elliot naeratas. „Ütleksin, et murra jalg, aga ajastus oleks pisut vale."

Pip naeris nii õõnsalt, et see peaaegu kajas vastu. „Tänan," ütles ta, „ja tänan küüdi eest." Ta toetus vastu autoust ja lükkas selle kinni.

Pip lonkas maja poole, kõrv kikkis, kuulatades Ellioti eemalduva auto mürinat. Ta avas välisukse ja lõpetas lonkamise.

„Tere!" hüüdis Leanne köögist. „Kas panen teevee keema?"

„Ee... ei, tänan," vastas Pip lävel seisma jäädes. „Ravi tuleb ja aitab mul eksamiks õppida."

Ema silmitses teda.

„Mis on?"

„Ära arva, et ma ei tunne oma tütart," ütles ema sõelal seeni pestes. „Ta õpib alati üksi ning on tuntud selle poolest, et ajab rühmatöödes teised lapsed nutma. Või õppima." Ema silmitses Pippi uuesti. „Jäta uks lahti."

„Jeesus, okei."

Pip hakkas just trepist üles minema, kui Ravi-kujuline kogu koputas eesuksele.

Pip lasi poisi sisse, Ravi hõikas emale tervituseks ja läks tüdruku kannul üles tema tuppa.

„Uks lahti," ütles Pip, kui Ravi tahtis ust kinni panna. Pip istus rätsepaistes voodile ja Ravi tõmbas kirjutuslaua tooli voodi ette.

„Kõik korras?" küsis ta.

„Jah, telefon on tagaistme all."

„Selge." Ravi avas telefoni ja tegi sõprade leidmise äpi lahti. Pip kummardus lähemale ja, pead peaaegu kokku puutumas, uurisid nad ekraanil olevat kaarti. Pipi väike oranž avatar seisis Hogg Hillil Wardide maja ees. Ravi vajutas värskendamist, kuid avatar jäi paigale.

„Ta ei ole veel ära sõitnud," sõnas Pip.

Koridoris kostsid lohisevad sammud ja pilku tõstes nägi Pip lävel Joshi.

„Pippo," ütles vend oma juukseid näppides, „kas Ravi võiks alla tulla ja minuga FIFA-t mängida?"

Ravi ja Pip vahetasid pilke.

„Ee... mitte praegu, Josh," ütles Pip. „Meil on päris kiire."

„Ma tulen ja mängin hiljem, okei, semu?"

„Okei." Josh lasi käe alla ja lontsis löödult minema.

„Ta hakkas liikuma," ütles Ravi kaarti värskendades.

„Kus?"

„Hetkel Hogg Hillilt alla, enne ringristmikku."

Avatar ei liikunud reaalajas, nad pidid värskendamisnuppu vajutama ja ootama, et oranž ring marsruudil edasi hüppaks. See peatus ringristmikul.

„Värskenda," ütles Pip kannatamatult. „Kui ta ei keera vasakule, ei sõida ta Amershami."

Värskendamisnupp keerles tuhmuvate joontega. Laadis. Laadis. Kaart värskenes ja oranž avatar kadus.

„Kuhu see läks?" sattus Pip ärevusse.

Ravi keris kaarti, et näha, kuhu Elliot suundus.

„Seis." Pip märkas avatari. „Seal. Ta sõidab mööda A413 põhja poole."

Nad vaatasid teineteisele otsa.

„Ta ei lähe Amershami," sõnas Ravi.

„Ei lähe."

Nende pilgud järgnesid järgmised üksteist minutit Elliotile, kes sõitis mööda teed ja hüppas vahetevahel, kui Ravi pöidlaga värskendamisnoolt vajutas.

„Ta on Wendoveri lähedal," ütles Ravi ja küsis Pipi ilmet nähes: „Mis siis?"

„Wardid elasid Wendoveris, enne kui kolisid Kiltonisse suuremasse majja. Enne kui me tuttavaks saime."

„Ta pööras ära," ütles Ravi ja Pip kummardus jälle lähemale. „Sõidab mööda Mill End Roadi."

Pip vaatas liikumatut oranži täppi valgel piksliteel. „Värskenda," ütles ta.

„Ma värskendangi," väitis Ravi, „see on hangunud." Ta värskendas uuesti, laadimisring keerles sekundi ja peatus, jättes oranži täpi samasse kohta. Ravi vajutas uuesti, täpp ei liikunud ikkagi.

„Ta jäi seisma," ütles Pip, haaras Ravi randmest ja keeras seda, et paremini kaarti näha. Ta tõusis, võttis laualt Ravi sülearvuti ja seadis endale põlvedele. „Vaatame, kus ta on."

Pip avas brauseri ja võttis ette Google Mapsi. Ta otsis Mill End Roadi Wendoveris ja vajutas satelliitpildile.

„Kui kaugel mööda tänavat ta sinu meelest on? Siin?" Tüdruk osutas ekraanile.

„Minu meelest pisut rohkem vasakule."

„Selge." Pip pani pisikese oranži mehe tänavale ja ekraanile ilmus tänavavaade.

Kitsast maateed ümbritsesid puud ja kõrged põõsad, mis sädelesid päikese käes, kui Pip klõpsas ja vedas ekraani täisvaate saamiseks. Majad olid ainult ühel küljel, teest pisut eemal.

„Sa arvad, et ta on selles majas?" Pip osutas väiksele valge garaažiuksega telliskivimajale, mis oli puude ja telefonimasti tagant vaevu nähtav.

„Hmm..." Ravi vaatas telefonist arvutiekraanile. „Kas see või sellest vasakul."

Pip vaatas majanumbreid. „Nii et ta on kas number neljakümne kahes või neljakümne neljas."

„Kas nad elasid seal?" küsis Ravi. Pip ei teadnud. Ta kehitas õlgu ja poiss ütles: „Aga sa saad Cara käest järele uurida?"

„Jah," vastas Pip. „Mul on valede ja teesklemisega kõvasti praktikat olnud." Ta kõhus keeras ja klomp kerkis kurku. „Ta on mu parim sõber ja see hävitab ta. See hävitab kõik."

Ravi pistis käe Pipile pihku. „See on peaaegu läbi, Pip." ütles ta.

„See on nüüd läbi," vastas tüdruk. „Me peame täna õhtul sinna minema ja vaatama, mida Elliot peidab. Andie võib seal elus olla."

„See on vaid oletus."

„Kogu see lugu on olnud oletus." Pip tõmbas käe ära, et oma valutavat pead hoida. „Mul on vaja, et see läbi saaks."

„Olgu," sõnas Ravi leebelt. „Me teeme sellele lõpu. Aga mitte täna õhtul. Homme. Sina uurid Caralt, mis aadressil Elliot käib, kui see on nende vana maja. Ja kui sa homme koolist tuled, võime minna õhtul sinna, kui Ellioti seal ei ole, ning uurida välja, millega ta tegeleb. Või helistame anonüümse vihjega politseisse ja saadame nad sinna. Jah? Aga mitte praegu, Pip. Sa ei saa kogu oma elu täna õhtul pea peale pöörata. Ma ei lase sul seda teha. Ma ei lase sul Cambridge'i ära visata. Praegu hakkad sa eksamiks õppima ja siis, pagan küll, lähed magama. Selge?"

„Aga ..."

„Ei mingit aga, Seersant." Ravi vaatas talle otsa, silmad äkki teravad. „Härra Ward on juba liiga palju elusid hävitanud. Ta ei hävita ka sinu elu. Okei?"

„Okei," pomises Pip vaikselt.

„Tore." Ravi võttis Pipil käest, tõmbas ta voodilt püsti ja surus toolile. Ta lükkas tooli laua juurde ja pani talle sulepea kätte. „Sa unustad järgmiseks kaheksateistkümneks tunniks Andie Belli ja Sali. Ja ma tahan, et sa oleksid poole üheteist-kümneks voodis ja magaksid."

Pip vaatas Ravi poole, vaatas tema lahkeid silmi ja tõsist nägu ning ei teadnud, mida öelda, mida tunda. Ta oli kõrgel kaljunukil kusagil naeru, nutu ja karjumise vahel.

Nelikümmend kolm

Kõik järgmised luuletused ja katkendid pikematest tekstidest kujutavad süütunnet. Tekstid on kronoloogilises järjekorras. Lugege materjal hoolikalt läbi ja lõpetage seejärel allolev ülesanne.

Kella tiksumine kajas trummina Pipi peas. Ta avas oma vastustelehe ja vaatas viimast korda ruumis ringi. Eksami järelevalvaja istus, jalad laual, nägu mõranenud seljaga pehme kaanega raamatus. Pip istus väikese kõikuva laua taga keset kolmekümnele inimesele mõeldud tühja klassiruumi. Ja kolm minutit oli juba mööda tiksunud.

Ta vaatas alla, aju kella tiksumise summutamiseks vatramas, ja hakkas kirjutama.

Kui järelevalvaja teatas, et aeg on läbi, oli Pip juba neljakümne üheksa sekundi eest lõpetanud ning ta pilk jälgis minutiosuti liikumist ringi lõpu suunas. Ta sulges vastustelehe ja ulatas selle väljudes mehele.

Ta oli kirjutanud sellest, kuidas teatud tekstid manipuleerivad süü paigutamisega, kasutades tegelase süüteo ajal passiivset häält. Ta oli saanud peaaegu seitse tundi magada ning talle tundus, et tal läks kenasti.

Lõunaaeg oli peaaegu käes ja järgmisse koridori keerates kuulis Pip Carat ennast hüüdmas.

„Pip!"

Talle meenus viimasel hetkel, et peab lonkama.

„Kuidas läks?" küsis Cara talle järele jõudes.

„Minu meelest kenasti."

„Ja sa oled vaba!" Cara lehvitas Pipi eest tema kätt. „Kuidas su pahkluu elab?"

„Pole viga. Usun, et homseks on parem."

„Ahjaa," lisas Cara taskus sorides, „sul oli õigus." Ta tõmbas välja Pipi telefoni. „Sa jätsid selle kuidagi isa autosse. See oli tagaistme alla kukkunud."

Pip võttis telefoni. „Ma ei kujuta ette, kuidas see juhtus."

„Peaksime sinu vabadust tähistama," ütles Cara. „Võin kutsuda kõik homseks meie juurde ja korraldada mängude õhtu või miskit?"

„Jah, võib-olla."

Pip ootas ja kui viimaks paus tekkis, küsis: „Kuule, mu ema näitab täna üht maja Wendoveris Mill End Roadil. Kas te mitte varem seal ei elanud?"

„Jah," kinnitas Cara. „Naljakas."

„Number nelikümmend neli."

„Meie elasime neljakümne kahes."

„Kas su isa käib veel seal?" küsis Pip ükskõikselt.

„Ei, ta müüs selle ammu maha," vastas Cara. „Nad jätsid selle alles, kui me ära kolisime, sest ema oli just saanud oma vanaemalt hiigelpäranduse. Nad üürisid seda lisatulu saamiseks välja, kui ema maalimisega tegeles. Aga isa müüs selle minu meelest paar aastat pärast ema surma maha."

Pip noogutas. Oli selge, et Elliot oli pikka aega valetanud. Täpsemalt üle viie aasta.

Lõunavaheaeg möödus nagu unes. Kui see läbi sai ja Cara suundus teisele poole, lonkas Pip tema juurde ja kallistas sõpra.

„Aitab nüüd, hädapätakas," ütles Cara ja üritas end lahti vingerdada. „Mis lahti?"

„Ei midagi," kinnitas Pip. Kurbus, mida ta Cara pärast tundis, oli sünge, väänlev ja ablas. Kuidas see sai õiglane olla? Pip ei tahtnud sõbrast lahti lasta, tal oli tunne, et ta ei suuda seda teha. Kuid pidi.

Connor jõudis Pipile järele ja aitas ta trepist üles ajalootundi, kuigi tüdruk kinnitas, et seda ei ole vaja. Pastellrohelises särgis härra Ward oli juba klassis ja toetus lauale. Pip ei vaadanud tema poole, lonkas mööda oma tavalisest kohast klassi ees ja istus päris taha.

Tund ei tahtnud lõppeda. Kell irvitas Pipi üle, kui ta seda vahtis ja püüdis vaadata ükskõik kuhu, ainult mitte Ellioti poole. Ta ei vaata meest. Ta ei suuda seda teha. Pipi hingeõhk oli pundunud, nagu püüaks teda lämmatada.

„Huvitav on see," rääkis Elliot, „et umbes kuue aasta eest avaldati Stalini ühe ihuarsti Aleksandr Mjasnikovi päevikud. Mjasnikov kirjutab, et Stalin põdes ajuhaigust, mis võis kahjustada tema otsustusvõimet ja mõjutada tema paranoiat. Nii et ..."

Kellahelin katkestas teda.

Pip võpatas. Kuid mitte kellahelina pärast. Kui Elliot ütles „päevikud", oli miski ta peas klõpsatanud, sõna keris ta peas ja vajus aeglaselt paika.

Kõik panid oma paberid ja õpikud kokku ning hakkasid ukse poole tüürima. Klassi tagumises otsas istunud lonkav Pip jõudis ukseni viimasena.

„Oota, Pippa." Ellioti hääl tiris ta tagasi. Pip pöördus jäigalt ja vastu tahtmist.

„Kuidas eksam läks?" küsis mees.

„Kenasti."

„Siis on hästi," naeratas Elliot. „Nüüd saad ennast lõdvaks lasta."

Pip vastas tühja naeratusega ja lonkas koridori. Ellioti vaateväljast kaugemale jõudes loobus ta lonkamisest ja pistis jooksu. Ta ei hoolinud, et ees oli viimane politoloogiatund. Ta jooksis, Ellioti hääl kõrvus kajamas. *Päevikud.* Ta ei peatunud enne, kui põrkas linki otsides vastu oma auto ust.

Nelikümmend neli

„Pip, mida sina siin teed?" Naomi seisis välisuksel. „Kas sa ei peaks veel koolis olema?"

„Mul oli vaba tund," vastas Pip hingeldades. „Mul on vaja sult midagi küsida."

„Pip, kas kõik on korras?"

„Sa käisid pärast ema surma teraapias, jah? Ärevuse ja depressiooni tõttu," küsis Pip. Polnud aega käia nagu kass ümber palava pudru.

Naomi silmitses teda kummaliselt, ta silmad läikisid. „Jah," vastas ta.

„Kas terapeut palus sul päevikut pidada?"

Naomi noogutas. „See on üks viis stressi kontrollimiseks. Sellest on abi," ütles ta. „Olen teinud seda sellest ajast, kui sain kuusteist."

„Ja sa kirjutasid otsasõidust ja põgenemisest?"

Naomi tuiutas teda, ta silmade ümber tekkisid kortsud. „Jah," vastas ta, „muidugi kirjutasin. Ma pidin sellest kirjutama. Olin omadega täiesti läbi ega saanud kellelegi rääkida. Päevikut ei näe keegi peale minu."

Pip hingas välja ning pani nagu hingeõhku kinni püüdes käed suu ümber.

„Sa arvad, et nii ta saigi teada?" Naomi raputas pead. „Ei, see ei ole võimalik. Ma panen oma päevikud alati lukku ja peidan need oma tuppa."

„Ma pean minema," ütles Pip. „Vabandust."

Ta pöördus ja tormas tagasi auto poole, tegemata välja Naomi hõigetest: „Pip! Pippa!"

Kui Pip sissesõiduteele keeras, oli ema auto maja juures. Kuid maja oli vaikne ning Leanne ei hüüdnud, kui välisuks lahti läks. Esikus kuulis Pip oma tuksleva pulsi taustal veel üht heli: ema nuttis.

Pip seisatas elutoa lävel ja vaatas ema kukalt diivaniserva kohal. Emal oli telefon peos ja sellest kostsid vaiksed salvestatud hääled.

„Ema?"

„Oh, kullake, sa ehmatasid mind," ütles ema, pani telefoni pausile ja pühkis kähku silmi. „Sa oled varakult kodus. Kas eksam läks hästi?" Ema patsutas diivanile enda kõrval ja üritas pisaralaigulist nägu rahulikuks sundida. „Millest sa kirjutasid? Tule räägi."

„Ema," küsis Pip, „miks sa nii endast väljas oled?"

„Oh, tühiasi, ausalt." Ema naeratas läbi pisarate. „Ma lihtsalt vaatasin Barney fotosid. Ja leidsin video üle-eelmistest jõuludest, kui Barney käis ümber laua ja andis igaühele kinga. Ma muudkui vaatan seda."

Pip astus ema juurde ja kallistas teda selja tagant. „Mul on kahju, et sa oled kurb," sosistas ta ema juustesse.

„Ma ei ole kurb." Ema tõmbas ninaga. „Ma olen korraga kurb ja rõõmus. Ta oli nii tore koer."

Pip istus koos emaga ning sirvis vanu fotosid ja videoid Barneyst, naeris, kui koer hüppas kõrgele ja üritas lund süüa, kui ta haukus tolmuimeja peale, kui ta oli põrandal selili, käpad taeva poole, ning väike Josh hõõrus ta kõhtu ja Pip silitas kõrvu. Nad istusid nii, kuni ema pidi Joshile järele minema.

„Olgu," sõnas Pip. „Ma lähen vist üles ja tukastan."

See oli järjekordne vale. Ta läks oma tuppa aega jälgima, voodi juurest ukseni tammuma. Ootama. Hirm põles raevuks ja kui Pip ei oleks ringi tammunud, oleks ta hakanud karjuma. Oli neljapäev, eratundide päev, ja Pip tahtis, et Elliot oleks seal.

Kui kell Little Kiltonis oli üle viie, tõmbas Pip laadija telefoni küljest ja pani khakijope selga.

„Ma lähen paariks tunniks Laureni juurde," hüüdis ta emale, kes aitas köögis Joshi matemaatika kodutööga. „Hiljem näeme."

Väljas avas Pip autoukse, istus sisse ja sidus tumedad juuksed pealaele. Ta heitis pilgu telefonile, tervele hulgale Ravi sõnumitele. Ta vastas: *Kõik läks kenasti, tänan. Tulen pärast õhtusööki sinu juurde, siis helistame politseisse.* Veel üks vale, kuid Pip oli neis juba osav. Ravi vaid takistaks teda.

Ta avas telefonis kaardirakenduse, toksis otsinguribale ja vajutas juhistele.

Kalk mehaaniline hääl teatas laulvalt: *Alustan teed Wendoverisse, Mill End Road 42.*

Nelikümmend viis

Mill End Road oli kitsas, igast küljest peale tungivate tumedate puude tunnel. Pip keeras pärast maja number 40 rohusele teepervele ja lülitas tuled välja.

Ta süda oli peopesasuurune paaniline möll ning iga ta juuksekarv, iga naharakk särises.

Pip võttis telefoni, toetas selle tassihoidjasse ja valis 999.

Kaks helinat ja siis: „Tere, häirekeskuse operaator, millist teenust te vajate?"

„Politseid," ütles Pip.

„Ühendan kohe."

„Halloo?" Liinil kostis teine hääl. „Politsei hädaabi number, kuidas ma aidata saan?"

„Minu nimi on Pippa Fitz-Amobi," ütles Pip ebakindlalt, „ma elan Little Kiltonis. Palun kuulake tähelepanelikult. Te peate saatma politseinikud Wendoverisse Mill End Road nelikümmend kaks. Majas viibib mees nimega Elliot Ward. Ta röövis viis aastat tagasi Kiltonis Andie Belli nimelise tüdruku ja hoiab teda selles majas. Ta tappis poisi, kelle nimi oli Sal Singh. Te peate võtma ühendust inspektor Richard Hawkinsiga, kes uuris Andie Bell juhtumit, ja talle teada andma. Usun, et Andie on elus ja teda hoitakse selles majas. Lähen nüüd sisse, et Elliot Wardilt aru pärida, ja võin olla ohus. Palun saatke kiiresti politsei."

„Oota, Pippa," ütles hääl. „Kust sa praegu helistad?"

„Ma olen maja ees ja hakkan sisse minema."

„Selge, oota väljas. Ma saadan politseinikud. Pippa, kas sa saad ..."

„Ma lähen sisse," ütles Pippa. „Palun tehke kiiresti."

„Pippa, ära mine majja."

„Vabandust. Ma pean," vastas tüdruk.

Pip võttis telefoni kõrva juurest, kui operaator ikka veel tema nime hüüdis, ja lõpetas kõne.

Ta tuli autost välja. Üle rohuperve maja number nelikümmend kaks sissesõiduteele astudes silmas ta väikese punastest tellistest maja ees Ellioti autot. Kaks alumise korruse akent olid valged, tõugates eemale süvenevat pimedust.

Kui Pip hakkas maja poole minema, jäi ta liikumisanduri prožektori ette, mis ujutas sissesõidutee üle silmipimestava valge valgusega, Pip kattis silmad ja kõndis edasi, puukõrgune vari ta jalgade küljes järgnes talle välisukse poole.

Pip koputas. Kolm tugevat tümpsu vastu ust.

Sees kolises miski. Ja siis mitte midagi.

Ta koputas uuesti, tagudes ust rusika siseküljega.

Ukse taga süttis tuli ning kollaselt valgustatud jääklaasi taga nägi Pip ähmast kogu enda poole tulemas.

Kett kriipis ukse vastu, riiv tõmmati eest ja uks avati rõske lõksatusega.

Elliot põrnitses tüdrukut. Tal oli seljas sama pastellroheline särk nagu koolis ning ta õlal olid tumedad ahjukindad.

„Pip?" küsis mees, ta hääles oli hirm. „Mida sa ... mida sina siin teed?"

Pip vaatas tema silmadesse prilliklaaside taga.

„Ma lihtsalt ..." ütles Elliot, „ma lihtsalt ..."

Pip raputas pead. „Politsei on umbes kümne minuti pärast siin," ütles ta. „Sul on aega mulle selgitada." Ta tõstis ühe jala üle läve. „Selgitada, et saaksin su tütred sellest läbi aidata. Et Singhid kuuleksid pärast kogu seda aega tõtt."

Ellioti näost kadus viimne kui veretilk. Ta vankus paar sammu tagasi ja vajus vastu seina. Siis surus ta sõrmed silmadele ja hingas välja. „See on läbi," sõnas ta vaikselt. „See on lõpuks läbi."

„Aeg jookseb, Elliot." Pipi hääl oli palju vapram, kui ta end tegelikult tundis.

„Olgu," ütles mees. „Olgu. Kas sa tahad sisse tulla?"

Pip kõhkles, ta sisemus tõmbus kokku ja surus vastu selgroogu. Kuid politsei oli teel, ta saab sellega hakkama. Ta peab seda tegema.

„Me jätame välisukse politseile lahti," ütles ta ning järgnes Elliotile kolme sammu kaugusel mööda koridori.

Elliot keeras vasakule kööki. Selles ei olnud lauda ega toole, kuid köögikappidel olid toidupakid ja söögiriistad, isegi maitseainehoidik. Kapil kuivatatud pasta paki kõrval läikis väike võti. Elliot kummardus, et pliiti välja lülitada, ning Pip läks ruumi teise otsa, mehest nii kaugele kui võimalik.

„Seisa nugadest kaugemale," ütles ta.

„Pip, ma ei …"

„Seisa nugadest kaugemale."

Elliot astus eemale ja seisatas Pipi vastasseina ääres.

„Ta on siin, jah?" küsis Pip. „Andie on siin ja ta on elus?"

„Jah."

Pip värises oma soojas jopes. „Te kohtusite Andie Belliga 2012. aasta märtsis," sõnas ta. „Alusta algusest, Elliot, meil ei ole palju aega."

„See ei olnud n...." kogeles mees. „See ..." Ta oigas ja haaras peast.

„Elliot!"

Mees tõmbas ninaga ja ajas end sirgu. „Okei," ütles ta. „See oli veebruari lõpus. Andie hakkas ... mulle koolis tähelepanu pöörama. Ma ei õpetanud teda, ta ei õppinud ajalugu. Kuid ta järgnes mulle koridoris ja küsis mu päeva kohta. Ja ma ei tea, ilmselt tundus see tähelepanu ... meeldiv. Olin olnud pärast Isobeli surma nii üksik. Ja siis hakkab Andie mu telefoninumbrit küsima. Sel hetkel ei olnud midagi juhtunud, me ei olnud suudelnud ega midagi, aga ta muudkui küsis. Ütlesin talle, et see oleks kohatu. Ja ometi leidsin end õige pea telefonipoes, ostmas teist SIM-kaarti, et saaksin temaga rääkida, ilma et keegi teada saaks. Ma ei tea, miks ma seda tegin; võib-olla viis see mu mõtted kõrvale kadunud Isobelist. Ma lihtsalt tahtsin kellegagi rääkida. Panin SIM-kaardi sisse vaid õhtuti, et Naomi midagi ei näeks, ja me hakkasime sõnumeid vahetama. Ta oli minu vastu kena, lasi mul rääkida Isobelist ja sellest, kuidas ma Naomi ja Cara pärast muretsen."

„Aeg hakkab otsa saama," sõnas Pip külmalt.

„Jah." Elliot tõmbas ninaga. „Ja siis hakkas Andie ette panema, et kohtuksime kusagil väljaspool kooli. Näiteks hotellis. Ütlesin talle, et päris kindlasti mitte. Kuid ühel hullusehetkel, nõrkusehetkel leidsin end tuba kinni panemas. Leppisime aja kokku, aga ma pidin viimasel hetkel tühistama, sest Cara jäi tuulerõugetesse. Püüdsin sellele lõppu teha, mis iganes meil tol hetkel ka ei olnud, aga siis kutsus Andie jälle. Ja ma panin järgmiseks nädalaks hotellis toa kinni."

„Chalfontis Ivy House'i hotellis," täpsustas Pip.

Elliot noogutas. „Siis juhtus see esimest korda." Ta hääl oli häbist tuhm. „Me ei jäänud ööseks, ma ei saanud tüdrukuid terveks ööks üksi jätta. Olime vaid paari tundi."

„Ja sa magasid temaga?"

Elliot ei vastanud.

„Ta oli seitseteist!" pahvatas Pip. „Su tütrega ühevanune. Sa olid õpetaja. Andie oli haavatav ja sa kasutasid seda ära. Sina olid täiskasvanu, sina oleksid pidanud teadma."

„Sa ei saa öelda midagi, mis paneks mind enda vastu veelgi suuremat vastikust tundma, kui ma juba tunnen. Ütlesin, et rohkem ei tohi seda juhtuda ja üritasin lõppu teha. Andie ei lasknud. Ta hakkas ähvardama, et annab mu üles. Ta segas üht tundi, tuli minu juurde ja sosistas, et peitis kusagile klassi endast alastifoto ja et ma peaksin selle üles leidma, enne kui keegi teine leiab. Püüdis mind hirmutada. Läksin järgmisel nädalal uuesti Ivy House'i, sest ma ei teadnud, mida ta teha võib, kui ma ei lähe. Mõtlesin, et ta tüdib sellest kiiresti."

Elliot vaikis ja sügas kukalt.

„See oli viimane kord. See juhtus vaid kaks korda ja siis tuli lihavõttevaheaeg. Olin tüdrukutega nädal aega Isobeli vanemate juures ning tulin Kiltonist eemal olles mõistusele. Saatsin Andiele sõnumi, ütlesin, et see on läbi ja et ma ei hooli, kas ta annab mind üles. Ta saatis sõnumi ja ütles, et kui kool uuesti algab, hävitab ta mu, kui ma ei tee seda, mida ta tahab. Ma ei teadnud, mida ta tahtis. Ja siis tuli mul täiesti juhuslikult võimalus ta peatada. Sain teada, et Andie küberkiusab seda tüdrukut, ning helistasin ta isale, nagu ma sulle rääkisin, ütlesin, et kui tema käitumine ei parane, pean sellest teatama ja ta visatakse välja. Muidugi teadis Andie, mida see tegelikult tähendas: vastastikust hävitamist. Ta võis lasta mind meie suhte eest vahistada ja vangi panna, aga mina võisin lasta ta välja visata ja tema tuleviku rikkuda. Me olime patiseisus ja ma arvasin, et see on lõppenud."

„Miks sa ta siis reedel, 20. aprillil, röövisid?" küsis Pip.

„See ei ole ..." ütles mees. „See ei juhtunud üldse nii. Olin üksi kodus ja Andie ilmus välja, minu meelest kella kümne paiku. Ta oli marus, kohutavalt vihane. Ta karjus mu peale, ütles, et ma olen hale ja vastik, et ta puudutas mind vaid seepärast, et tal oli mind vaja, et pääseda Oxfordi, nagu olin aidanud Sali. Ta ei tahtnud, et Sal ilma temata Oxfordi läheks. Ta karjus, et peab kodust ja Kiltonist minema saama, sest see tapab ta. Püüdsin teda rahustada, aga see ei õnnestunud. Ja ta teadis täpselt, kuidas mulle haiget teha."

Elliot pilgutas aeglaselt silmi.

„Andie jooksis mu kabinetti ja hakkas rebima pilte, mis Isobel oli enne surma maalinud, minu vikerkaaremaale. Ta lõhkus neist kaks ja ma karjusin, et ta lõpetaks, ja siis sööstis ta mu lemmiku poole. Ja ma ... ma lihtsalt tõukasin teda, et ta lõpetaks, ma ei tahtnud talle viga teha. Aga ta kukkus ja lõi pea vastu mu lauda. Kõvasti. Ja," Elliot tõmbas ninaga, „ta oli põrandal ja ta peast jooksis verd. Ta oli teadvusel, kuid segaduses. Tormasin esmaabikarpi tooma ja kui ma tagasi jõudsin, oli Andie kadunud ja välisuks lahti. Ta ei tulnud minu juurde autoga, sissesõiduteel ei olnud autot ja automürinat ei kostnud. Ta kõndis välja ja kadus. Ta telefon oli kabineti põrandal, ilmselt kukkus see selles segaduses maha.

Järgmisel päeval," jätkas Elliot, „kuulsin Naomilt, et Andie on kadunud. Andiel oli peavigastus ja nüüd oli ta kadunud.

Nädalavahetuse möödudes läksin paanikasse, kartsin, et olin ta tapnud. Mõtlesin, et ta lahkus minu juurest, eksis segaduses ja vigastatult kusagil ära ja suri vigastustesse. Et ta lamab kusagil kraavis ning on vaid aja küsimus, kui ta leitakse. Ning kui ta leitakse, võib ta kehal olla tõendeid, mis toovad minuni: kiude, sõrmejälgi. Teadsin, et ainus, mida saan teha, on sööta neile enda kaitsmiseks ette mõni tõenäolisem kahtlusalune. Et oma tüdrukuid kaitsta. Ma arvasin, et kui mind Andie mõrva eest ära viiakse, ei ela Naomi seda üle. Ja Cara oli tollal alles kaheteistkümnene. Ma olin ainus, kes neile oli jäänud."

„Vabandusteks ei ole aega," ütles Pip. „Nii et siis lavastasid sa Sal Singhi süüdi. Sa teadsid otsasõidust ja põgenemisest, sest olid lugenud Naomi teraapiapäevikuid."

„Muidugi ma lugesin neid," vastas Elliot. „Ma pidin teadma, ega mu tüdrukuke ei mõtle enesevigastamisele."

„Sa sundisid teda ja tema sõpru Sali alibit ümber lükkama. Ja siis, teisipäeval?"

„Võtsin töölt haiguspäeva ja viisin tüdrukud kooli. Ootasin ja kui nägin, et Sal oli üksi parklas, läksin temaga rääkima. Ta ei tulnud Andie kadumisega kuigi hästi toime. Pakkusin, et läheksime tema juurde ja räägiksime sellest. Olin kavatsenud teha seda Singhide noaga. Aga siis leidsin tualettruumist unerohtu ja otsustasin ta metsa viia, mõtlesin, et see oleks lahkem. Ma ei tahtnud, et pere ta leiaks. Me jõime teed ja ma andsin talle kolm esimest tabletti, ütlesin, et need aitavad peavalu vastu. Veensin teda, et peaksime minema metsa ja ise Andiet otsima, et see aitaks ta abitusetunde vastu. Sal usaldas mind. Ta ei pannud imeks, miks ma kandsin tema majas nahkkindaid. Võtsin nende köögist kilekoti ja me läksime metsa. Mul oli sulenuga kaasas ja kui me olime küllalt kaugel, tõstsin selle ta kaelale. Sundisin teda veel tablette neelama."

Ellioti hääl katkes. Ta silmad tõmbusid uduseks ja üks pisar veeres mööda ta põske alla. „Ma ütlesin, et aitan teda, et teda ei kahtlustata enam, kui jätame mulje, et ka teda rünnati. Ta neelas veel paar tabletti ja hakkas siis vastu. Surusin ta pikali ja sundisin veel tablette võtma. Kui ta hakkas uniseks jääma, hoidsin teda kinni ja rääkisin Oxfordist, vaimustavatest raamatukogudest, pidulikest õhtusöökidest suures saalis, sellest, kui kaunis on linn kevadel. Et ta mõtleks uinudes millelegi heale. Kui ta teadvuse kaotas, panin talle kilekoti pähe ja hoidsin ta kätt, kui ta suri."

Pipil puudus enda ees seisva mehe vastu igasugune haletsus. Üksteist aastat mälestusi haihtusid ja jätsid alles võõra.

„Ja siis saatsid Sali telefonilt tema isale ülestunnistuse."

Elliot noogutas ja surus käed silmadele.

„Ja Andie veri?"

„See oli mu kirjutuslaua all ära kuivanud," vastas mees. „Esimest korda koristades ei pannud ma kogu verd tähele, nii et surusin osa vereraase pintsettidega Sali küünte alla. Viimaseks panin Andie telefoni talle taskusse. Ma ei tahtnud teda tappa, ma tahtsin päästa oma tüdrukud, nad olid niigi nii palju valu üle elanud. Sal ei oleks pidanud surema, aga mu tüdrukud ei olnud ka seda ära teeninud. See oli võimatu valik."

Pip tõstis pilgu, et pisaraid tagasi hoida. Polnud aega Elliotile öelda, kui rängalt ta eksib.

„Kui päevad möödusid," nuttis Elliot, „sain aru, kui kohutava vea olin teinud. Kui Andie oleks kusagil peavigastusse surnud, oleks ta juba üles leitud. Siis ilmub välja tema auto ja selle pagasiruumist leitakse verd; ilmselt tundis ta end piisavalt hästi, et pärast minu juurest lahkumist kusagile sõita. Olin paanitsenud ja arvanud, et vigastus on surmav, kuid ei olnud. Kuid oli juba hilja, Sal oli surnud ja ma olin teinud temast tapja. Uurimine lõpetati ja kõik sumbus."

„Kuidas me jõuame siis selle juurde, et sa Andie siia majja vangistasid?"

Elliot võpatas, kuuldes tüdruku hääles raevu.

„See oli juuli lõpus. Sõitsin koju ja lihtsalt nägin teda. Andie kõndis Wycombe'i maanteel teeservas Kiltoni poole. Peatasin auto ja oli selge, et ta oli end uimastitest segi keeranud ... et ta oli maganud väljas. Ta oli nii kondine ja sassis. Nii see juhtus. Ma ei saanud lasta tal koju minna, sest siis oleksid kõik aru saanud, et Sal tapeti. Andie oli laksu all ja segi, aga ma sõitsin tema juurde ja sain ta autosse. Rääkisin, miks ma ei saa lasta tal koju minna, ning lubasin, et hoolitsen tema eest. Olin just selle maja müüki pannud, tõin ta siia ja võtsin maja müügilt ära."

„Kus ta oli kõik need kuud olnud? Mis temaga juhtus tol ööl, kui ta kadunuks jäi?" nõudis Pip, tajudes, et aeg hakkab otsa saama.

„Ta ei mäleta kõiki üksikasju, ilmselt oli tal peapõrutus. Ta ütleb, et tahtis lihtsalt kõigest eemale. Ta läks ühe sõbra juurde, kes oli seotud uimastitega, ning see viis ta paari oma tuttava juurde. Kuid Andie ei tundnud end seal turvaliselt ning jooksis ära, et koju minna. Talle ei meeldi sellest ajast rääkida."

„Howie Bowers," mõtles Pip valjusti. „Elliot, kus Andie on?"

„Pööningul." Mees heitis pilgu väiksele võtmele köögikapil. „Me tegime talle üleval kena elamise. Ma soojutasin pööningu, ehitasin vineerist seinad ja tegin korraliku põranda. Tema valis tapeedi. Aknaid seal ei ole, aga me panime palju lampe. Ma tean, et sa pead mind koletiseks, Pip, aga ma ei ole teda pärast toda viimast korda Ivy House'is puudutanud. See ei ole üldse nii. Ja ta ei ole selline nagu varem. Ta on teistsugune inimene, ta on rahulik ja tänulik. Tal on seal üleval süüa, aga ma käin nädala sees kolm korda talle süüa tegemas ning korra nädalavahetusel, ma lasen tal tulla alla pesema. Ja siis me lihtsalt istume koos tema pööningul ja vaatame telerit. Tal ei ole kunagi igav."

„Ta on seal üleval luku taga ja võti on siin?" Pip osutas võtmele. Elliot noogutas.

Siis kuulsid nad väljas teel rataste krudinat.

„Kui politsei sind üle kuulab," kiirustas Pip ütlema, „siis ära räägi neile otsasõidust ja Sali alibi ümberlükkamisest. Tal ei ole pärast sinu ülestunnistust alibit vaja. Ja Cara ei ole ära teeninud seda, et kaotab kogu pere, jääb ihuüksi. Nüüd pean mina Carat ja Naomit kaitsma."

Autouksed löödi kinni.

„Võib-olla saan ma aru, miks sa seda tegid," sõnas Pip. „Aga sulle ei andestata iial. Sa võtsid Sali elu, et päästa enda nahka. Sa hävitasid tema perekonna."

Avatud välisuksest kostis hõige: „Tere, politsei!"

„Bellid on viis aastat leinanud. Sa ähvardasid mind ja mu peret, sa murdsid mu majja, et mind hirmutada."

„Mul on kahju."

Rasked sammud koridoris.

„Sina tapsid Barney."

Ellioti nägu tõmbus krimpsu. „Pip, ma ei tea, millest sa räägid. Ma ei ..."

„Politsei," ütles politseinik kööki astudes. Katuseaknast langev valgus lõi ta mütsiserva läikima. Talle järgnes tema paarimees, pilk liikumas Elliotilt Pipile ja tagasi, nii et hobusesaba hüples.

„Nii, mis siin toimub?" küsis politseinik.

Pip vaatas Ellioti poole ja nende pilgud kohtusid. Mees ajas end sirgu ja sirutas randmed.

„Te olete siin selleks, et vahistada mind Annie Belli röövimise ja vangistamise eest," ütles Elliot, pilk endiselt Pipil.

„Ja Sal Singhi tapmise eest," lisas Pip.

Politseinikud vaatasid pikalt teineteisele otsa ja üks neist noogutas. Naine läks Ellioti poole ja mees vajutas oma õlale kinnitatud raadiosaatjale. Ta pöördus tagasi koridori, et sellesse rääkida.

Mõlemad olid seljaga Pipi poole ning tüdruk sööstis kapi juurde ja haaras sellelt võtme. Ta jooksis esikusse ja tormas trepist üles.

„Hei!" hüüdis meespolitseinik talle järele.

Trepimademel nägi Pip laes väikest valget pööninguluuki. Luugi puidust raami külge oli kinnitatud kramp ja sellest läbi tabalukk. Luugi all oli väike kaheastmeline treppredel.

Pip astus redelile, surus võtme tabalukku ja keeras. Lukk kukkus valju kolinaga põrandale. Meespolitseinik tuli Pipi järel trepist üles. Tüdruk tõmbas obaduse krambilt, nii et see jäi luugi külge rippuma.

Avaust Pipi kohal täitis kollakas valgus. Ja helid: pinev muusika, plahvatused ja ameerikapärane hääldus. Pip haaras pööninguredelist ja tõmbas selle alla samal hetkel, kui politseinik viimastest astmetest üles tormas.

„Oota!" karjus mees.

Pip astus redelile ja ronis üles, käed metallpulkadel niisked ja kleepuvad. Ta pistis pea luugist sisse ja vaatas ringi. Ruumi valgustas mitu põrandalampi ning seinu kaunistas mustvalge lillemuster. Pööningu ühes otsas oli väike külmik, selle peal veekann ja mikrolaineahi ning riiulid söögi ja raamatutega. Toa keskel oli roosa karvane vaip ning teisel pool seda suur lameekraaniga teler, mis oli äsja pausile pandud.

Ja seal ta oli.

Rätsepaistes kitsal värviliste patjadega voodil. Seljas sinine pingviinidega pidžaama, täpselt samasugune nagu Caral ja Naomil. Ta vahtis Pipi poole, silmad suured ja metsikud. Ta tundus pisut vanem, pisut tüsedam. Ta juuksed olid tumedamad kui varem ja nahk palju kahvatum. Ta põrnitses Pippi, teleripult käes ja pakk Jammie Dodgeri küpsiseid süles.

„Tere," ütles Pip. „Mina olen Pip."

„Tere," vastas tüdruk. „Mina olen Andie."

Aga ei olnud.

Nelikümmend kuus

Pip astus lähemale, kollasesse lambivalgusse. Ta hingas sisse, puudes üle pead täitva lärmi mõelda. Ta silmitses ainiti nägu enda ees.

Nüüd, kui ta oli lähemal, märkas ta ilmseid erinevusi, täidlaste huulte pisut teistsugust joont, silmanurki, mis ei olnud suunatud alla, vaid üles, sarnu, mis ei olnud nii kõrged kui pidanuks. Muutusi, mida ei saanud põhjustada aeg.

Pip oli viimastel kuudel nii palju kordi Andie Belli fotosid vaadanud, et tundis ta näo iga joont ja õnarust.

See ei olnud tema.

Pipil oli tunne, nagu puuduks tal side maailmaga, nagu hõljuks ta millestki aru saamata eemale.

„Sa ei ole Andie," sõnas ta vaikselt, kui politseinik redelist üles ronis ja talle käe õlale pani.

Tuul ulus puudes ning Mill End Roadi maja number 42 valgustasid pimedust lõhestavad sinised sähvatused. Sissesõiduteel oli neli politseiautot ning Pip oli näinud äsja majja astumas inspektor Richard Hawkinsit – sellessamas mustas mantlis, mida mees oli kandnud kõigil viie aasta tagustel pressikonverentsidel.

Pip lakkas kuulamast naispolitseinikku, kes temalt tunnistust võttis. Ta kuulis naise sõnu vaid kukkuvate silpide laviinina. Ta keskendus värske õhu vilinal sissehingamisele ja siis toodi Elliot välja. Kaks politseinikku mõlemal pool, käed selja taga raudus. Elliot nuttis, siniste vilkurite valgus sähvimas ta märjal näol.

Mehe haavatud häälitsused äratasid Pipis mingi iidse vaistliku hirmu. Kas Elliot oli tõesti uskunud, et tüdruk tema pööningul on Andie? Kas ta oli klammerdunud kogu aeg selle usu külge? Politseinikud surusid Ellioti pea alla, panid ta autosse ja viisid minema. Pip saatis pilguga autot, kuni puudetunnel selle neelas.

Politseinikule oma telefoninumbri dikteerimist lõpetades kuulis Pip selja taga autoukse kolksatust.

„Pip!" Tuul kandis temani Ravi hääle.

Pip tundis rinnus tõmmet ja pistis jooksu. Ta tormas mööda sissesõiduteed Ravi poole, poiss püüdis ta kinni, haarates ta tuule eest jalgu tugevasti vastu maad surudes käte vahele.

„Kas sinuga on korras?" küsis Ravi ja lükkas Pipi eemale, et talle otsa vaadata.

„Jah," kinnitas tüdruk. „Mida sina siin teed?"

„Mina?" Ravi koputas endale vastu rindu. „Kui sa minu juurde ei tulnud, vaatasin sõbraotsingust, kus sa oled. Miks sa siia üksi tulid?" Poiss vaatas politseiautosid ja politseinikke Pipi selja taga.

„Ma pidin tulema," ütles Pip. „Ma pidin küsima Elliotilt, miks. Ma ei teadnud, kui kaua sul tuleb veel tõde oodata, kui ma seda ei tee."

Ravi suu avanes korra, kaks, kolm korda, enne kui poiss sõnad üles leidis, ja siis jutustas Pip talle kõigest. Ta rääkis tuules kõikuvate puude all sinise valguse keskel, kuidas Ravi vend oli surnud. Kui Ravi silmist hakkasid voolama pisarad, ütles Pip, kui kahju tal on, sest midagi muud ei olnud öelda, ta sai kraatri vaid hädapärast kokku traageldada.

„Ära ütle nii," vastas Ravi pooleldi naerdes, pooleldi nuttes. „Ma tean, et miski ei too Sali tagasi. Aga mõnes mõttes me tegime seda. Sal tapeti. Sal oli süütu ja nüüd saavad kõik sellest teada."

Nad pöördusid vaatama, kuidas inspektor Richard Hawkins tõi majast välja tüdruku, kelle õlgade ümber oli mähitud hele-lilla tekk.

„See ei ole tegelikult tema, jah?" küsis Ravi.

„Ta näeb väga tema moodi välja," vastas Pip.

Tüdruku pärani silmad vilasid ringi, ta uuris kõike, õppis taas, mis tunne on olla vabas õhus. Hawkins saatis tüdruku auto juurde ja istus tema kõrvale, kaks vormis politseinikku istusid ette.

Pip ei saanud aru, kuidas Elliot oli hakanud uskuma, et see teeservalt leitud tüdruk on Andie. Kas see oli pettekujutlus? Kas mehel oli vaja uskuda, et Andie ei saanud surma, kas see oli tema jaoks kui lunastus selle eest, mida ta oli Andie pärast Salile teinud? Või pimestas meest hirm?

Ravi mõtles just seda: et Elliot kartis, et Andie Bell on elus ja tuleb tagasi koju ning tema läheb Sali mõrva eest vangi. Ning selles hirmuärevuses piisas Andiega sarnanevast heledapäisest tüdrukust veenmaks meest, et ta leidis Andie. Ning Elliot oli pannud tüdruku luku taha, et vabaneda kohutavast hirmust, et ta tabatakse koos temaga.

Pip noogutas politseiauto lahkumist jälgides nõusolevalt. „Ma arvan," sõnas ta vaikselt, „ma arvan, et ta oli lihtsalt vale juuksevärvi ja vale näoga tüdruk, kui vale mees mööda sõitis."

Ja see teine kriipiv küsimus, millele Pip ei suutnud veel häält anda: mis oli juhtunud tõelise Andie Belliga, kui ta tol õhtul Wardide majast lahkus?

Politseinik, kes oli Pipilt tunnistuse võtnud, astus sooja naeratusega nende juurde. „Kas sul on vaja, et keegi sind koju viiks, kullake?" küsis ta Pipilt.

„Ei, kõik on korras," vastas tüdruk. „Ma olen oma autoga." Ta sundis Ravi koos endaga autosse istuma, mingil juhul ei saanud ta lasta poisil sõita koju oma autoga, selleks värises Ravi liiga hullusti. Ja tegelikult ei tahtnud ka Pip ise üksi olla.

Ta keeras süütevõtit ja märkas enne tulede kustumist tahavaatepeeglis oma nägu. Ta nägi välja kuivetunud ja hall, aukuvajunud silmad hõõgusid. Ta oli väsinud. Nii uskumatult väsinud.

„Ma saan viimaks ometi oma vanematele rääkida," ütles Ravi, kui nad olid tagasi Wendoverist välja viival teel. „Ma ei tea, kuidas isegi algust teha."

Pipi auto esituled valgustasid silti „Tere tulemast Little Kiltonisse", tähed tundusid varju jäädes jämedamaks muutuvat, kui nad sildist möödusid ja linna sisenesid. Pip sõitis mööda peatänavat Ravi maja poole. Ta peatus suurimal ringristmikul. Üks auto ootas ristmiku teises otsas, esituled läbitungivalt valged ja eredad. Auto oli neil täpselt tee peal.

„Miks nad ei liigu?" imestas Pip ja vaatas tumedat kandilist autot, millele tänavalamp valgust heitis.

„Ei tea," vastas Ravi. „Sõida edasi."

Pip tegigi nii, liikudes aeglaselt üle ringristmiku. Teine auto ei liikunud endiselt. Kui nad lähemale ja vastu tulevate autode esitulede valgusest välja jõudsid, võttis Pip jala pedaalilt ja vaatas uudishimulikult aknast välja.

„Oh kurat," pomises Ravi.

See oli Bellide pere. Kõik kolmekesi. Jason istus juhi kohal, nägu punane ja pisarajälgedega. Tundus, et ta karjub, ta tagus kätt vastu rooli ja ta suu liikus koos vihaste sõnadega. Tema kõrval istus mehest eemale tõmbunud Dawn Bell. Naine nuttis, ta keha vappus, kui ta üritas läbi pisarate hingata, ta nägu oli segadusest ja piinast moondunud.

Autod jõudsid kõrvuti ja Pip nägi endapoolsel tagaistmel Beccat. Tüdruk oli näost kahvatu ja toetus vastu külma akent. Ta huuled olid paokil ja kulm kortsus, silmad vaikselt ette vaadates eksinud mingisse teise paika.

Kui nad mööda sõitsid, ärkasid Becca silmad ellu ja peatusid Pipil. Ta pilgus vilksatas äratundmine. Ning midagi rasket ja pinevat, midagi, mis meenutas hirmu.

Nad eemaldusid mööda tänavat ja Ravi hingas välja.

„Kas sa arvad, et neile on räägitud?" küsis ta.

„Tundub, et äsja," vastas Pip. „See tüdruk korrutas, et ta nimi on Andie Bell. Võib-olla peavad nad minema ja tuvastama ametlikult, et ei ole."

Pip heitis pilgu tahavaatepeeglisse ja nägi, kuidas Bellide auto viimaks ringristmikult tütre tagasisaamise luhtunud lootuse poole keeras.

Nelikümmend seitse

Pip istus poole ööni vanemate voodiotsal. Tema, tema suur koorem ja tema lugu. Selle jutustamine oli peaaegu niisama raske kui selle läbielamine.

Kõige hullem osa oli Cara. Kui telefonikell tiksus üle kümne, teadis Pip, et ei saa seda kauem vältida. Ta pöial oli seisnud sinise kõnenupu kohal, kuid ta ei suutnud seda teha. Ta ei suutnud neid sõnu valjusti välja öelda ja kuulata, kuidas ta parima sõbra maailm igaveseks võõraks ja süngeks muutub. Pip soovis, et ta oleks selleks piisavalt tugev, kuid ta oli saanud teada, et ei ole võitmatu, et temagi võib murduda. Ta klõpsas sõnumitele ja asus tippima.

Peaksin helistama, et sulle seda rääkida, kuid kardan, et ei suuda lõpuni rääkida, kui kuulen teises otsas sinu vaikset häält. See on argpükslik valik ja mul on tõeliselt kahju. See oli sinu isa, Cara. Sinu isa on see, kes tappis Sal Singhi. Ta hoidis tüdrukut, keda pidas Andie Belliks, teie vanas majas Wendoveril. Ta vahistati. Naomi on väljaspool ohtu, annan sulle oma sõna. Ma tean, miks su isa seda tegi, kui oled valmis seda kuulma. Mul on nii kahju. Soovin, et võiksin sind sellest säästa. Ma armastan sind.

Ta luges vanemate voodis sõnumi üle ja vajutas saatmis-nupule, pisarad kukkumas telefonile ta peos.

Kui Pip viimaks kell kaks päeval ärkas, valmistas ema talle hommikueine, kooliminemisest ei olnud juttugi. Nad ei rääkinud sellest enam, polnud midagi rohkem öelda, veel mitte.

Kuid Pipi peas keerles endiselt küsimus Andie Bellist, sellest, et Andiele oli jäänud veel viimane mõistatus.

Ta proovis Carale seitseteist korda helistada, kuid keegi ei vastanud. Naomi telefonile samuti mitte.

Hiljem sõitis Leanne pärast Joshi äratoomist Wardide maja juurest läbi. Tagasi tulles ütles ta, et kedagi ei olnud kodus ja auto oli kadunud.

„Arvatavasti läksid nad tädi Lila juurde," arvas Pip uuesti kordusvalimisele vajutades.

Victor tuli töölt varem koju. Nad kõik istusid elutoas ja vaatasid vanade viktoriinide kordusi, mida tavaliselt oleks katkestanud Pipi ja isa võidujooks vastuse hüüdmiseks. Kuid nüüd vaatasid nad vaikides, vahetasid üle Joshi pea vargseid pilke, õhk kurbusest ja pingest tiine.

Kui keegi välisuksele koputas, hüppas Pip püsti, et pääseda tuba lämmatavast võõrikusest. Seljas batikatehnikas värvitud riidest pidžaama, tõmbas ta ukse lahti ja külm õhk pani varbad kipitama.

See oli Ravi ja poisi selja taga ta vanemad, üksteisest täpselt sellises kauguses, et jäi mulje, nagu oleks nad end tahtlikult nii sättinud.

„Tere, Seersant," ütles Ravi ja muigas Pipi erksavärvilist pidžaamat nähes. „See on mu ema Nisha." Ta viipas käega nagu telemängu saatejuht ning ta ema naeratas Pipile, mustad juuksed kahes lõdvas patsis. „Ja minu isa Mohan." Mohan noogutas ja ta lõug riivas hiigelsuurt lillekimpu ta käes, kaenla all oli mehel šokolaadikarp. „Vanemad," jätkas Ravi, „see on Pip."

Pipi viisakas „tere" segunes teiste omadega.

„Nii," ütles Ravi, „meid kutsuti ennist politseijaoskonda. Nad panid meid istuma ja rääkisid meile kõigest, kõike, mida me juba teadsime. Ja nad ütlesid, et korraldavad pressikonverentsi, kui on esitanud härra Wardile süüdistuse, ning teevad avalduse Sali süütuse kohta."

Pip kuulis ema ja raske sammuga isa koridoris lähenemas ning tema selja taga seisma jäämas. Ravi tutvustas Victorile oma vanemaid, Leanne oli nendega varem kohtunud, viisteist aastat tagasi, kui ta neile maja müüs.

„Nii," jätkas Ravi, „me kõik tahtsime tulla ja sind tänada, Pip. Ilma sinuta ei oleks seda olnud."

„Ma kohe ei tea, mida öelda," ütles Nisha, Ravit ja Sali meenutavad ümmargused silmad säramas. „Tänu sellele, mida te kahekesi tegite, sina ja Ravi, saime me oma poisi tagasi. Te mõlemad andsite Sali meile tagasi ja sõnadest ei piisa ütlemaks, mida see meile tähendab."

„Need on sulle," ütles Mohan ja ulatas Pipile lilled ja šokolaadi. „Vabandust, me ei olnud päris kindlad, mida kinkida kellelegi, kes on aidanud su surnud poja süüst puhtaks pesta."

„Google'is oli väga vähe soovitusi," lisas Ravi.

„Tänan," ütles Pip. „Kas tahaksite sisse tulla?"

„Jah, astuge sisse," sekkus Leanne. „Ma panen tee üles."

Ent majja astudes võttis Ravi Pipi käe ja tõmbas ta kaissu, lömastades nende vahele jäänud lilled ja naerdes talle juustesse. Kui poiss Pipi lahti lasi, astus Nisha lähemale ja kallistas Pippi, tema magus lõhnaõli meenutas tüdrukule kodusid ja emasid ja suveõhtuid.

Ja siis, teadmata, miks või kuidas see juhtus, kallistasid nad kõik kuuekesi koos kordamööda ja naersid, pisarad silmis.

Ja nii, muljutud lillede ja kallistuste karusselliga, tulid Singhid ning võtsid ära maja haaranud lämmatava ja segaduses kurbuse. Nad avasid ukse ja lasid tondi välja, vähemalt mõneks ajaks. Sest sellel kõigel oli üks õnnelik lõpp: Sal oli süütu. Perekond, kes oli saanud vabaks hauaraskusest, mida nad olid kõik need aastad kaasas kandnud. Ning see oli, mille külge klammerduda läbi eesootava valu ja kahtluse.

„Mida te ometi teete?" kostis Joshi vaikne jahmunud hääl.

Nad istusid elutoas Leanne'i improviseeritud teelauda.

„Nii," ütles Victor, „kas te lähete homme õhtul ilutulestikku vaatama?"

„Tegelikult," ütles Nisha ja vaatas mehelt pojale, „mulle tundub, et peaksime sel aastal minema. See oleks esimene kord pärast ... teate küll. Aga nüüd on asjad teisiti. Sellest algab aeg, kui asjad on teisiti."

„Jah," nõustus Ravi. „Mulle meeldiks minna. Meie majast ei paista ilutulestik hästi kätte."

„Vaimustav kaste," sõnas Victor käsi kokku lüües. „Võiksime seal kokku saada? Näiteks kell seitse, joogitelgi juures?"

Josh tõusis, neelas kiiresti võileiva alla ja deklameeris: „Ära unusta, ära unusta novembri viiendat, püssirohuvandenõu ja reetmist. Ei tea põhjust ühtki, mis lubaks iial reetmist unustada."

Little Kilton ei olnud unustanud, nad olid lihtsalt otsustanud tuua ilutulestiku neljandale novembrile, sest grillimeeste arvates saaksid nad laupäeval suurema käibe. Pip ei olnud kindel, et on valmis olema kõigi nende inimeste ja nende silmist vastu vaatavate küsimuste keskel.

„Lähen teen teed juurde," ütles ta, võttis tühja teekannu ja läks sellega kööki.

Ta pani vee keema ja silmitses oma kõverat peegelpilti kroomitud kannul, kuni sellele ilmus ta selja taga kõver Ravi.

„Sa oled nii vaikne," sõnas poiss. „Mis sinu suures ajus sünnib? Tegelikult ei tarvitse mul küsida. Ma juba tean, mida sa ütled. Asi on Andies."

„Ma ei saa teha nägu, et see on läbi," vastas Pip. „See ei ole lõppenud."

„Pip, kuula mind. Sa tegid seda, mille sihiks seadsid. Me teame, et Sal oli süütu, teame, mis temaga juhtus."

„Aga me ei tea, mis juhtus Andiega. Pärast seda, kui ta tol õhtul Ellioti juurest lahkus, kadus ta ikkagi ning teda ei leitud."

„See ei ole enam sinu ülesanne, Pip," väitis Ravi. „Politsei avas uurimise uuesti. Las nemad teevad ülejäänu. Sa oled juba küllalt teinud."

„Ma tean," ütles Pip, ja see ei olnud vale. Ta oli väsinud. Tal oli vaja viimaks sellest kõigest vabaneda. Tal oli vaja, et raskus ta õlgadel oleks vaid tema enda oma. Ning Andie Belli viimane saladus ei olnud enam tema jahtida.

Ravil oli õigus, nende osa oli lõppenud.

Nelikümmend kaheksa

Ta oli kavatsenud selle ära visata.

Nii oli ta endale öelnud. Mõrvatahvel tuli välja visata, sest ta oli sellega lõpetanud. Oli aeg Andie Belli tellingud maha võtta ja vaadata, mis oli nende all Pipist alles jäänud. Ta oli teinud algust, võtnud tahvlilt mõned paberid ja pannud need hunnikusse üles toodud prügikoti kõrvale.

Ja siis, taipamata, mida ta teeb või kuidas see juhtus, avastas ta end seda kõike uuesti läbi vaatamas: uurimistöö raporteid lugemas, sõrmega mööda punasest nöörist jooni vedamas, kahtlusaluste fotosid silmitsemas, tapja nägu otsimas.

Ta oli olnud nii kindel, et on mängust väljas. Ta ei olnud lubanud endal kogu päeva sellele mõelda, kui oli mänginud Joshiga lauamänge ja vaadanud Ameerika komöödiasarjade vanu osi, küpsetanud koos emaga šokolaadiküpsiseid ja pistnud toorest tainast suhu, kui ema ei vaadanud. Kuid poole sekundi ja ühe plaanimata pilguga oli Andie leidnud võimaluse ta taas sisse tõmmata.

Ta oleks pidanud ilutulestikule minekuks riidesse panema, kuid põlvitas nüüd mõrvatahvli kohal. Osa sellest läks tõesti prügikotti: kõik vihjed, mis olid osutanud Elliot Wardile. Kõik Ivy House'i hotelli, päevikus olnud telefoninumbri, otsasõidu ja põgenemise, Salilt võetud alibi kohta. Samuti Andie fotod ning Tundmatu kirjade ja sõnumite väljatrükid.

Kuid tahvel vajas ka täiendamist, sest nüüd teadis ta rohkem selle kohta, kus Andie oli kadumise õhtul käinud. Pip võttis

Kiltoni kaardi väljatrüki ja hakkas sellele sinise markeriga kritseldama.

Andie läks Wardide juurde ja lahkus sealt veidi hiljem peavigastusega, mis võis olla tõsine. Pip tõmbas ringi Wardide maja ümber Hogg Hillil. Elliot oli öelnud, et kell oli umbes kümme, kuid ta pidi selle pakkumisega pisut mööda panema. Ellioti ja Becca Belli ütlused kellaaja kohta ei klappinud, kuid Becca tunnistust toetas turvakaamera salvestis: Andie oli sõitnud mööda peatänavat kell 22.40. Siis oli ta ilmselt suundunud Wardide juurde. Pip tõmbas punktiiri ja kirjutas sellele kellaaja. Jah. Elliot pidi eksima, taipas ta, muidu tähendanuks see, et Andie oli naasnud peavigastusega koju ja siis uuesti lahkunud. Ja kui asi olnuks nii, oleks Becca sellest politseile rääkinud. Nii et Becca ei olnud enam viimane, kes oli Andiet elusana näinud, viimane oli Elliot.

Aga ... Pip näris pliiatsiotsa ja juurdles. Elliot ütles, et Andie ei tulnud tema juurde autoga, mehe meelest oli Andie jalgsi. Ja kaarti vaadates taipas Pip, miks see oli loogiline. Bellide ja Wardide majad olid väga lähestikku, jalgsi sai minna otse kiriku juurest ja üle jalakäijate silla. Ilmselt sai nii kiiremini kui autoga. Pip kratsis pead. Kuid see ei klappinud: Andie auto oli jäänud turvakaamerasse, järelikult pidi ta minema autoga. Võib-olla oli ta jätnud auto kusagile Ellioti maja lähedale, kuid mitte nii ligidale, et mees oleks seda näinud.

Kuidas sattus Andie sellest hetkest olematusse? Hogg Hillilt vereni oma Howie maja juurde jäetud auto pagasiruumis?

Pip koputas pliiatsiotsaga vastu kaarti, ta pilk liikus Howielt Maxile ning siis Natilt Danielile ja Jasonile. Little Kiltonis oli olnud kaks tapjat: üks, kes arvas, et oli Andie tapnud, ning mõrvas siis selle varjamiseks Sali, ning teine, kes oli tegelikult Andie Belli tapnud. Ja kes talle vastu vaatavatest nägudest võis see olla?

Kaks tapjat ja ometi ainult üks, kes oli püüdnud Pippi peatada, mis tähendas, et ...

Oot.

Pip sulges silmad, et mõelda, mõtted sööstsid minema ja tulid siis muutununa ja suitsedes tagasi. Ja üks pilt: Ellioti nägu, kui politsei sisse astus. Mehe nägu, kui Pip ütles, et ei andesta talle eales Barney tapmist. Ellioti nägu oli olnud moondunud, kulmud pingul. Kuid seda praegu silme ette manades ei olnud mehe näol kahetsus. Ei, see oli hämmeldus.

Ja mehe sõnad, Pip lõpetas need nüüd Ellioti eest: Pip, ma ei tea, millest sa räägid. Mina ei ... tapnud Barneyt.

Pip vandus endamisi ja küünitas lössis prügikoti poole. Ta võttis ära visatud paberid välja ning soris neis, pillates need enda ümber laiali. Ja siis olid need tal käes: kirjad telkimiselt ja tema koolikapist ühes ning Tundmatu sõnumite väljatrükid teises.

Need olid kaks eri inimest. Neid vaadates oli see nüüd nii ilmne. Erinevused ei olnud vaid vormilised, ka toon oli erinev. Elliot oli nimetanud teda Pippaks ja ähvardused olid varjatud, vihjamisi. Isegi see, mis oli kirjutatud tema uurimistöö raportisse. Kuid Tundmatu oli nimetanud teda „lolliks lipakaks" ning ähvardused ei olnud vaid kaudsed: need olid sundinud Pippi oma arvutit hävitama ja siis oli Tundmatu tapnud ta koera.

Pip istus ja hingas välja. Kaks eri inimest. Elliot ei olnud Tundmatu, tema ei tapnud Barneyt. Ei, seda oli teinud Andie tõeline tapja.

„Pip, tule! Lõke on juba süüdatud," hüüdis isa ülakorrusele.
Pip jooksis ukse juurde ja paotas teda. „Minge teie ees. Ma
otsin teid üles."

„Kuidas? Ei, tule nüüd, Pipstükk."

„Ma lihtsalt ... ma proovin veel paar korda Carale helistada,
isa. Ma tõesti pean temaga rääkima. Mul ei lähe kaua. Palun,
ma otsin teid üles."

„Olgu, mummuke."

„Ma luban, et tulen kahekümne minuti pärast," lisas Pip.

„Selge, helista, kui sa meid üles ei leia."

Kui välisuks kinni langes, istus Pip uuesti mõrvatahvli juurde,
Tundmatu sõnumid käes värisemas. Ta vaatas läbi oma uurimis-
töö raportid, püüdis jälile saada, millises uurimistöö punktis
olid ähvardused tulnud. Esimene oli saadetud vahetult pärast
seda, kui ta leidis Howie Bowersi, kui nad olid Raviga temaga
rääkinud ja kuulnud Andie uimastiärist, sellest, et Max ostis
rohüpnooli. Ja Barney oli röövitud vaheajanädalal. Vahetult
enne seda oli juhtunud üsna palju: ta oli kaks korda põrganud
kokku Stanley Forbesiga, käinud Becca juures ja rääkinud
politseikoosolekul Danieliga.

Pip kägardas paberid kokku ja viskas need üle toa urinaga,
mida ei olnud enda suust kunagi varem kuulnud. Kahtlusaluseid
oli endiselt liiga palju. Ja kas ta peaks nüüd, mil Ellioti sala-
dused olid paljastatud ja Sal vabastatakse süüst, valmis olema
tapja kättemaksuks? Kas ta teeb oma ähvardused teoks? Kas
Pip peaks ikka üksi kodus olema?

Pip uuris kõigi fotosid. Ja tõmbas sinise markeriga suure
risti Jason Belli näole. See ei saanud olla tema. Pip oli näinud
mehe ilmet autos, kui uurija oli neile ilmselt helistanud. Jason

ja Dawn mõlemad: nad nutsid, olid vihased, segaduses. Kuid nende silmis oli olnud veel midagi: imetilluke lootusesäde pisarate kõrval. Kuigi neile oli öeldud, et see ei ole Andie, oli mingi pisike osa neist lootnud, et see on siiski nende tütar. Jason ei oleks saanud seda reaktsiooni teeselda.

Tõde oli mehe näos ...

Pip võttis foto, millel oli Andie koos vanemate ja Beccaga, ning uuris seda. Neid silmi.

See ei tulnud ühekorraga.

See tuli väikeste vilksatustena ta mälu eri soppides.

Tükid kukkusid ja moodustasid rea.

Pip haaras mõrvatahvlilt kõik asjasse puutuvad paberid. Uurimistöö sissekanne 3: intervjuu Stanley Forbesiga. Sissekanne 10: esimene intervjuu Emma Huttoniga. Sissekanne 20: intervjuu Jess Walkeriga Bellidest. 21 selle kohta, et Max ostis Andielt uimasteid. 23 Howie ja selle kohta, millega ta Andiet varustas. Sissekanded 28 ja 29 jookide solkimise kohta pidudel. Paber, millele Ravi oli suurtähtedega kirjutanud: kes võis võtta kõnekaardiga telefoni??? Ning kellaaeg, kui Andie oli Ellioti sõnul tema juurest lahkunud.

Pip vaatas kõik üle ja teadis, kes see on.

Tapjal oli nägu ja nimi.

Viimane inimene, kes nägu Andiet elusana.

Kuid veel üks asi vajas kinnitust. Pip võttis telefoni, keris kontakte ja valis numbri.

„Halloo?"

„Max?" ütles Pip. „Ma esitan sulle ühe küsimuse."

„Ei huvita. Sul ei olnud ju minu suhtes õigus. Kuulsin, mis juhtus, et see oli härra Ward."

„Tore," vastas Pip, „siis tead, et ma olen hetkel politseis väga usaldusväärne isik. Ütlesin härra Wardile, et ta ei räägiks otsasõidust ja põgenemisest, aga kui sa mu küsimusele ei vasta, helistan kohe politseisse ja räägin kõik ära."

„Sa ei teeks seda."

„Teeksin küll. Naomi elu on juba hävitatud, ära arva, et see mind enam takistab," bluffis Pip.

„Mida sa tahad?" nähvas poiss.

Pip vaikis korraks. Ta lülitas telefoni kõlari sisse ja keris salvestusäpile, vajutas punast salvestusnuppu ja turtsus valjusti, et piiksu varjata.

„Max," alustas ta, „kas sa ühel 2012. aasta märtsi peol uimastasid ja vägistasid Becca Belli?"

„Mida? Kurat, kindlasti mitte."

„MAX," röögatas Pip telefoni. „Ära valeta mulle või ma vannun jumala nimel, et hävitan su. Kas sa panid Becca joogi sisse rohüpnooli ja seksisid temaga?"

Poiss kõhatas. „Jah, aga ... see ei olnud vägistamine. Ta ei öelnud ei."

„Sest sa uimastasid ta, sa jälk vägistajakoletis!" karjus Pip. „Sul ei ole aimugi, mida sa tegid."

Pip lõpetas kõne, katkestas salvestamise ja lukustas telefoni. Ta teravad silmad vaatasid talle tumedalt ekraanilt vastu.

Viimane, kes nägi Andiet elusana? See oli olnud Becca. See oli kogu see aeg olnud Becca.

Pipi silmad pilkusid talle vastu ja otsus oli tehtud.

Nelikümmend üheksa

Auto jõnksatas, kui Pip järsult teeservale keeras. Ta astus hämarduvale tänavale ja kõndis välisukseni.

Ta koputas.

Tuulekell ukse kõrval õõtsus ja helises õhtutuules heledalt ja pealetükkivalt.

Uks paotus ja selle vahele ilmus Becca nägu. Tüdruk heitis Pipile pilgu ja lükkas ukse pärani.

„Oh, tere, Pippa," ütles ta.

„Tere, Becca. Ma ... tulin vaatama, kas sinuga on pärast neljapäeva õhtut kõik kombes. Nägin sind autos ja ..."

„Jah," noogutas tüdruk, „uurija rääkis, et sina olid see, kes uuris härra Wardi kohta kõik välja, mida ta oli teinud."

„Jah, mul on kahju."

„Kas tahad sisse tulla?" küsis Becca ja astus tagasi, et Pipile teed teha.

„Tänan."

Pip astus Beccast mööda esikusse, kuhu nad olid Raviga nädalate eest sisse murdnud. Becca naeratas ja osutas pardi-munasinise köögi poole.

„Kas sa teed soovid?"

„Oh, tänan, ei."

„Kindel? Hakkasin just endale tegema."

„Olgu siis. Palun mustalt. Tänan."

Pip istus köögilaua äärde, selg sirge, põlved jäigad, ja vaatas, kuidas Becca võttis kapist kaks lillelist kruusi, pani teekotid sisse ja valas äsja keema läinud vee peale.

401

„Vabanda," ütles Becca. „Mul on salvrätikut vaja."

Kui Becca väljus, kostis Pipi taskus rongivile. See oli sõnum Ravilt: *Tsau, Seersant, kus sa oled?* Pip lülitas telefoni hääletule ja torkas uuesti jakitaskusse.

Becca tuli tagasi ja pistis salvrätiku käise vahele. Ta tõi teekruusid ja pani Pipi oma tüdruku ette.

„Tänan," ütles Pip ja rüüpas sõõmu. Tee ei olnud liiga tuline. Nüüd oli tal joogi üle hea meel – midagi värisevate käte vahel hoidmiseks.

Kööki tuli must kass, astus Pipi juurde, saba püsti, ja hõõrus pead vastu tüdruku pahkluid, kuni Becca ta minema kõssitas.

„Kuidas su vanematel läheb?" küsis Pip.

„Mitte eriti hästi," tunnistas Becca. „Kui nägime, et see ei ole Andie, pani ema endale aja emotsionaalsete traumadega tegelevasse kliinikusse. Ja isa tahab kõiki kohtusse kaevata."

„Kas nad teavad juba, kes see tüdruk on?" küsis Pip kruusiserva tagant.

„Jah, nad helistasid täna hommikul mu isale. Ta oli kadunud isikute registris, Isla Jordan, kahekümne kolme aastane, pärit Milton Keynesist. Politseist öeldi, et ta on intellektuaalselt kaheteistaastase tasemel ja õpiraskustega. Pärit vägivaldsest kodust ning varemgi ära jooksnud ja uimasteid omanud." Becca sõrmitses oma lühikesi juukseid. „Nende sõnul on ta suures segaduses: ta elas niimoodi väga pikalt – olles Andie, sest see oli härra Wardile meele järele –, ning usub nüüd, et ta ongi tüdruk, kelle nimi on Andie Bell ja kes on pärit Little Kiltonist."

Pip võttis suure sõõmu, täites vaikust, samal ajal kui sõnad ta peas end värisedes ümber sättisid. Ta suu oli kuiv ja kurgus kohutav värin, mis lasi südame kiirel põksumisel vastu kajada. Pip tõstis kruusi ja jõi selle tühjaks.

„Ta meenutas väga Andiet," ütles ta viimaks. „Mõtlesin mõneks hetkeks, et ta ongi Andie. Ja nägin su vanemate nägudel lootust, et äkki on see ikka tema. Et me võime eksida, mina ja politsei. Kuid sina ju juba teadsid?"

Becca pani kruusi käest ja vaatas Pipile otsa.

„Sinu ilme oli teistsugune kui su vanematel. Sa paistsid segaduses. Sa paistsid hirmul. Sa teadsid kindlalt, et see ei saa olla su õde. Sest sina ju tapsid ta?"

Becca ei liigutanud. Kass hüppas tema kõrvale lauale ja ta ei liigutanud. „2012. aasta märtsis," jätkas Pip, „käisid sa koos oma sõbra Jess Walkeriga ühel peol. Ja seal juhtus sinuga midagi. Sa ei mäleta, aga sa ärkasid ja teadsid, et midagi on valesti. Sa palusid, et Jess tuleks sinuga kaasa SOS-pilli ostma ja kui ta küsis, kellega sa magasid, ei öelnud sa talle. Asi ei olnud selles, nagu oletas Jess, et sul oli piinlik, asi on selles, et sa ei teadnud. Sa ei teadnud, mis sinuga juhtus või kellega. Sul oli anterograadne amneesia, sest keegi oli pannud su joogi sisse rohüpnooli ja ründas sind."

Becca lihtsalt istus, ebainimlikult vaikselt nagu väike detailitruu mannekeen, liiga hirmul, et liigutada ja sellega oma õe varju hämarat poolt häirida. Ja siis puhkes ta nutma. Pisarad voolasid vaiksete niredena mööda ta põski alla, lõualihased tõmblesid. Miski liigahtas Pipis, midagi külma ja tardunut, mis pigistas südant, kui ta Beccale otsa vaatas ja nägi tema silmades tõtt. Sest tõde ei olnud võit, see oli kurbus, sügav ja määndav.

„Ma ei suuda ette kujutada, kui õudne ja üksildane see sinu jaoks oli," sõnas Pip ebakindlalt. „See, et sa ei suutnud meenutada, lihtsalt teadsid, et juhtunud oli midagi halba. Sul pidi olema tunne, et keegi ei suuda sind aidata. Sa ei teinud midagi valesti ja sul ei olnud millegi pärast häbi tunda. Aga mul on tunne, et algul sa nii ei mõelnud ja lõpetasid haiglas. Ja mis siis juhtus? Kas sa otsustasid välja uurida, mis sinuga juhtus? Kes oli süüdi?"

Becca peanoogutus oli peaaegu märkamatu.

„Ma arvan, et sa said aru, et keegi uimastas sind, kas sa seda hakkasidki uurima? Hakkasid esitama küsimusi selle kohta, kes pidudel uimasteid ostis ja kelle käest. Ja need küsimused viisid sind su oma õe juurde. Becca, mis juhtus reedel, kahekümnendal aprillil? Mis juhtus, kui Andie härra Wardi juurest koju tuli?"

„Ma sain teada ainult seda, et keegi ostis Andielt ühe korra kanepit ja amfetamiini," ütles Becca maha vaadates. „Kui ta välja läks ja mind üksi jättis, vaatasin tema tuppa. Leidsin, kus ta oma teist telefoni ja uimasteid peitis. Vaatasin telefoni läbi, kõik salvestatud kontaktid olid vaid tähed, kuid ma lugesin paar sõnumit läbi ja leidsin inimese, kes temalt rohüpnooli ostis. Andie oli ühes sõnumis tema nime kasutanud."

„Max Hastings," ütles Pip.

„Ja ma mõtlesin," nuttis Becca, „mõtlesin, et nüüd, kui ma tean, suudame kõik ära klaarida. Mõtlesin, et kui Andie koju tuleb, räägin talle, ta laseb mul oma õla najal nutta ja ütleb, kui kahju tal on, ning et me klaarime koos, tema ja mina, kõik ära ja sunnime Maxi selle eest maksma. Ma ei tahtnud muud kui oma suurt õde. Ja vabanemistunnet, et saan lõpuks sellest kellelegi rääkida."

Pip pühkis silmi, tundes end ebakindla ja tühjakspigistatuna.

„Ja siis tuli Andie koju," ütles Becca.

404

„Peavigastusega?"

„Ei, seda ma tollal ei teadnud," ütles tüdruk. „Ma ei näinud midagi. Ta oli lihtsalt seal, köögis, ja ma ei suutnud kauem oodata. Pidin talle rääkima. Ja ..." Becca hääl murdus, „kui ma rääkisin, siis ta lihtsalt vaatas mind ja ütles, et tal on suva. Püüdsin seletada ja ta ei kuulanud. Ta ütles ainult, et ma ei tohi sellest kellelegi rääkida, sest muidu tuleb mul pahandusi. Ta püüdis köögist lahkuda ja ma seisin talle teele ette. Siis ütles ta, et peaksin olema tänulik, et keegi oli mind üldse tahtnud, sest ma olen lihtsalt paks ja inetu versioon temast. Ja ta püüdis mind eest ära tõugata. Ma lihtsalt ei suutnud seda uskuda. Ma ei suutnud uskuda, et ta on nii õel. Tõukasin vastu ja püüdsin uuesti selgitada, me mõlemad karjusime ja tõuklesime ja siis ... see käis nii kiiresti.

Andie kukkus selili põrandale. Ma ei saanud aru, et olin teda nii tugevasti lükanud. Ta silmad olid kinni. Ja siis hakkas ta oksele. Ta nägu ja juuksed olid oksega koos. Ja," nuuksus Becca, „ta suu oli täis ja ta köhis ja hakkas sellesse lämbuma. Ja mina ... ma lihtsalt tardusin. Ma ei tea, miks, ma olin tema peale lihtsalt nii vihane. Tagasi vaadates ma ei tea, kas ma tegin mingi otsuse või ei. Ma ei mäleta, et oleksin üldse midagi mõelnud, ma lihtsalt ei liigutanud. Ma pidin teadma, et ta on suremas, aga ma lihtsalt seisin seal ega teinud midagi."

Becca pilk liikus ukse kõrvale põrandaplaatidele. Ilmselt oli see juhtunud seal.

„Ja siis jäi ta liikumatuks ja ma mõistsin, mida olin teinud. Sattusin paanikasse ja püüdsin ta suud puhastada, aga ta oli juba surnud. Tahtsin seda nii meeletult tagasi võtta, olen seda tahtnud iga viimse kui päeva. Kuid oli juba hilja. Alles siis märkasin ta juustes verd ja mõtlesin, et olin talle viga teinud: olen arvanud seda viis aastat. Alles kaks päeva tagasí sain teada, et Andie vigastas pead varem härra Wardi juures. Ilmselt sellepärast ta kaotaski teadvuse, sellepärast läkski tal süda pahaks. Aga sellel ei ole tähtsust. Mina olin see, kes lasi tal surnuks lämbuda. Vaatasin teda suremas ega teinud midagi. Ja kuna ma arvasin, et mina tegin talle viga ning olin jätnud ta käsivartele kriimustused, märgid võitlusest, teadsin, et kõik – isegi mu vanemad – arvaksid, et tahtsin teda tappa. Sest Andie oli minust alati nii palju parem. Mu vanemad armastasid teda rohkem."

„Sa panid ta surnukeha tema auto pagasiruumi?" küsis Pip ja kummardus ettepoole, et hoida oma pead, sest see oli liiga raske.

„Auto oli garaažis ja ma lohistasin ta sinna. Ma ei tea, kust leidsin jõudu seda teha. Nüüd on see kõik ähmane. Koristasin kõik ära: olen näinud küllalt dokumentaalfilme. Teadsin, millist puhastusvahendit kasutada."

„Siis lahkusid majast veidi enne 22.40," ütles Pip. „Sina olid see, kes jäi turvakaamera ette, kui sa Andie autoga mööda peatänavat sõitsid. Ja sa viisid ta … ma arvan, et sa viisid ta selle vana talumaja juurde Sycamore Roadil, millest sa artiklit kirjutasid, sest sa ei tahtnud, et naabrid selle ära ostaksid ja renoveeriksid. Ja sa matsid ta sinna?"

„Ta ei ole maetud." Becca tõmbas ninaga. „Ta on settekaevus."

Pip noogutas leebelt, ta pea üritas Andie saatusega toime tulla. „Ja siis jätsid sa Andie auto maha ja läksid jalgsi koju. Miks sa ta auto Romer Close'ile jätsid?"

„Tema teist telefoni läbi vaadates nägin, et tema diiler elab seal. Mõtlesin, et kui auto sinna jätan, leiab politsei seose ning tema diilerist saab peamine kahtlusalune."

„Mida sa mõtlesid, kui äkki sai Salist süüdlane ja kõik oli läbi?"

Becca kehitas õlgu. „Ei tea. Mõtlesin, et see on ehk mingi märk, et mulle on andestatud. Kuigi ma ei ole ise endale kunagi andestanud."

„Ja siis," jätkas Pip, „viis aastat hiljem hakkan mina kaevama. Sa said minu numbri Stanley telefonist, kui ma teda küsitlesin."

„Ta rääkis mulle, et mingi plika teeb projekti ja arvab, et Sal on süütu. Sattusin paanikasse. Mõtlesin, et kui sa tõestad tema süütust, pean leidma uue kahtlusaluse. Olin Andie kõne-kaardiga telefoni alles hoidnud ja teadsin, et tal oli salasuhe, telefonis oli paar sõnumit kontaktile E kohtumise kohta Ivy House'i hotellis. Läksin sinna uurima, kas on võimalik teada saada, kes see mees oli. Ma ei jõudnud kusagile, vanaproua, kellele hotell kuulub, oli suures segaduses. Ja siis nägin paar nädalat hiljem sind jaama parklas ja ma teadsin, et Andie diiler töötas seal. Jälgisin sind ja kui sa talle järgnesid, järgnesin mina sulle. Nägin, kuidas sa koos Sali vennaga tema majja läksid. Ma lihtsalt tahtsin, et sa lõpetaksid."

„Siis saatsidki sa mulle esimese sõnumi," ütles Pip, „aga ma ei lõpetanud. Ja kui ma sinuga toimetusse rääkima tulin, arvasid sa ilmselt, et olen väga lähedal mõistmaks, et see olid sina, sest ma rääkisin kõnekaardiga telefonist ja Max Hastingsist. Niisiis tapsid sa mu koera ja sundisid mind kogu oma uurimistööd hävitama."

„Mul on kahju." Becca vaatas maha. „Ma ei tahtnud, et su koer sureks. Ma lasin ta lahti, ausõna. Kuid oli pime; ilmselt sattus ta segadusse ja kukkus jõkke."

Pipi hingamine takerdus. Kuid õnnetus või mitte, Barneyt see tagasi ei too.

„Ma armastasin teda väga," ütles ta, tundes peapööritust ja nagu endast irdumist. „Aga ma otsustasin sulle andestada. Sellepärast ma siia tulingi, Becca. Kui mina sellest kõigest aru sain, siis ei ole politsei minust palju maas, nad avasid ju uurimise uuesti. Ning härra Wardi lugu hakkab sinu omasse auke lööma." Pip rääkis kiiresti ja segaselt, keel komistas sõnadele. „See, mida sa tegid, Becca, see, et sa tal surra lasid, ei ole õige. Ma tean, et sa tead seda. Aga ka see, mis sinuga juhtus, ei olnud õiglane. Sa ei tahtnud seda. Ja seaduses puudub kaastunne. Ma tulin sind hoiatama. Sa pead ära minema, riigist lahkuma, end kuskil mujal sisse seadma. Sest nad tulevad sulle peagi järele."

Pip vaatas tüdrukut. Becca pidi rääkima, kuid äkki kadusid maailmast kõik helid, oli vaid tema pähe lõksu jäänud põrnika tiibade surin. Laud nende vahel moondus ja kihises ning siis hakkas mingi võõrik raskus Pipi laugusid kinni suruma.

„Ma … ma …" kogeles ta. Maailm muutus ähmaseks, ainus erk asi oli tühi kruus tema ees, selle värelus, värvid õhku voolamas. „Sa panid mida … mu jook?"

„Andie peidukohas oli paar Maxi tabletti. Ma hoidsin need alles." Becca hääl kandus Pipini valjult ja räigelt, selle kiljuv klouninaerulik kaja ulatus ühest kõrvast teise.

Pip üritas toolilt tõusta, kuid ta vasak jalg oli liiga nõrk. See andis järele ja tüdruk vajus köögisaarele. Midagi purunes, tükid lendasid ringi nagu sakilised pilved ja siis aina ülespoole, kui maailm tema ümber keerles.

Köök vankus, Pip komberdas valamu juurde, kummardus selle kohale ja surus sõrmed kurku. Ta oksendas, okse oli tumepruun ja kipitav, ning ta oksendas uuesti. Kusagilt lähedalt ja kaugelt kostis hääl.

„Ma mõtlen midagi välja, ma pean. Tõendeid ei ole. Ainult sina ja see, mida sa tead. Mul on kahju. Ma ei taha seda teha. Miks sa ei oleks võinud seda lihtsalt sinnapaika jätta?"

Pip vankus tagasi ja pühkis suud. Köök keerles uuesti ning Becca oli tema ees, värisevad käed välja sirutatud.

„Ei." Pip püüdis karjuda, kuid ta hääl kadus kuhugi tema sisse. Ta astus tagasi ja sööstis ümber köögisaare. Ta sõrmed klammerdusid puki külge, et püsti jääda. Pip haaras pukist ja virutas selle selja ta. Kostis kõrvulukustav kolin, kui pukk Becca jalust niitis.

Koridoris jooksis Pip vastu seina. Kõrvus kohisemas ja õlg tuikamas, toetus ta seina vastu, et see ära ei kaoks, ning liikus piki seda välisukse poole. Uks oli lahti, kuid siis pilgutas Pip silmi, uks haihtus ja ta oli kuidagi väljas.

Kõik oli pime ja käis ringi ning taevas oli midagi. Eredad ja värvilised seened ja tormipilved ja sädemed. Kõrvulukustav tulevärk väljaku poolt. Pip ajas end püsti ja jooksis erksate värvide suunas, metsa.

Puud kõndisid puisel tantsusammul ja Pipi jalad muutusid tuimaks. Eksinuks. Veel üks sädemeid pilduv mürin taevas, mis ta pimestas.

Käed ees silmade asemel. Veel üks raksatus ja Becca seisis tema ees.

Becca tõukas ja Pip kukkus selili lehtedele ja porile. Becca seisis tema kohal, käed laiali, tüdruk kummardus ja ... Pippi läbis energiasööst. Ta surus selle jalga ja virutas kõigest jõust. Nüüd oli ka Becca maas, kusagil tumedates lehtedes.

„Ma p...püüd...sin sind aidata," kogeles Pip.

Ta pöördus ja roomas, ta käed tahtsid olla jalad ning jalad käed. Pip ajas end oma kadunud jalgadel püsti ja tormas Beccast kaugemale. Kalmistu poole.

Plahvatas veel pomme, Pipi selja taga oli maailmalõpp. Ta haaras puudest, et need aitaksid teda edasi lükata, kuid puud tantsisid ja keerlesid alla kukkuva taeva suunas. Pip haaras ühest puust, selle koor tundus kui nahk.

Puu sööstis ettepoole ja haaras temast kahe käega kinni. Nad kukkusid mõlemad maha ja veeresid. Pip lõi pea vastu puud, mööda ta nägu nirises midagi märga, suus oli vere raudne maitse. Maailm muutus uuesti pimedaks, silme ette kerkis punakas udu. Ja siis istus Becca tal otsas ja midagi külma oli Pipi kaela ümber. Ta sirutas käe, et seda katsuda, need olid sõrmed, kuid tema enda sõrmed ei liikunud. Ta ei suutnud neid ära kiskuda.

„Palun." Sõna pääses vaevu Pipist välja, õhku juurde ei tulnud. Ta käed olid lehtedes kinni ega kuulanud sõna. Käed ei liikunud.

Ta vaatas Beccale otsa. Ta teab, kuhu sind panna, nii et sind kunagi ei leita. Pimedasse paika Andie Belli luude juurde.

Ta käed ja jalad olid kadunud ja tema järgnes.

„Soovin, et minu jaoks oleks olnud keegi seesugune," nuttis Becca. „Mul ei olnud kedagi peale Andie. Ta oli mu ainus pääsetee isast. Ta oli mu ainus lootus pärast Maxi. Ja ta ei hoolinud. Võib-olla ei hoolinud ta kunagi. Nüüd olen ma selles jamas ning mul ei ole ühtki väljapääsu peale selle. Ma ei taha seda teha. Mul on kahju."

Pip ei suutnud meenutada, mis tunne oli hingata.

Ta silmad lõhenesid ja nende pragudes lõi sädemeid.

Little Kilton neelati veelgi sügavamasse pimedusse. Kuid neid vikerkaarevärvides sädemeid öös oli kena vaadata. Viimane asi, enne kui kõik muutub mustaks.

Ja kui kõik läks mustaks, tundis Pip Becca sõrmi lõtvumas ja ta kaelalt ära tulemas.

Esimene hingetõmme oli katkendlik. Pimedus eemaldus ja maa seest kasvasid helid.

„Ma ei suuda seda teha," ütles Becca ja võttis endal kätega ümbert kinni. „Ma ei suuda."

Siis kostsid kahisevad sammud, kellegi vari hüppas nende poole ja Becca lohistati minema. Uued helid. Karjumine ja kisa ja „Kõik on korras, mummuke".

Pip pööras pead ja isa oli tema juures, surus karjuvat ja vastu hakkavat Beccat maha.

Ja Pipi selja taga oli veel keegi, püüdis teda istuma tõsta, kuid Pip oli jõgi ja teda ei olnud võimalik hoida.

„Hinga, Seersant," ütles Ravi tüdruku juukseid silitades. „Me oleme siin. Me oleme nüüd siin."

„Ravi, mis tal viga on?"

„Hüpnool," sosistas Pip poisile otsa vaadates. „Rohüpnool ... tee sees."

„Ravi, kutsu kiirabi. Helista politseisse."

Helid kadusid. Olid vaid värvid ja Ravi hääl, mis võnkus poisi rinnas ja läbi Pipi selja kusagil taju servas.

„Ta lasi Andiel surra," ütles Pip või arvas end ütlevat. „Aga me peame laskma tal minna. See ei ole õiglane. Ei ole õiglane." Kilton vilkus.

„Ma ei pruugi mäletada, võin saada mm... neesia. Ta on settekaevus. Talumajas ... Sycamore'is. Seal, kus ..."

„Kõik on korras, Pip," kinnitas Ravi ja hoidis tüdrukut, et ta maailmast alla ei kukuks. „See on nüüd läbi. Nüüd on kõik möödas. Ma sain su kätte."

„Kuidas sa mind leidsid?"

„Su jälgimisseade on ikka veel sees," ütles Ravi ja näitas hüplevat ekraanipilti oranži täpiga sõpradeotsingu kaardil. „Niipea kui nägin, et sa oled siin, sain kõigest aru."

Kilton vilkus.

„Kõik on korras. Ma sain su kätte. Sinuga saab kõik korda." Vilkumine.

Nad rääkisid jälle, Ravi ja Pipi isa. Kuid mitte sõnades, mida ta oleks saanud kuulda, vaid sipelgate saginas. Pip ei näinud neid enam. Ta silmad olid taevas, milles möllas tulevärk. Armageddoni vanikud. Üleni punased. Punane kuma ja punane läige.

Ja siis oli ta jälle inimene, külmal niiskel maapinnal, Ravi hingeõhk kõrva juures. Ja puude vahel sähvisid sinised tuled ja liikusid mustad mundrid.

Pip vaatas mõlemaid, sinist vilkumist ja tulevärki.

Helisid ei olnud. Ainult ta enda kähe hingamine ning tuled.

Punased ja sinised. Punased ja

sinis e d. Puna j a

si n a.

S i

n

Kolm kuud hiljem

„Inimesi on palju, Seersant."

„Tõesti?"

„Jah, umbes kakssada."

Pip kuulis neid kõiki, jutuvadinat ja toolide kolinat, kui inimesed kooli aulas istet võtsid.

Pip ootas saali servas, esitluse märkmed peos, higised sõrme-otsad trükikirja laiali ajamas.

Kõik teised tema klassis olid esitanud oma uurimistöö samal nädalal väikestes klassiruumides, kuulajateks teised õpilased ja komisjoni liikmed. Kuid kool ja eksamikomisjon leidsid, et oleks hea mõte teha Pipi esitlusest „suurem sündmus", nagu direktor oli öelnud. Pipile ei jäänud sõnaõigust. Kool oli reklaa-minud esitlust internetis ja Kilton Mailis. Kutsutud olid aja-kirjanduse esindajad, Pip oli näinud kooli ette sõitmas BBC autot, kust laaditi maha kaamerad ja muu varustus.

„Oled närvis?" küsis Ravi.

„Kas sa esitad ilmselgeid küsimusi?"

Kui Andie Belli lugu teatavaks sai, oli see olnud nädalaid üleriigilistes ajalehtedes ja telekanalites. Kogu selle hulluse kõrghetkel oli Pipil Cambridge'is vestlus. Kaks õppejõudu tundsid ta uudistest ära, jõllitasid teda ja uurisid juhtumi kohta. Pipile pakuti õppekohta esimeste seas.

Kiltoni saladused ja mõistatused olid neil nädalatel Pipil nii tihedalt kannul käinud, et ta pidi kandma neid nagu uut kesta. Välja arvatud üks, mis oli sügavale maetud, see, mida ta hoiab Cara päästmiseks igavesti. Ta parim sõber ei olnud haiglas kordagi Pipi juurest lahkunud.

„Kas ma võin hiljem teile tulla?" küsis Ravi.

„Muidugi. Cara ja Naomi tulevad õhtusöögile."

Nad kuulsid teravat kontsaklõbinat ja läbi eesriide võitles end nähtavale proua Morgan.

„Me oleme valmis, kui sina valmis oled, Pippa."

„Selge, ma tulen kohe."

„Noh," ütles Ravi, kui nad jälle üksi jäid. „Lähen parem oma kohale."

Poiss naeratas, pani käed Pipi kuklale, surus sõrmed ta juustesse ning kummardus, et toetada laup vastu tüdruku oma. Ta oli varem öelnud, et teeb seda selleks, et võtta ära pool Pipi kurbusest, pool peavalust, pool ärevusest, kui tüdruk läks Cambridge'i rongile, et vestlusele sõita. Sest poole vähem halbu asju tähendas, et oli ruumi poolele heale.

Ravi suudles teda ja see tunne pani Pipi hõõguma. See tiibadega tunne.

„Sa lajatad neile täiega, Pip."

„Seda ma teen."

„Oh," lisas Ravi uksel viimast korda pöördudes, „ja ära ütle neile, et sa alustasid selle projektiga ainult sellepärast, et ma meeldisin sulle. Ütle neile mõni õilsam põhjus, tead küll."

„Kao siit."

„Ära ennast sellepärast halvasti tunne. Sa ei saanud sinna midagi parata, ma olen *vaimustav**," muigas poiss. „Saad aru. Vaimustav Ravi Singh."

„Hea nalja tunnus on, et seda tuleb selgitada," ütles Pip. „Mine nüüd."

Ta ootas veel hetke, pomisedes endamisi kõne esimesi lauseid. Ja siis astus ta lavale.

---

* *ravishing* – ingl vaimustav (tlk märkus)

Inimesed ei olnud päris kindlad, mida teha. Umbes pool publikust plaksutas viisakalt, telekaamerad olid suunatud neile, ning teine pool istus surmvaikselt, nende silmade mooniväli jälgis teda lavale minemas.

Esireas tõusis Pipi isa püsti ja vilistas sõrmedega. „Näita neile, mummuke!" Ema tõmbas isa kiiresti istuma ja vahetas pilke Nisha Singhiga, kes istus tema kõrval.

Pip kõndis puldi juurde ja silus sellel paberilehti.

„Tere," ütles ta ja mikrofon kägises läbi vaikse saali. Kaamerad klõpsusid. „Minu nimi on Pip ja ma tean palju asju. Ma tean, et kirjutusmasin on inglise keeles pikim sõna, mida saab kirjutada vaid ühe klahvireaga. Ma tean, et Inglise-Sansibari sõda oli ajaloo lühim ja kestis vaid kolmkümmend kaheksa minutit. Tean ka, et see projekt seadis minu, mu sõbrad ja mu pere ohtu ning muutis paljude elusid, ja mitte kõigil paremuse poole. Aga mida ma ei tea," Pip tegi pausi, „on see, miks see linn ja üleriigiline ajakirjandus ei saa endiselt tegelikult aru, mis juhtus. Ma ei ole Andie Belli kohta tõe avastanud „imelaps" neis pikkades artiklites, kus Sal Singh ja tema vend Ravi on taandatud ääremärkuseks. See projekt algas Saliga. Selleks, et leida tõde."

Siis leidis Pipi pilk mehe. Stanley Forbes kolmandas reas midagi märkmikku kritseldamas. Pip mõtles talle vahel ikka veel, talle ja teistele nimedele oma huvipakkuvate isikute nime-kirjas, teistele eludele ja saladustele, mis olid selle juhtumiga ristunud. Little Kiltonil olid endiselt saladused, ümber pööra-mata kivid ja vastamata küsimused. Kuid sellel linnal oli liiga palju hämaraid nurgataguseid, Pip oli õppinud leppima sellega, et ta ei saa kõigisse neisse valgust heita.

Stanley istus otse Pipi sõprade taga, Cara nägu nende seas ei olnud. Ta oli küll kogu selle aja olnud väga vapper, kuid oli otsustanud, et tänane päev oleks tema jaoks liig.

„Ma ei suutnud mõista," jätkas Pip, „et kui see projekt on läbi, lõpeb see nelja käeraudadesse pandud inimesega ja ühega, kes vabanes viie aasta järel omaenda vanglast. Elliot Ward on tunnistanud end süüdi Sal Singhi mõrvas, Isla Jordani röövimises ja õigusemõistmise takistamises. Tema karistus otsustatakse järgmisel nädalal. Becca Bell astub veel sel aastal kohtu ette järgmiste süüdistustega: tapmine ränga hoolimatuse tõttu, seadusliku matuse takistamine ning õigusemõistmise takistamine. Max Hastingsile on esitatud süüdistus neljas seksuaalrünnaku ja kahes vägistamise episoodis ning ka tema astub sel aastal kohtu ette. Ning Howard Bowers on end süüdi tunnistanud retseptiravimi hankimises ja omamises kavatsusega seda müüa."

Pip sahistas märkmetega ja köhatas.

„Miks reede, 2012. aasta kahekümnenda aprilli sündmused juhtusid? Nii nagu mina sellest aru saan, on rida inimesi, kellel lasub osa süüst selles, mis tol õhtul ja järgmistel päevadel juhtus, kui mitte kriminaalselt, siis moraalselt. Need on: Elliot Ward, Howard Bowers, Max Hastings, Becca Bell, Jason Bell ja, ärge unustage, Andie ise. Te olete teinud temast oma kauni ohvri ning vaadanud meelega mööda tema iseloomu hämaramatest tahkudest, sest need ei sobi teie narratiiviga. Kuid tõde on säärane: Andie Bell oli kiusaja, kes kasutas emotsionaalset väljapressimist, et saada seda, mida tahtis. Ta müüs uimasteid, mõtlemata või hoolimata sellest, kuidas neid võidi kasutada. Me ei saa kunagi teada, kas ta aitas kaasa seksuaalrünnakule uimastite abil, ent kindel on see, et kui ta oma õde talle sellest rääkis, ei leidnud ta endas kaastunnet.

Ja ometi, kui vaatame lähemalt, mida me selle tõelise Andie taga leiame? Me leiame haavatava ja ebakindla tüdruku. Sest isa õpetas talle lapsena, et tema ainus väärtus on tema välimuses ja selles, kui tugevasti teda ihaldatakse. Kodu oli tema jaoks paik, kus teda kiusati ja pisendati. Andiel ei olnud võimalust saada selliseks nooreks naiseks, kes ta võinuks olla mujal kui selles majas, otsustada ise, mis muudab ta väärtuslikuks ja millist tulevikku ta endale soovib.

Kuigi selles loos on oma koletised, olen ma saanud aru, et selle loo osalisi ei saa jagada kuigi lihtsalt headeks ja halbadeks. Kokkuvõttes oli see lugu inimestest ja nende eri tooni meeleheitest, mis omavahel kokku põrkasid. Kuid selles loos oli üks inimene, kes jäi päris lõpuni heaks. Ja tema nimi on Sal Singh."

Pip tõstis pilgu ja vaatas Ravi poole, kes istus oma vanemate vahel.

„Asi on selles," ütles ta, „et ma ei teinud seda projekti üksi, nagu juhend nõuab. Ma ei oleks suutnud sellega üksi hakkama saada. Nii et ilmselt tuleb teil mind diskvalifitseerida."

Paar inimest publikus ahhetas, proua Morgan nende seas. Kõlas paar naeruturtsatust.

„Ma ei oleks suutnud seda juhtumit lahendada ilma Ravi Singhita. Tegelikult ei oleks ma ilma temata ellu jäänud. Nii et kui keegi peaks rääkima sellest, kui hea oli Sal Singh – nüüd, kui te kõik lõpuks kuulate –, siis on see tema vend."

Ravi põrnitses Pippi oma kohalt, silmad suured sel reetlikul moel, mida tüdruk armastas. Kuid ta teadis, et Ravi vajab seda. Ja Ravi teadis ka.

Pip kutsus teda peanõksatusega ja Ravi tõusis. Ka Victor tõusis, lasi jälle sõrmedega vilet ja tagus käsi valjusti kokku. Mõned õpilased publiku seas lõid kampa ja plaksutasid, kui Ravi trepist lavale jooksis ja puldi juurde astus.

Kui Ravi Pipi kõrvale jõudis, astus tüdruk mikrofoni juurest eemale. Poiss pilgutas talle silma ja Pip tundis uhkusesähvatust, vaadates, kuidas Ravi kukalt sügades puldi juurde astub. Ravi oli talle eile öelnud, et teeb koolieksamid uuesti, et saaks minna õigusteadust õppima.

„Ee... tere," ütles Ravi ja ka temal hakkas mikrofon kägisema. „Ma ei oodanud seda, kuid ei juhtu just iga päev, et mõni tüdruk sulle *ninja*-tähe viskab." Järgnes vaikne soe naerukahin. „Aga Salist rääkimiseks ei ole mul vist ettevalmistust vaja. Olen valmistunud selleks nüüd ligi kuus aastat. Mu vend ei olnud lihtsalt hea inimene, ta oli üks parimaid. Ta oli lahke, erakordselt lahke, aitas alati teisi, miski ei olnud talle kunagi liiga suur tüli. Mäletan üht korda, kui olime lapsed, mina ajasin mustsõstrajooki vaibale ja Sal võttis süü enda peale, et mul pahandust ei tuleks. Ups, vabandust, ema, millalgi pidid sa ju teada saama."

Publiku hulgast kostis jälle naeru.

„Sal oli naljanina. Ja tema naer oli täiesti pöörane, sa lihtsalt pidid kaasa naerma. Oh, ja ta joonistas tundide kaupa koomikseid, et saaksin neid voodis lugeda, sest ma ei tahtnud üldse magama jääda. Need on mul kõik alles. Ja pagan, kui tark Sal oli. Ma tean, et ta oleks teinud oma eluga uskumatuid asju, kui seda ei oleks talt ära võetud. Ilma temata ei ole maailm enam kunagi nii särav." Ravi hääl murdus. „Soovin, et oleksin saanud talle seda kõike öelda, kui ta elus oli. Öelda, et ta oli parim suur vend, keda üldse soovida võib. Kuid vähemalt saan seda nüüd lavalt öelda ja teada, et seekord usuvad mind kõik."

Ravi vaatas uuesti Pipi poole, ta silmad särasid ja ta sirutas käe. Pip astus poisi kõrvale ja kummardus mikrofoni juurde, et öelda oma viimased laused.

„Kuid selles loos oli veel üks osaline, Little Kilton, see tähendab, meie. Me muutsime kauni elu ühiselt müüdiks koletisest. Me muutsime perekodu tondimajaks. Edaspidi peame olema paremad."

Pip võttis puldi taga Ravi käe, põimis sõrmed poisi omadega. Nende kätest sai uus elusolend, Pipi sõrmeotsad sobisid täiuslikult lohkudega poisi sõrmenukkide vahel, nagu oleksid nad kasvanud just selleks, et niiviisi kokku sobida.

„Kas küsimusi on?"

Tänuavaldused

See raamat jäänuks hüljatud Wordi dokumendiks või uurimata ideeks mu peas, kui ei oleks olnud tervet rida hämmastavaid inimesi. Esiteks, mu superagent Sam Copeland, on uskumatult ärritav, et sul on alati õigus. Tänan, et oled nii muretu ja rahulik, parim inimene, keda võib oma meeskonda soovida, olen sulle igavesti tänulik, et minuga riskisid.

„Mõrva käsiraamat heale tüdrukule" leidis Egmontis täiusliku kodu ja mul on selle üle nii hea meel. Ali Dougal, Lindsey Heaven ja Soraya Bouazzaoui: tänan teie väsimatu innu, selle eest, et nägite selle loo südant ning aitasite mul seda leida. Eriline tänu mu imelisele toimetajale Lindseyle, kes juhtis mind kogu teekonnal. Amy St Johnstonile, kes oli raamatu esimene lugeja ja eestvõitleja; olen selle eest nii tänulik. Sarah Levisonile raske töö eest selle raamatu vormi ajamisel ning Lizzie Gardinerile kauni kaanekujunduse eest, ma ei oleks osanud täiuslikumast undki näha. Melissa Hyderile, Jennie Romanile ja kõigile turundus- ja reklaamiosakonnas, Heather Ryersonile suurepärase korrektuuri ning Siobhan McDermottile raske töö eest noortekirjanduse kongressil YALC ja mujal, Emily Finnile ja Dannie Price'ile geniaalse YALC-i kampaania eest ning Jas Bansalile selle eest, et ta on sotsiaalmeedia kuninganna. Ning Tracy Phillipsile ja autoriõiguste töörühmale uskumatu töö eest selle loo viimisel laia maailma.

Minu 2019. aasta debüütrühmale toetuse eest, toon iseäranis esile Savannah', Yasmini, Katya, Lucy, Sarah', Josephi ja minu agentuuri/kirjastuse kaksiku Aisha. Kogu kirjastamisvärk ei ole üldse nii hirmus, kui teha see läbi koos sõpradega.

Minu Flower Hunsile (mäherdune kasutu WhatsAppi grupi nimi ja nüüd on see avaldatud raamatus, nii et me ei vabane sellest kunagi), tänan, et olete olnud mu sõbrad üle kümne aasta ja saate aru, kui kaon oma kirjanikuauku. Tänu Elspethile, Lucyle ja Alice'ile, kes olid käsikirja esimesed lugejad.

Tänan Peterit ja Gaye'd vankumatu toetuse, selle raamatu kõige esimese versiooni lugemise ja selle eest, et nad lasevad mul elada nii kaunis kohas, kui kirjutan järgmist. Ning Katiele, kes toetas seda raamatut algusest peale ning andis mulle esimese killukese Pipist.

Tänan oma suurt õde Amyt, kes lubas mul hiilida oma tuppa „Teadmata kadunuid" vaatama, kui olin selleks veel liiga väike – minu armastus mõistatuste vastu on pärit sealt. Tänan oma väikeõde Oliviat, kes on lugenud läbi viimse kui asja, mida olen kunagi kirjutanud, alates sellest punasest märkmikust, millesse jutukesi kirjutasin, ja lõpetades „Elizabeth Crowe'ga" – sa olid mu esimene lugeja ja olen sulle väga tänulik. Tänan Danielle'i ja George'i – teie pääsesite tänuavaldustesse lihtsalt selle eest, et olete nunnud. Seda raamatut ärge parem lugege, enne kui olete sobivas vanuses.

Tänan ema ja isa, tänan, et andsite mulle lapsepõlve täis lugusid, et kasvatasite mind raamatute, filmide ja mängude keskel. Ma ei oleks nii kaugel ilma aastateta täis „Tomb Raiderit" ja „Harry Potterit". Kuid ennekõike tänan selle eest, et lubasite peaaegu alati asju, mida teised keelasid. Me saime hakkama.

Ja ma tänan Beni. Sina oled mu konstant läbi kõigi pisarate, raevuhoogude, läbikukkumiste ja võitude. Ilma sinuta ei oleks ma seda kõike suutnud.

Ja viimaks, tänan sind, et valisid selle raamatu ja lugesid lõpuni. Sa ei kujuta ettegi, kui palju see tähendab.

Holly Jackson hakkas kirjutama jutte üsna noorelt,
tema esimene (vilets) romaanikatsetus valmis viieteistaastaselt.
Ta õppis Nottinghami ülikoolis kirjanduslingvistikat ja
loovkirjutamist ning lõpetas magistrikraadiga inglise keeles.
Ta elab Londonis ja peale lugemise ja kirjutamise meeldib
talle mängida videomänge ja vaadata dokumentaalfilme
päriskuritegudest, et kujutleda end uurijana. „Mõrva käsiraamat
heale tüdrukule" on tema esimene romaan. Võid jälgida Hollyt
Twitteris ja Instagramis @HoJay92.